ガバナンスの法理論

行政・財政をめぐる古典と現代の接合

木村琢麿
KIMURA Takumaro

Théorie juridique de la gouvernance publique

勁草書房

はじめに――本書の問題意識と視角

[1]

一　本書のテーマと分析手法

本書は、古典に学びながら、現代における行政・財政のあり方を考察するものである。より詳しくいえば、モーリス・オーリウを中心とした、フランス公法学の古典的学説を読み解く作業を通じて、現代のガバナンス論に通ずる要素を析出し、今日の行財政上の諸問題を法的に解決するための視座を提供するものである。右の趣旨を、以下でさらに分節的に述べることにしよう。

① 本書は、いわゆるガバナンス論の一環として、法学的なアプローチを試みるものである。(1)《ガバナンス(gouvernance, governance)》は、最近流行りの概念であり、従来の《ガバメント(gouvernement, government)》ないし《統治》をもとにした枠組みに対置される。論者によってその意味するところは相当に異なっているが、一般には「社会・組織の一定の目的に向けて、構成員や外部との交渉を通じて、適法かつ相互に満足的な決定に至るための方法ないし仕組み、とりわけ人的・物的資源を統一的・効率的に運用する仕組み」などと定義される。(2) その最大公約数的な要素として、《公》と《私》の融合を図るという視点をあげることができ、さらにその中核には、

（a）私的セクターを公的活動に関与させるという参加・協働の考え方と、（b）公的活動においても民間企業と同様に効率性が重視されるべきであるという考え方がある。それゆえフランスでは、ガバナンスの概念が、参加や協働の手続に着目した《手続的ガバナンス（gouvernance procédurale）》と、効率的なマネジメントに着目した《道具的ガバナンス（gouvernance instrumentale）》とに分けられることがある。(3) わが国での論調としても、前者の観点からガバナンスが《共治》と訳されることもあり、(4) その場合の問題関心は公私協働ないし住民参加として論ぜられるところに対応している。(5) また後者の観点は、ＮＰＭ、すなわち新公共経営（New Public Management ; nouvelle gestion publique）の潮流と重なりあうことが指摘されている。(6)

もともとガバナンスは、公的領域のみならず私的領域にも及ぶ概念であり、コーポレート・ガバナンス、パブリック・ガバナンス、グローバル・ガバナンスなどに大別されるが、(7) いずれも右の二つの要素を含意していると考えられる。このうち本書に直接関わるのは、公的セクターに関するパブリック・ガバナンスであるが、ガバナンスは《公》と《私》、ないし各セクター間の相互作用や連続性を重視する概念であるので、本書では、おもにパブリック・ガバナンスを念頭におきつつ、単にガバナンスの語を用いることにしたい（特に、これらの区分を強調する場合には、パブリック・ガバナンスの語を用いる）。(8)

本書では、こうしたガバナンスの考え方を積極的に取り入れた公法理論を提示するものである。パブリック・ガバナンスについては財政学や行政学が、コーポレート・ガバナンスについては経営学や私法学が、それぞれさかんに論じているが、公法学ではガバナンスを本格的に論ずるものは少ないのが現実であるので、本書は多少なりとも存在意義を有すると思われる。

[2]

② 本書では、行財政におけるガバナンスを全般的に論ずるものではあるが、とりわけ財政的観点を重視する。右にあげた区分でいえば、効率性の観点からの《道具的ガバナンス》に重点をおくことになる。もちろん、ガバナ

ンスは財政のみに関わる概念ではないが、右の二つのガバナンス概念に共通する関心事として、財政があることは明らかであろう。実際フランスでは、少なくとも現象面としていえば、公法学においてガバナンスと銘うった研究が最も活性化しているのは、現在のところ財政研究ないし財政法学である。[9]また、ガバナンスにおける公私協働の側面についても、財政ないし資本の観点からの協働（すなわち、行政における民間資本の活用）を重視する立場がありうるわけであり、フランスではそれが《公私協働契約（partenariat public-privé）》という法令用語にも表れている。すなわち、同国の公私協働契約は、日本でいうＰＦＩ（Private Finance Initiative）とほぼ同様に、民間資本を活用した公共施設の設置・管理を意味しており、法令上は、もっぱら資本提供という技術的ないし道具的な観点から《公私協働》の概念が用いられているのである。[10]

本書においてこのように財政的観点を重視することには、右の問題状況や筆者の個人的な関心のほか、わが国の法律学においては財政に関する考察が乏しいという事情もある。すなわち、公法学のうち憲法学では、財政を考察の対象に含めながらも、予算論などの一部の論点を除くと、財政に関して十分な研究がなされてこなかったといえよう。[11]また、伝統的な行政法学においては、行政法各論のひとつとして、警察法・公企業法・公用負担法とともに財政法が掲げられてきたが、[12]財政法は警察法などと比べると注目されることが少なかった。[13]さらに、財政法のなかの租税法は、独立した科目として、近時著しい発展を遂げているが、その一方で、租税法を除いた意味での《狭義の財政法》[14]は、租税法学に大きく遅れを取っている。[15]そこで本書は、ガバナンスの観点から財政法理論を再検討し、財政法学の可能性を押し広げることをひとつの目的とする。

その一方で、財政に関しては、財政学をはじめとした経済学的な研究成果がふるくから蓄積されている。[16]さらに、現代の危機的な財政状況を前にして、しばしば効率性を追求する観点から、経済学系の研究者によって積極的な改革の必要性が声高に叫ばれている。[17]そこでは、法学的ないし制度的な視点は、副次的な要素として、あるいは当然に改革されるべき対象として捉えられている場合が少なくない。これに対して本書は、実定法分析を基礎にして、財政を法的に考察する必要性を訴えるものである。さらには、かかる財政の法学的分析をもとにして、公法諸原理を現代的に再構成する可能性を示すことを試みる。

〔3〕

③　本書は、こうした問題に対する考察にあたって、方法論的には、現代と古典の連続性を重視する。すなわち本書は、右のような現代的な関心をもとに、実際的な問題の解決を強く意識しつつも、今日的な諸問題をそのまま取り上げるのではなく、公法学の古典的著作を再読することを通じて、その歴史的遺産を現代に活用するという手法をとる。筆者は、ガバナンス論との関係では、奇しくも一世紀前のモーリス・オーリウが、現代に多くのヒントを提供していると考えており、本書はその応用を図ることを意図している。もとよりガバナンス概念の有用性には批判もあるところであり、筆者もガバナンスの概念が伝統的な公法理論を全面的に修正するものであるとは考えていない。むしろ現代のガバナンス論には古典的学説との共通性があり、その連関を探ることを通じて公法理論を充実させることができると思われるのである。

本書の基本的な問題意識は、次のように言い換えることができよう。すなわち、はたして行財政における現代の動向は本当に新しいのであろうか。むしろ、古典によって十分に記述できる場面が多いのではないか。また、公法学の古典を再読することにより、《経済が法を侵食する》といった思考モデルよりも、生産的な議論が可能になるのではないか[18]。実際的な問題解決に当たっても、場当たり的でない堅実な解決方法を探るためには、古典に学ぶことが有益であるはずである。

もっとも、《古典の再読》という作業は、それ自体、特に目新しい方法ではなく、むしろ本来的には、すべての学問の基礎的な営みとして、当然に要求されることがらである[19]。ところが近時では、公法学のみならず関連科目においても、実際的な問題解決が急がれるあまり、古典が軽視されている傾向が感じられなくはない。さらに、かかる古典重視の方法論に対する根本的な批判を含む論調として、ポストモダニスム（post-modernisme）がある。ポストモダンの捉え方も、ガバナンスの場合と同様、論者によって相当に異なっているが、近代的理性の基礎を築いた古典的学説を否定的にみて、それを超越した思考をするという側面がある。法律学を含めた社会科学においても、ポストモダンの潮流は存在しており(20)、本論に述べるように、筆者はその問題意識や法規範の機能的な捉え方には共感を覚えているが(21)、方法論的には、古典的な著作に学びながら「ゆっくり急げ」という、研究の常道(22)に依拠している。本書の立場からすれば、現代的な問題は少しも現代的でない、とさえいえるであろうし、実際オーリウの著書には、ポストモダニスムの論者が主張する内容が先取りされている面があると考えられるのである。

④　ところで、筆者はすでに、『財政法理論の展開とその環境』と題する研究書において、オーリウの学説を、おもに財政の観点から分析している(23)。そこで、前著を知る読者にしてみれば、「またか」という印象をもたれるかもしれないし、オーリウ研究の二番煎じに映るかもしれない。しかし、筆者は同書のはしがきにおいて、みずから「基礎研究の中間総括」であると位置づけ、できればその「発展可能性」を評価していただきたい、と記した以上、前著の内容の《現代的な展開（modernisation）》を図ることが、筆者の学界に対する責務であると考えている。また、筆者は前著や本書以外の複数の論考において、オーリウ学説と現代的な諸問題との論理的連関を析出しているが(24)、このことは、彼の学説に汲めども尽きぬ含蓄があり、それが現代においても大いに通用することを物語るであろう。

また、古典的学説として、筆者はあまりにもオーリウにこだわりすぎている、という評価を予想して、次の補足的な説明をしておこう。それはすなわち、筆者は、すでに多くが語られている憲法・行政法の観点からオーリウ学説を考察しているのではなく、財政法的観点をはじめとして、わが国ではなかば未開拓の観点から彼の学説を切り込んでおり、なおかつその「環境」としての関連分野(25)を含めて、彼の問題意識の広がりを意識しながらオーリウ学説を再評価している。これは、少なくとも筆者にとっては相当な労力を伴う作業である。しかも、財政法的観点からオーリウ学説を分析するためには、これまた十分な検討がなされていないガストン・ジェズの学説についても――その膨大な著作量に圧倒されながら――あわせて考察する必要がある。これによって、わが国と違って相当な蓄積のある、フランス財政法学の成果は勿論のこと、フランス公法学の全般にわたって、新しい知見が見出されうると思われる。ガバナンス論のひとつの柱をなす公私協働論も、まさにそのひとつであるといえよう(26)。

いずれにしても、本書は前著と連続した内容を有しており、筆者自身がオーリウ学説を再読する作業という意味をも有しているので、前著との関連を明らかにするために、前著の該当箇所を厭わずに明記することにしたい。

(1) 筆者は、ガバナンスに関連して、すでにいくつかの研究を行っているので、はじめに掲げておこう。まず、基礎的ない し準備的考察として、木村「成果主義的な行財政制度の構築に向けた試論(一)~(五・完)――複数年度型予算会計・補助金・定員管理」自治研究七九巻九号(二〇〇三年)一三八頁以下、一一号七九頁以下、八〇巻九号(二〇〇四年)八〇頁以下、一二号一〇四頁以下、八一巻一号(二〇〇五年)一一二頁以下、同「財政統制の現代的変容(上・下)――国会と会計検査院の機能を中心とした研究序説」自治研究七九巻二号(二〇〇三年)九一頁以下、三号四四頁以下。また、ガバナンス的な考え方をもとに制定されたといわれる、フランスの二〇〇一年八月一日組織法律については、木村「フランスの二〇〇一年『財政憲法』改正について」自治研究七八巻九号(二〇〇二年)五七頁以下、同「フランスにおける予算会計改革の動向――日本法への示唆を求めて」季刊行政管理研究一〇六号(二〇〇四年)二〇頁以下、その応用として、同「予算・会計改革に向けた法的論点の整理」会計検査研究二九号(二〇〇四年)五一頁以下。さらに、港湾管理をもとにした各論的研究として、木村「国有財産の管理委託に関する一考察――港湾管理を素材としたガバナンス研究」千葉大学法学論集二〇巻四号(二〇〇五年)七〇頁以下。

(2) ガバナンスの概念は、特に最近の行政学や経営学の概説書等において、さかんに用いられている。たとえば、西尾勝

『行政学〔新版〕』（二〇〇二年・有斐閣）二五〇頁、三六七頁、宮川公男＝山本清編『パブリック・ガバナンス』（二〇〇二年・日本経済評論社）六頁〔宮川執筆〕、兼村高文『ガバナンスと行財政システム改革』（二〇〇四年・税務経理協会）一三頁以下〔佐川泰弘執筆〕、岩崎正洋編『ガバナンスの課題』（二〇〇五年・東海大学出版会）一二頁以下、宮脇淳編『ＰＰＰが地域を変える』（二〇〇五年・ぎょうせい）一三頁〔宮脇執筆〕。さらに、仏語の基本的文献として、J. Chevallier, 《La gouvernance, un nouveau paradigme étatique ?》, RFAD, n°105-106, 2003, p. 203 et s.; P. Schmitter, 《Réflexions liminaires à propos du concept de gouvernance》, in : La démocratie dans tous ses états, Bruylant, Bruxelles, 2000, p. 51 et s.; J.P. Gaudin Pourquoi la gouvernance ?, Presse de Sciences Po, 2002. Cf. P. Moreau Defarges, L'ordre mondial, Colin, 2000.

本文に掲げた定義は、右の諸文献（とりわけシュミテル論文）から抽出したものであるが、英米系の諸国を含めて、ガバナンス論の出発点のひとつになっているのは、次の定義的記述である。すなわち、「ガバナンスとは、公的ないし私的な個人および組織が共通の事務を管理するための、さまざま方式の総体であり、対立する諸利益のあいだで協調と妥協をする継続的なプロセスである。そこには、執行的権限を与えられた公式の組織や制度のみならず、人々や組織が合意に達し、自己の利益にかなうと認識するための非公式な調整も含まれる」。Commission on Global Governance, Our Global Neighbourhood, Oxford, New York, 1995, p. 2-3. それに先立って、世界銀行の報告書は、ガバナンスを「国家の経済的・社会的資源の発展に向けてマネジメントするために権力が行使される方法」であると定義したうえで、良好な発展のためには、公的事務の統御に向けた予測可能で透明な枠組みを設定し、権力の保持者をして報告することを義務づける規範が求められるとしている。そのうえで、公的セクターのマネジメント、説明責任、発展のための法的枠組み、情報および透明性という四つの観点を提示し、それぞれについて論じている。World Bank, Gouvernance and Development, May 1992, Washington, p. 3 et s.

なお、本書はガバナンスの概念を精緻化することを目的とするのではなく、本文に掲げた二つの要素があることを明確にしたうえで、それらの相互関係や具体的な帰結についての考察に重点をおくことにしたい。

（3） J.-G. Padoileau, 《L'action publique post-moderne : le gouvernement politique des risques》, Politiques et management public, 1999, n°4, p. 85 et s. De même, J. Chevallier, L'Etat post-moderne, LGDJ, 2003, p. 212.

ここにいう二つのガバナンスの観点は、それぞれ《ネットワークガバナンス》と《組織ガバナンス》にほぼ対応するといえよう（参照、新川達郎「政府のガバナンスを考える」季刊行政管理研究一一八号（二〇〇七年）二頁）。なお、この点は、コーポレート・ガバナンスにおける主権論と目的論ないし方法論の対比にも相当すると思われる（参照、菊澤研宗『比較コーポレート・ガバナンス論』（二〇〇四年・有斐閣）二頁）。Cf. World Bank, op. cit., p. 58, note 1.

（4） たとえば、岩崎美紀子「共治時代を切り拓く」ガバナンス二〇〇一年五月号二四頁を参照。

（5） 公私協働については、最近の公法学でさかんに論じられている。たとえば、公法研究六三号（二〇〇三年）所収の諸論文のほか、山本隆司「公私協働の構造」金子宏先生古希記念論文集『公法学の法と政策・下巻』（二〇〇〇年・有斐閣）五三一頁以下、山田洋「参加と協働」自治研究八〇巻八号（二〇〇四年）二五頁以下、岸本太樹「公的任務の協働遂行と行政上の契約（一）～（四・完）」自治研究八一巻三号（二〇〇五年）九一頁以下、六号一三二頁以下、一一号一一一頁以下、八二巻四号（二〇〇六年）一二六頁以下。さらに関連して、原田大樹『自主規制の公法学的研究』（二〇〇七年・有斐閣）一八頁以下。なお、この種の公私協働論には財政法的観点が入りうるが、かかる観点を取り込んだ分析は意識的になされていないように見受けられる。

（6） 西尾・前掲註（2）三六〇頁。

（7） 商法学のコーポレート・ガバナンス論においても、効率的な管理と関係人との協働的な関係とが中核になっており、会社の構成員や利害関係人の全体に関わること、情報開示を通じた透明性や効率性の確保が求められることなどの点において、公的セクターにおけるガバナンスと共通している。そのことは、近時の内部統制の議論において顕著である。すなわち、もともと内部統制は、財務諸表の監査という会計的観点から出発したものであるが、近時では、リスク管理、法令順守、業務の効率化、適切な財務報告といった広範な概念に拡張している。二〇〇一（平成一三）年以降の会社法の改正も、この趣旨を具体化するところが多いといわれる（土田義憲『会社法の内部統制システム』（二〇〇五年・中央経済社）

二頁以下、柿崎環『内部統制の法的研究』（二〇〇五年・日本評論社）二頁以下などを参照）。なお、商法学におけるガバナンス論を概観するものとして、落合誠一「新会社法講義2・総論(6)」法学教室三二二号（二〇〇六年）二六頁以下があり、効率性と公正性の確保をその目的としている。

（8）ガバナンスは、ガバメント（統治）と対置されることからして、《行政》と区別された意味での《統治》に相当する概念であるという理解も可能である。つまり、ガバナンスは、民間企業でいえば株主総会レベルの問題であり、取締役会以下の諸機関の担うマネジメントと区別することもできる（この点を指摘するものに、桜内文城『公会計』（二〇〇四年・NTT出版）四頁）。しかし、新公共経営（NPM）に基づくガバナンスにおいては、それぞれの行政機関の自律的管理を重視するのが一般的であるから、伝統的なガバメントの場合のように《統治》の原理と《行政》の原理を区分することが相対的に難しくなる。さらに、公私協働的な発想を取り込むとすれば、行政分野ごとのマネジメントのレベルでもガバナンスの理念が求められることになる。オーリウも《統治》と《行政》の双方に対応する考え方として企業的な行政観を提示しており（本書第一章第一節Ⅰ(二)②[26]参照）、実際、今日のフランスでは、各省の予算管理者レベルの諸問題もガバナンスとして論ぜられている（ex. A. Barilari et M. Bouvier, La nouvelle gouvernance financière de l'Etat, LGDJ, 2004, p. 95)。港湾管理を例にとっていえば、港湾管理者ごとのガバナンスを考えることもできるし、港湾国有財産の全体についてガバナンスを考えることも可能であると思われる（概略的な記述ながら、木村・前掲註（1）千葉論集二〇巻四号一四七頁を参照）。

（9）フランスでは、公法学の一部として、財政の総合的研究を行う「財政論（finances publiques）」の講義科目が存在している。参照、木村「フランス財政法学の生誕と現状」日仏法学二三号（二〇〇四年）五九頁以下。

（10）参照、木村「フランスにおけるPFI型行政の動向――公私協働契約を中心に」季刊行政管理研究一一〇号（二〇〇五年）五六頁以下。わが国で公私協働として論ぜられていることがらは、《partenariat public-privé》ではなく、むしろオーリウらのいう《collaboration entre public et privé》に相当するように思われる（第一章第一節Ⅰ(二)⑤[29]参照）。Cf. P. Weil, Le droit administratif, 13 éd., 1989, p. 34. さらに、座談会「憲法・行政法・民法における一般利益＝公益

――第七回日仏法学共同研究集会」ジュリスト一三五三号（二〇〇八年）八七頁の木村発言をも参照。

（11） 第二次大戦後の憲法学者による先駆的な研究成果として、小嶋和司『憲法と財政制度』（一九八八年・有斐閣）一八四頁以下。

（12） たとえば、美濃部達吉『日本行政法・下巻』（一九四〇年・有斐閣）一〇四七頁以下、渡辺宗太郎『日本行政法要論・下巻』（一九三六年・有斐閣）一六三頁以下、田中二郎『新版行政法・下巻〔全訂第二版〕』（一九八三年・弘文堂）二〇五頁以下。同旨、織田萬『行政法講義（全）』（一九一二年・有斐閣）八三八頁以下。

（13） 実務的な解説書を除くと、財政法全般を扱った古典的な概説書としては、杉村章三郎『財政法〔新版〕』（一九八二年・有斐閣）があげられる程度である。なお、近時の財政法関係の文献については、本論中に紹介する。

（14） 財政法の意義につき、金子宏「財政法概説」雄川一郎ほか編『現代行政法大系10』（一九八四年・有斐閣）三頁を参照。なお、本書では、原則として財政法の語を、租税法を含めた広義の意味で用いる。

他方、行政法と財政法の関係については微妙な問題があり、伝統的には前者が後者を含むと解されてきたが、本書では便宜的に行政法と財政法を区分して用いる。また、行財政とガバナンスの関係については、後者は前者に対するひとつの規範的な観点を表現したもの（あるいは、公私協働や効率性などの一定の理念を前提とした見方）であると整理できよう。このことは、ガバナンスが、しばしば《よきガバナンス》という形で表現されることからも明らかになろう（ただし、これがオーリウにおける《良好な行政》の観念と重なることにつき、本書第一章第一節**一**（二）④[28]参照）。

（15） もっとも、憲法学者を中心とした研究者によって、一九八三年に日本財政法学会が創設され、継続的な活動がなされている。その成果は、日本財政法学会編『財政法講座』全三巻（二〇〇五年・勁草書房）などにまとめられている（同学会の歩みにつき、同書第三巻三五五頁以下を参照）。筆者も同学会の一員として活動に加わっているが、その一般的な傾向としては、古典的学説をもとにした基礎理論的な研究が相対的に少ないという印象をうける。

（16） 財政学の概説書は、ふるくから多数のものが公刊されているが、たとえば、島恭彦『財政学概論』（一九五〇年・有斐閣）、池上惇『財政学』（一九九〇年・岩波書店）、林健久『財政学講義〔第三版〕』（二〇〇二年・東大出版会）、貝塚啓

明『財政学〔第三版〕』（二〇〇三年・東大出版会）、井堀利宏『財政学〔第三版〕』（二〇〇六年・新世社）、神野直彦『財政学〔改訂版〕』（二〇〇七年・有斐閣）。さらに、能勢哲也『財政学の系譜と課題』（二〇〇二年・多賀出版）。

(17) あくまで例示的に掲げると、神野直彦＝金子勝『財政崩壊を食い止める』（二〇〇〇年・岩波書店）、井堀利宏『財政再建は先送りできない』（二〇〇一年・岩波書店）、井掘編『公共部門の業績評価』（二〇〇五年・東大出版会）、八代尚広『規制改革』（二〇〇三年・有斐閣）。また、本書第四章に関連した公共事業につき、金澤史男編『現代の公共事業』（二〇〇二年・日本経済評論社）、山田明『公共事業と財政』（二〇〇三年・高管出版）。公会計に関して、山本清『政府会計の改革』（二〇〇一年・中央経済社）。

(18) 財政における法学的研究と経済学的研究との関係については、現代フランスの代表的な財政法学者である、ミシェル・ブーヴィエ（Michel Bouvier）の叙述が示唆に富む。「これまで財政法は、適法性の統制に重点をおいて、企業管理的なダイナミズムに歯止めをかけてきた。その意味で、革新的で改良主義的な企業管理の論理に抗して、懐古趣味的で古風なイメージ（image passéiste ou archaïque）を保ちつづけてきた。だとすれば、今日のように企業管理的統制に熱狂することは、財政法の領域を狭めることになるのではないか、という危惧が生じかねない。しかし、何のことはない。数年来、とりわけ財政組織法律の改正〔二〇〇一年八月一日組織法律の制定＝木村註〕によって、財政法は新しい公管理の要素を取り入れてきたのである。したがって、財政法は縮減する傾向にあるのではなく、変容の途上にあるというべきである。財政法は経済社会の法秩序とその新しい規律の混沌状態に身を置いており、これによって国家の、ひいては民主主義の、漸進的変容をもたらさずにはいられないのである。」M. Bouvier, 《La loi organique du 1er août 2001 relative aux lois de finances》, AJDA 2001, p. 886.

ここでブーヴィエは、必ずしも歴史研究を重視しているわけではないが、現代的なガバナンス論において法律学の理論的蓄積が活用される可能性を示唆するものとして、筆者の共感を呼び起こす。

(19) 経済学的な古典を概観した著書は多い。たとえば、伊藤誠編『経済学史』（一九九六年・有斐閣）、大田一廣ほか編『経済思想史』（一九九七年・名大出版会）、池上惇『財政思想史』（一九九九年・有斐閣）、およびこれらの参考文献を参照。これに対して、法律学の観点から財政の研究史を概観した例は少なく、またフランスに関しては経済学的な観点からの研究も乏しい。木村・財政法理論二一頁以下や同・前掲註（9）日仏法学二三号は、この間隙をうめる作業でもある。なお、英国のアダム・スミス（Adam Smith）らの経済学説が法律学と関係していることは、ふるくから指摘されており（最近の研究書として、新村聡『経済学の成立』（一九九四年・御茶の水書房）、田中正司『経済学の生誕と「法学講義」』（御茶の水書房・二〇〇三年）、筆者の問題意識と重なり合うところがある（フランスの古典的経済学説における同種の問題状況につき、本書第三章第一節Ⅰのほか、木村・前掲註（9）日仏法学二三号六一―六四頁をも参照）。

(20) フランスの公法学では、ジャック・シュヴァリエ（Jacques Chevallier）が、ポストモダンの代表的な論客である。シュヴァリエによると、モダニスムは、個人の理性の優越と、普遍的な個人の包括的合意（＝法律）に依拠する国家の優越という、二つの要素によって基礎づけられる。これに対してポストモダニスムによれば、社会の可変性や不確実性を背景に、理性に代わって効率性が、包括的同意に代って個別的同意が、それぞれ重視される。

また、国家の理念としても、一般利益に代えて効率性が要請されるため、私企業的発想が国家に入りこみ、いわゆる新公共経営の導入が求められる。国家構造においても、中央集権的な組織が分断され、分権化・分散化の傾向が強まる。行政法も、行政側の特権に基づいた法原理が修正され、命令・強制の要素が後退して、同意に依拠した私法原理を取り入れるようになる。

さらに、国家の強制力が相対化することによって、契約の方法によることが多くなる。たとえば、行政上の自律的な決定主体（分権団体等）が国と契約交渉をしはじめる。国の内部でも、成果契約をはじめとした契約的手法が多用される。私人との関係でも、協働の形態が重視されて、《交渉による法（droit négocié）》ないし《柔軟な法（droit souple）》の重要性が高まる、という。Chevallier, L'Etat post-moderne, op. cit., p. 17 et s.

右の描出には、行財政における効率性と公私協働という、ガバナンスの二つの要素が明確に示されている。これに対する筆者の簡単なコメントとして、木村・前掲註（1）自治研究八一巻一号一二八―一二九頁。ただし、シュヴァリエ自身は、古典的学説の分析も行っており、ポストモダンの論者が一枚岩でないことの証となるが、同書はオーリウ学説には言及していない。

(21) ポストモダンの理論は多岐にわたるが、本書の考察対象となる行政組織の問題解決に示唆を与えるものとして、岩内亮一ほか『ポストモダン組織論』(二〇〇五年・同文館出版)。
なお、立場は異なるが、類似のテーマに関する次の研究書も有益である。赤井伸郎『行政組織とガバナンスの経済学』(二〇〇六年・有斐閣)、清水克俊＝堀内昭義『インセンティブの経済学』(二〇〇三年・有斐閣)。

(22) 参照、佐々木力『学問論――ポストモダニズムに抗して』(一九九七年・東大出版会) iv頁。

(23) 木村『財政法理論の展開とその環境――モーリス・オーリウの公法総論研究』(二〇〇四年・有斐閣)。以下、同書を「木村・財政法理論」と略記する。
なお、同書の書評として、磯部力「書評『財政法理論の展開とその環境』」書斎の窓二〇〇五年四月号(五四三号)三八頁以下、小沢隆一「書評『財政法理論の展開とその環境』」日本財政法学会編『社会保険の財政法的検討(財政法叢書21)』(二〇〇五年・龍星出版)一五七頁以下。これらに対する筆者の部分的なコメントとして、木村「オーリウとジェズの財政法理論の研究(補論)――小沢隆一教授の疑問に答えて」千葉大学法学論集二〇巻一号(二〇〇五年)二九頁以下。

(24) 前掲註(1)の拙稿を参照。このうち特に、成果主義に関する木村・前掲註(1)自治研究七九巻九号以下は、本書と同じく、オーリウ理論をもとに現代の具体的諸問題を考察するものであり、もともと本書第一章の姉妹版として書かれた論文であるので、あわせて参照ねがいたい。

(25) 木村・財政法理論は、その表題が示すとおり、経済思想・社会思想や関連科目の発展など、オーリウ学説を取り巻く「環境」を考慮しながら、彼の学説を分析したものである(とりわけ同書二四頁以下を参照)。

(26) 木村・財政法理論は、オーリウ学説を主として財政的観点から分析したものではあるが、彼の公私協働論にも言及している(同書一九〇頁以下、二五九頁などを参照)。

［5］

二　本書の学術的な位置づけ

本書は、行財政上の実際的な問題を意識しながら叙述するので、この分野に関心をもつ方々全般を読者として想定しているが、学術書としての色彩が強いことは否めない。その学術的な位置づけについては、分析の当否ないし成否とともに、ほんらい世の評価に委ねるべきことであろうが、本書の執筆意図と方法論を明確にするために、筆者なりに簡単な整理をしておこう。それは同時に、本書の限界を画する意味もある。

本書は、法学的観点からの行財政研究を中核としている。しかし、筆者の問題関心は法学に特化したものではなく、本書においても、財政学や会計学の研究成果のほか、政策評価をはじめとした行政学の考え方、コーポレート・ガバナンスに関する私法学や経営学などの研究に示唆をうけている。もちろん、その成果を十分に生かしているとは言いがたい面はあろうが、少なくとも学際的な融合を図る試みを伴っている。またオーリウ自身も、法学的な伝統に依拠しながらも、社会科学を総合的に再構成するという意欲に満ちあふれており（序論第一節参照）、筆者も彼の広範な問題意識を現代において——部分的にせよ——再生することを意図している。

とはいえ、一法学者としての筆者の能力からしても、本書は基本的には公法学の研究書として位置づけられることになろう。そこで次に、本書の公法学研究としての意義について、先行する研究業績との関係を示しながら、やや詳しく述べることにしたい。

① 本書の考察対象は、公法全般に及ぶが、主たる土俵は行政法ないし財政法にあり、そのうち相対的には財政法に関する記述が多い。しかし、本書の射程は財政法に限られるわけではない。実際オーリウは、初期の財政的観点を後期には公法一般理論に展開しているのであり[27]、本書もそのような応用可能性を模索するものである。そこで、

公法学における財政法的観点の重要性について、前著に続いて本書でも、その一端を示すことになろう。わが国では、財政法学は公法学の末端に位置づけられている観があるが、実は公法学の本丸に直結しているのである。法学研究者以外の読者に対しては、本書の内容が憲法や行政法などの本質的理解に有益であるというアドバイスをさせていただきたい。

② 本書では、財政法に租税法を含めるという前提のもとで、特に租税法を素材とする記述が少なくない（特に第二章補論および第三章を参照）。これは、わが国の財政学や経済学においては租税が主たる考察対象とされてきたことを考慮して、読者になじみやすい題材を選択した結果でもあるが、筆者の問題意識や本書の応用可能性が租税法に偏っていることを意味するわけではない。

③ 租税法以外の財政法研究としては、従来は公金管理の研究が偏重されてきたが、国有財産・公有財産（官公庁の庁舎や道路用地など）の管理の問題をあわせて考察する必要がある。これらの財産管理は、行政法学で議論されてきた公物管理と密接に関わっており、また逆に、公物法理は財政管理との関係で再構成する必要があると考えられる(28)。さらに、こうした公金管理と財産管理ないし公物管理の双方に関わる一場面として、港湾法などの個別法がある。そこで本書は、公金と公的財産を総合的に考察するという視点をもつ。

④ 他方、行政法学との関係では、財政法理論から出発しつつ行政法の総論的な考察を行うほか（とりわけ第一章）、右の③に述べた公物法理を再検討し(29)、民間委託をはじめとした行政契約の法理を現代的に展開するといった目的意識をもち(30)、さらには個別の行政分野における法理論を構築することを目指す。もっとも、最後の要素については、その一例として港湾法を取り上げるにとどまるが（第四章）、筆者の関心は港湾法に限られているわけではない。

⑤ 憲法学との関係でも、財政に関する考察は、権力分立原理などの憲法基本原理の再考につながるという意味

で、その発展に寄与することができると思われる。本書の貢献自体は微々たるものかもしれないが、むしろ本書の問題提起を通じて、財政に関する憲法学者の積極的な発言が促されることを期待している[31]。また、行政契約や公物に関しては、これまでもっぱら行政法学の考察の対象とされてきたが、今日では憲法規範を確立する必要があり、その意味では憲法学と行政法学の協働作業が求められる[32]。そこで本書は、こうした問題意識の一端も示している。さらに、こうした公法全般にわたる考察を通じて、公法総論ないしガバナンスの一般法理を構築することをも目指している。

⑥　本書は、フランス法研究ないし日仏の比較法的考察を基礎にしている。その意味では、オーリウ学説やフランスの実定法を媒介として、歴史的な奥行きを深めるとともに、比較法的な広がりをもたせるという、法学研究の常道を筆者なりに実践したにすぎない。ただ、素材となる古典的学説の選択や分析方法に関する独自性とあわせて、一点指摘しておくべきことは、わが国の財政法令の起源がフランス法にあるという事実である。こうしたフランス法の継受は、ドイツ公法学の圧倒的な影響のもとにあった明治期の日本において、極めて稀有な存在であった。そこで本書では、オーリウらの古典的学説とあわせて、それらが誕生する背景となった当時の法令も参照する。わが国の財務会計法規は、数々の改正を経ながらも、骨格部分においては明治二二（一八八九）年の会計法を踏襲しているので、こうした沿革的な考察は、現行の実定法を理解するうえでも有益であると思われる[33]。

以上のような重点の置き方を反映して、本書の記述には少なからぬ偏りがある。そのため、ガバナンス論としても、またオーリウ研究としても、網羅的な内容になっていないという評価がなされる可能性がある。この点は、筆者の能力的限界のほか紙幅の都合によるところも大きいが、いずれにしても、本書は古典をもとにして公法基礎理論を提示することを主眼としているので、その応用可能性ないし発展可能性を考慮していただければ、内容的に完結していないこと自体はそれほど過小評価される必要はないように思われる。また、ガバナンスの概念は、もともとその内実や外延が明確にされにくいという難点があるが、その反面で、さまざまな問題状況を柔軟に取り入れることが可能になるという利点があるので、本書は問題発見的な意義をもつ同概念をあえて採用している。さらに、オーリウ学説は極めて含蓄の深いものであり、一冊や二冊の書物では到底語りつくすことはできない。これらの不完全さを補うことは、筆者の継続的な課題とせざるをえないが、前著や関連する拙稿をあわせて参照いただければ、本書に一応の存在価値が認められるのではないかと思われる。

(27) 木村・財政法理論の基本的な趣旨は、こうした観点からオーリウ学説の時系列的な展開の姿を示すことにあった。本書では、かかる認識を前提としつつ、その具体的ないし実際的な意義を明らかにすることに重点をおいている。

なお、本書の執筆にあたっては、経済学や文学などにおける古典的文献の研究から多くの示唆をうけている。ちなみに、法律学の世界では、ひとりの理論家について時系列的に厳密なテキスト解釈を行うという方法論が必ずしも徹底されておらず、このことが古典の正確な理解を妨げているという印象をうける。本書（および木村・財政法理論）は、かかる反省を踏まえたものであり、その点では特に日仏両国における文学研究者から少なからぬ方法論的刺激をうけている。

(28) 伝統的には、公物の本来的用法（たとえば道路としての供用）ないしその利用関係に着目した公物管理は、その財産的価値（同じく道路敷地としての財産的価値）に着目した財産管理とは区別されると考えられてきたが（塩野宏『行政法Ⅲ〔第三版〕』（二〇〇六年・有斐閣）三一四頁以下などを参照）、両者は相対化される余地があると考えられる。参照、木村・前掲註（1）千葉論集二〇巻四号九九－一〇〇頁、同「国公有財産制度・公物制度に関するフランスの動向」千葉大学法学論集二一巻三号（二〇〇六年）二九頁以下。

(29) 公物法については、本書では部分的に論及しているにとどまるが（第一章第二節**一**（二）[47]、同**二**（二）[60]など）、筆者の考え方については、木村・前掲註（1）千葉論集二〇巻四号七〇頁以下、同・前掲註（28）千葉論集二一巻三号一頁以下のほか、後出註（31）岩波講座一八三頁以下、後出註（38）の拙稿をも参照。

(30) さらに公物管理の考え方は、民間委託などの行政契約の基礎理論に対して重要な視点を提供すると考えられる（本書第二章第三節を参照）。

(31) 本書は、古典的学説と現代的ガバナンスの関係を基軸として、いわば分野を横断した考察をするので、本書の視点と公法各分野の関係については、必ずしも網羅的に示すことはできない恨みがあるが、たとえば、本書の考察内容をもとにして、財政に関する憲法規定を全般的に考察した論考として、木村「財政の現代的課題と憲法」長谷部恭男ほか編『岩波講座・憲法4』（二〇〇七年・岩波書店）一六一頁以下がある。

(32) 同前一八一頁以下。

(33) 本書では、日本の財政制度の沿革について詳しく述べることはできないが、母法たるフランス法を参照することによって、新たな解釈論が展開しうる例として、会計法三〇条がある。参照、木村・判例評釈・判例評論五七七号（判例時報一九五三号）（二〇〇七年）一九四頁以下。より一般的な論述として、木村「フランスにおける行政上の金銭債務──行政法と財政法の交錯」日本財政法学会編『福祉と財政の法理〔財政法叢書12〕』（一九九六年・龍星出版）一三一頁以下。

このほか、日仏の会計制度の共通性に着目して、実際的な問題を論じたものとして、木村「公会計における支出方法の一考察──ガヴァメントカードの導入に向けて」千葉大学法学論集一七巻二号（二〇〇二年）一頁以下などがある。さらに、行財政の効率性に関する沿革的な根拠につき、本書第一章第二節二（一）(2)②[59]をも参照。

三　本書の構成

[6]

以上に述べたところを整理しながら、本書の構成について述べておこう。まず序論においては、従来のオーリウ研究の限界を示すとともに、オーリウとほぼ同時代に生きた渋沢栄一との接点を探りながら、現代においてオーリウ学説に学ぶ意義を概略的に述べる。

つづく本編の第一章では、ガバナンスの中核的要素である、行政の経済性ないし効率性の意義について、その政治性との関係を機軸として、古典的学説から現代までの問題状況を概観する。[34] 本書全体の総論的な意味をもち、その多くが第二章以下の記述につながっているが、第一章のなかでも、近時の行財政上の制度改正を取り上げて、それぞれの歴史的な位置づけを明らかにするとともに、具体的な論点をあげて問題解決の方途を示している。[35]

第二章では、オーリウ学説の公役務論に注目しながら、行政の民間委託について考察する。民間委託は、公私協働の形態を通じて行政の効率性を確保するという意味で、ガバナンス論のひとつの柱をなしている。この問題を考察することは、行政と民間企業との関係、すなわち《公》と《私》の関係という、公法学ないし国家論の本質的問題を論ずることにほかならず、第一章と同じく総論的な要素をもつが、他方で民間委託は、今日の行政実務における最大の関心事というべきであり、実際的な見地から問題解決に向けた手がかりを提示する。[36]

第三章では、ガバナンス論の一類型として、《租税ガバナンス論》を取り上げる。概して租税ガバナンスの考え方は、権力的な租税観を排して、公私協働的な財政管理の発想を取り入れるものであり、一見すると伝統的な理論との断絶を図っているようにみえるが、実際には古典的学説と連続性を有しており、歴史的な文脈の中に位置づけられるべきである。[37] そこで、フランスの租税研究史を概観しながら、同国の租税ガバナンス論の検討を行う。

第四章では、行政法における各論的考察として、港湾行政を例にとって、オーリウをはじめとした古典的学説が現代において有する意義を考察する。これまで、港湾などの海上交通については、商取引に注目した私法学的な研究は少なからずなされてきたが、公法学の観点からの研究は乏しい。[38] そこで筆者は、オーリウ学説を含めたフランスの研究成果をもとにして、わが国の港湾法を継続的に研究しており、第四章はあくまでその中間的展望を示したものにとどまるが、本書の発展可能性の一端を示す意味もある。[39]

（34）本書第一章は、フランス・ストラスブール大学で二〇〇五年九月九日に開催された日仏公法研究会において、フランス側の提案のもとに、「公的決定の変容——政治的選択から効率的選択へ」と題して筆者が行った報告を基礎にしている。Cf. T. Kimura, 《L'évolution des prises de décision : du choix politique au choix efficace》, Annales de la Faculté de droit de Strasbourg, n°8, 2006, p. 47 et s. このような研究会報告をもとにしているので、同章では日仏比較を基調として、概括的な叙述にとどまっている箇所があるが、本書の導入部分として、基本的には原論文をそのまま維持した。

（35）第一章補論は、同章の考察結果をふまえて、現代における財政規律のあり方を要約的に記したものである。オーリウらを明示的には引用していないが、筆者が古典的学説から多くの着想を得ていることは、前後の記述から明らかになろう。

（36）本書第二章の要約をかねた小論として、木村「租税行政における民間委託の可能性——法理論的な観点から考える」税二〇〇七年九月号二〇頁以下がある。

（37）筆者は木村・財政法理論二九六頁以下において、オーリウらの租税基礎理論を分析し、その歴史的な位置づけを明らかにしている。本書第三章は、その成果を踏まえたものであるので、前著の該当箇所をあわせて参照ねがいたい。

（38）筆者の港湾法研究として、木村・前掲註（1）千葉論集二〇巻四号のほか、同「フランスにおける公物制度の機能的分析——港湾関係法制を素材とした文献等の紹介」千葉大学法学論集二〇巻一号（二〇〇五年）一三三頁以下、同「港湾の公物法上の位置づけについて」千葉大学法学論集二〇巻二号（二〇〇五年）二三三頁以下、同「フランスにおける運輸行政の動向——地方分権改革と財政的統制を中心に」千葉大学法学論集二一巻一号（二〇〇六年）一一五頁以下、およびそれらに引用された拙稿を参照。

（39）《行政》に相当する欧米語（administration, Verwaltung）は、行政のほかに《経営》の意味があり、ガバナンス論はまさに両者の共通性を強調する考え方であるといえる。ところが、港湾行政には経営の要素があることが、ふるくから指摘されてきたところであり（本書第四章序説[261]、とりわけ註（4）を参照）、その意味でも港湾はガバナンス論の先駆的な存在として、注目に値するのであろう。

ガバナンスの法理論

行政・財政をめぐる古典と現代の接合

目次

目次

凡例

一　オーリウの主要著書

モーリス・オーリウの主著には、次のものがある。

- Précis de droit administratif et de droit public, 1 éd., 1892 ; 2 éd., 1893 ; 3 éd., 1897 ; 4 éd., 1901 ; 5 éd., 1903 ; 6 éd., 1907 ; 7 éd., 1911 ; 8 éd., 1914 ; 9 éd., 1919 ; 10 éd., 1921 ; 11 éd., 1927 ; 12 éd., 1933 [DA].
- Précis de droit constitutionnel, 1 éd., 1923 ; 2 éd., 1929 [DC].
- Principes de droit public, 1 éd., 1910 ; 2 éd., 1916 [DP].
- Précis élémentaire de droit administratif, 1 éd., 1925 ; 2 éd., 1929 ; 3 éd., 1933 ; 4 éd., 1938 ; 5 éd., 1943 [DAE].
- Précis élémentaire de droit constitutionnel, 1 éd., 1925 ; 2 éd., 1930 ; 3 éd., 1933 ; 4 éd., 1938 [DCE].
- La science sociale traditionnelle, 1896 [SS].
- Leçon sur le mouvement social, 1899 [MS].
- La gestion administrative, 1899 [GA].
- La jurisprudence administrative, 3 vol., 1929 [JA].
- Aux sources du droit, 1933 [SD].

これらの著書のうち、本書では前三著を、それぞれ『行政法概説書』、『憲法概説書』、『公法概説書』と略記しながら引用する。行政法概説書第一二版と、第四・第五の著書の第二版以降は、アンドレ・オーリウ（André Hauriou）が補訂したものであるが、適宜参照する。

これらは括弧内の略号と版の番号、頁数で引用する（たとえば、「DA 1, p. 1.」は行政法概説書第一版一頁を指す）。

なお、論文や判例評釈については、それぞれの箇所で論文の題名ないし事件名、掲載誌等を明記する。

二　ジェズの主要著書

ジェズの主著として、次のものがある。

- Eléments de la science des finances et de la législation financière, par A. Boucard et G. Jèze, 2 vol., 1 éd., 1897 ; 2 éd., 1902 ; nouvelle édition, 1904 [ESF].
- Cours élémentaire de science des finances et de législation financière française, 4 éd., 1909 ; 5 éd., 1912 ; nouvelle édition, 1931 [CESF].
- Traité de science des finances, Budget, 1910 [TSF].
- Das Verwaltungsrecht der französischen Republik, 1913.
- Cours de science des finances et de législation financière française, Théorie générale du budget, 1922 [CSF, Budget].
- Cours de science des finances et de législation financière française, Théorie générale du budget, Dépenses publiques, 6 éd., 1922 [CSF, Dépenses].
- Cours de finances publiques, publiés chaque année de 1924 à 1936 [CFP].

- Les principes généraux de droit administratif, 1 éd., 1904 ; 2 éd., 1914 ; 3 éd., 6 vol., 1925-1936 [PG].
- Cours de droit public, 1926 ; 1927 [CDP].

これらの文献は、原則として発行年で引用し、必要に応じて、括弧内の略号等を併記する。論文や判例評釈については、オーリウの場合と同様、それぞれの箇所で明記する。

三　雑誌の略称

次の雑誌については、括弧内の略号で表記する。

- Actualité juridique, Droit administratif [AJDA].
- Recueil Dalloz [D].
- Etudes et document du Conseil d'Etat [EDCE].
- Revue du droit public et de la science politique en France et à l'étanger [RDP].
- Revue d'économie politique [REP].
- Revue française d'administration publique [RFAP].
- Revue française de droit administratif [RFDA].
- Revue française de finances publiques [RFFP].
- Revue de législation de Toulouse [RLT].
- Revue politique et parlementaire [RPP].
- Revue de science et législation financières [RSLF].
- Revue de science financière [RSF].

- Revue trimestrielle de droit civil [RTDC].
- Recueil Sirey [S].

四　その他

①　筆者の『財政法理論の展開とその環境――モーリス・オーリウの公法総論研究』（二〇〇四年・有斐閣）は、単に「木村・財政法理論」として引用する。

②　文献の引用は、原則として章ごとに独立して行う。ただし、第二章では、本論と補論で別々に文献を引用する。

③　本書で引用する外国語文献の出版地は、特記したものを除き、すべてパリである。また、最近の出版物を除いて、出版社名は原則として省略する。

④　本文・註ともに、同一の章のなかでフランスの法令を再出させる場合は、原則として年号のみで略記する。たとえば、一八六二年五月三一日デクレ（＝政令）は、「一八六二年デクレ」と略する。

⑤　フランスの大学における財政・経済関係の講義名称・講学名称は、「財政論（finances publiques）」、「財政法制（législation financière）」、「経済学（économie politique）」のように、かぎ括弧を付して記す。

⑥　訳文中、［　］を付した部分は、筆者（木村）の補充である。

⑦　カタカナ書きの邦語文献を引用するにあたっては、平がなに改めている箇所がある。

序　論　現代においてモーリス・オーリウに学ぶ意義
——行政法学者としてのオーリウか総合的社会科学者としてのオーリウか

［細目次］

[7] 以下の序論では、本書の冒頭に述べた問題意識をもとに、現代においてオーリウ学説を考察する意義について、概略的に述べることにしたい。順序としては、はじめに従来のオーリウ研究の問題点を述べたうえで（第一節）、オーリウと同時代の日本のなかに、彼の関心に近い要素を探し出す作業を通じて、オーリウの問題意識の普遍性を示すことにしよう（第二節）。

第一節　従来のオーリウ像とその問題点

筆者は、オーリウの意義を考察するには、同時代のジェズの学説をあわせて考察する必要があると考えている。その理由を明らかにする意味でも、ふたりの学説史上の意義と現代における意義を、はじめに述べておくのが適当であろう。こうした説明については、ほんらい詳細な叙述を要するところであるが、以下では要点だけを掲げることにし[1]、その具体的な意味については本論に譲ることにしたい。

一　オーリウ学説の意義

[8] モーリス・オーリウ（Maurice Hauriou：一八五六—一九二九）は、一九世紀末から二〇世紀初頭にかけて活躍したフランスの法学者であり、同国の公法学史上、最も重要な地位を占めることは異論のないところである。彼は、行

政法を中心にしながら、憲法・法哲学を含めて幅広い問題を論じ、珠玉の著作を公刊している。オーリウの理論はきわめて難解であるという定評があるが、彼は常に深遠で含蓄に富んだ叙述をしており、今日に至るまで、フランスや日本のみならず、多くの国々の法学者を魅了しつづけている。ところが、オーリウの位置づけやイメージについては、これまで、あまりにも偏った認識が定着してきたと思われる。本書の出発点は、こうした既存の評価を修正する必要がある、というものである。以下に、いくつかのポイントを記しておこう。

①　従来のオーリウ研究の限界は、何よりも、彼をもっぱら行政法学者として位置づけてきたことにある(2)。そこで筆者は、前著において、彼の財政法学への貢献が極めて大きいこと、さらにはその財政法理論が彼の公法理論全体の基礎をなしていることを、それぞれ明らかにした。本書では、彼の思考のなかに、現代的なガバナンス論に類した学際的な問題関心があることを指摘しながら、《総合的社会科学者》(3)としてのオーリウの姿を示すことにしたい。それは、彼の基盤とする財政法理論ないし財政法的観点の応用範囲が広範にわたることをも意味するであろう。

②　オーリウの主著である行政法概説書は、実定法（法令および判例）の分析を基調にした叙述をしているので、一見すると当時の法制度を客観的に分析しているにとどまるようにみえ、将来的な改革の視点は即座には読み取れない。しかもフランスでは、彼が伝統的な概念を巧みに再構成していることから、《過去に目を向ける懐古主義者》のイメージが強い(4)。しかし、オーリウは、こうした過去・現在の視点とあわせて、将来を含めた歴史的な展望を示していたというべきである。特に本書で指摘したいのは、彼が現代的なガバナンス論の素地を提示しており、行財政全般にわたって現代に通用する理論的基盤を提供していることである。言いかえれば、オーリウは、歴史や伝統をもとにしながらも、普遍的かつ柔軟な理論構成を探求しており、それゆえにこそ、現代においても色あせることなく、輝きを放ち続けているのである。

③　オーリウの学説を評価するためには、とりわけその財政法理論との関係で、彼と同時代に活躍した公法学者

である、ジェズとの交流を考慮する必要がある。この点も、これまで完全に看過されてきたところであるので、以下に項目を改めて述べることにしよう。

(1) 以下の記述については、木村・財政法理論二頁以下、五四頁以下、およびそれらに引用された諸文献をも参照。Cf. T. Kimura,《Les finances publiques dans l'œuvre de Maurice Hauriou》, RFFP, n°70, 2000, p. 171 et s.

(2) オーリウの学説は、フランスの公法学、とりわけ行政法学を手がける研究者のほぼすべてが論及している(あるいは、せざるをえない)といってよいであろうが、代表的な研究として、宮沢俊義「フランス公法学における新傾向」同『公法の原理』(一九六七年・岩波書店、初出一九三〇年)九〇頁以下、兼子仁『行政行為の公定力の理論〔第三版〕』(一九七一年・東大出版会)二〇九頁以下、兼子仁=磯部力=村上順『フランス行政法学史』(一九九〇年・岩波書店)二二五頁以下〔磯部執筆〕、橋本博之『行政法学と行政判例』(一九九八年・有斐閣)など。さらに最近の研究として、石川健治『自由と特権の距離』(一九九九年・日本評論社)一七八頁以下、仲野武志『公権力の行使概念の研究』(二〇〇七年・有斐閣)一二三頁以下、高村学人『アソシアシオンへの自由』(二〇〇七年・勁草書房)二二三頁以下がある。その他の文献については、木村・財政法理論一三―一五頁を参照。これらのうち、とりわけ比較的新しい研究成果については、筆者はまだ直接言及していないところがあるが、本書はこれらの公法学的研究とはやや視点を異にしているので、本格的なコメントは別の機会に譲ることにしたい。

(3) オーリウを《総合的社会科学者》と形容しているのは、木村・財政法理論に対する書評として書かれた、磯部力・書斎の窓二〇〇五年三月号三八頁以下であるが、磯部教授自身の研究(磯部・前掲註(2)学史など)を含めて、従来の多くのオーリウ研究が、もっぱら行政法的観点から(あるいは憲法学・法哲学の観点から別個独立に)なされてきたことは否めない。まさに前掲拙書は、経済・社会思想や関連科目の発展などとの関係から、オーリウの問題関心の広がりを示すことを意図したものであり、本書はその延長線上に位置づけられる。

(4) Ex. Journée de Marcel Waline, Intervention de L. Favoreu, RDP 2002, p. 930-931. このほか、必ずしも否定的

なイメージではないが、樋口陽一『比較憲法〔全訂版〕』（一九九三年・青林書院）二〇六―二〇七頁も同趣旨である。

二　ジェズの位置づけ

ガストン・ジェズ（Gaston Jèze：一八六九―一九五三）についても、オーリウの場合と同様に、わが国の法学界では一面的な認識ばかりが通用していると言わざるをえない。また、概してオーリウに比べて、ジェズの学説は過小評価されがちであるが、かかる認識も修正される必要がある。

① ジェズは、わが国ではもっぱら行政法学者として紹介されることが多く(5)、近代的な財政研究の創始者であることはほとんど知られていない。すなわち、わが国ではふるくから、その公役務（service public）の概念や行政行為（acte administratif）の瑕疵論が紹介されてきたが(6)、彼の財政法理論については完全に看過されてきた。他方、フランスでも、ジェズが財政研究の祖であることは認められつつも、彼の行政法理論と財政法理論はほとんど別個に評価されている(7)。しかし、ジェズは両者をさまざまな形で連動させており、また両者の連関を探ることを通じて、はじめて彼の学説の意義が理解できるであろう(8)。

② また、ジェズのフランス公法学説史上の意義としては、もっぱら、レオン・デュギ（Léon Duguit）やロジェ・ボナール（Roger Bonnard）とともに《公役務学派（école du service public）》に属するものとされ、オーリウを中心とした《公権力学派（école de la puissance publique）》と対置されてきた(9)。しかし、これは彼らの行政法研究の方法論を、形式的ないし表面的に見た場合の色分けに過ぎない。さらに、オーリウとジェズについては、財政法的観点からの共通点にも注目する必要がある。すなわち、ふたりは財政についての問題関心を共有しており、財政法理論をもとに行政法理論ないし公法理論を構築していったことでは共通しており、相互の学説交流を通じて、

フランス財政法学の基層を形作ったのである。かかる視点を加えることによって、両学説の意義が再評価されるであろう。

③ オーリウの方法論は、丹念な実定法（実定判例・実定財政制度）の分析をしたジェズと対比されることがあり、ジェズははなはだ形式的な法実証主義にとどまっていたといわれることがある。[10] しかし、これも両者の相対的な違いであるというべきであろう。もちろん、財政の領域での実定法分析の分量についていえば、オーリウの業績は財政研究の創始者と目されるジェズと比較すべくもないが、ふたりは互いに影響を与えあっており、ジェズの実定法分析があってこそオーリウの学説が輝くのである。それゆえに、われわれは、オーリウとジェズの著作をあわせて読み解かねばならない。もちろん、フランス財政法学の正統派はジェズであることは疑いないが、その理論的な支柱が形成される過程で、オーリウの演出のもつ意味は大なるものがあったのである。

このように、ジェズについてもオーリウと同様に、その財政法理論をあわせて、はじめてその真価が理解できるであろうし、総じて彼らふたりの学説については、その現代的な広がりを含めて評価する必要がある。ちなみに、彼らの研究活動を細かくみていくと、初期における親密さがふたりの確執につながったと推測される面があり、こうした人間関係によって、オーリウとジェズの理論的交流のみならず、それぞれが主導する行政法学と財政法学のあいだでの学際的交流までもが妨げられたと思われるのであるが、[11] それは学問的な評価の対象にするべきではないだろう。

いずれにしても、オーリウとジェズに対する右のような評価の仕方が適当であるか否かは、本書の分析結果の当否に関わる問題であろう。また筆者は、こうした認識をもとに、オーリウやジェズの学説史上の位置づけについて、すでに一応の検討結果を公表しているので、[12] 次節では、やや視点を変えた形でオーリウの横顔をデッサンすることにしたい。

（5）　一般的な認識として、兼子・前掲註（2）行政法学史三八―三九頁。
（6）　ジェズの学説を紹介・分析した古典的研究として、宮沢・前掲註（2）一〇三頁のほか、田中二郎「行政行為の瑕疵」同『行政行為論』（一九五四年・有斐閣、初出一九三二年）をあげるにとどめる。
（7）　Cf. M. Duverger, 《Gaston Jèze, juriste financier》, RSF 1954, p. 21.
（8）　参照、木村「財政制度と行政法（一）～（五・完）――フランス行政法学の伏流」国家学会雑誌一〇九巻一・二号（一九九六年）一頁以下、五・六号一二八頁以下、一一・一二号六四頁以下、一一〇巻一・二号（一九九七年）五九頁以下、三・四号一頁以下。木村・財政法理論三二四頁以下でも、オーリウ学説と並行してジェズの財政法理論を分析している。
（9）　たとえば、雄川一郎「フランス行政法」同『行政の法理』（一九八六年・有斐閣、初出一九五六年）六九六頁、神谷昭「フランス行政法における公役務の概念について」同『フランス行政法の研究』（一九六五年・有斐閣、初出一九六二年）一四六頁、滝沢正『フランス行政法の理論』（一九八四年・有斐閣）一四頁。Cf. R. Chapus, Droit administratif général, tome 1, 15 éd., Montchrestien, 2001, n°5, p. 3-4.
（10）　たとえば、磯部・前掲註（2）行政法学史二三二頁を参照。
（11）　参照、木村・財政法理論七一―七二頁。
（12）　木村・財政法理論のほか、同「フランス財政法学の生誕と現状」日仏法学二三号（二〇〇四年）五九頁以下。

第二節　オーリウと渋沢栄一

[10]　渋沢栄一（一八四〇―一九三一年）とモーリス・オーリウ（一八五六―一九二九年）は、国を隔てながらも、ほぼ同じ時代に生きた人物である。しかも渋沢は、幕末の開国後、一橋慶喜の弟徳川昭武の随員としてパリに赴いたこと

から、オーリウと同じ時期にフランスの地を踏んだことになる。しかし、渋沢が生涯を通じて実務の世界で活躍したのに対し、オーリウはフランスのトゥールーズ大学法学部の研究者として、もっぱら学界で活動したのだから、一見すると両者は無関係にみえる。実際にも、おそらく彼らが接触したことはないであろうし、互いの存在を認識していたとも思われない。

ところが、ふたりの関心の対象は、財政や社会保障など、多岐にわたって重なりあっている。さらに渋沢とオーリウは、基本的な思想の面でも共通性があり、特に現代的な公私協働の考え方を先駆的に取り入れているという面がある。そこで、ふたりの接点を探ることは、オーリウの歴史的な位置づけを知るうえで、少なからぬ意義があると考えられる。もとよりこのような大胆な試みをするには躊躇いがあるが、あくまで本論に先立つイントロダクションとして、オーリウ学説の理解の一助となるように素描することにしたい。そのような趣旨から、以下の叙述は、渋沢に関する本格的な研究を意図するものではなく、また網羅的な史料分析に基づくものではないことをお断りしておきたい(13)。

以下では、渋沢とオーリウが財政ないし金融をはじめとした問題意識を共有していたこと（一）、いずれも思想的には公私協働の考え方を有していたこと（二）を、順に述べることにしよう。

[11]

一　接点としての財政ないし金融

渋沢とオーリウの接点としてあげられるのは、何よりも《finance》という要素であり、そこには、ふたりを取り巻く共通の時代背景があった。

（一）　渋沢とオーリウの生きた時代

渋沢とオーリウが生きた時代は、若干の時間的な前後を捨象すれば、ほぼ同様の社会状況にあったというべきであろう。すなわち、一九世紀末以降、産業活動に対する国家介入が飛躍的に増大し、思想的には社会主義が高揚するという時代背景のもとにあった。そのなかで、渋沢とオーリウは、国家の経済的機能のあるべき姿は何かという問題意識を共有していたはずである。実際に、彼らは広い意味での《finance》[14]に関わり、それぞれの立場を固めていった。

まず、オーリウについていえば、財政規模の拡大（とりわけ補助金や社会保障支出の増大）、中間的な行政組織（わが国でいう特殊法人や第三セクター）の拡張といった現象を直視して、財政的観点を基礎としながら行政の意義を問いつづけたのであった。他方、激動の明治維新に生きた渋沢は、幕藩体制における行政実務を経験したうえで、新政府の大蔵省に在職して財務行政に関わったが、その後は長らく金融界で指導的役割を果たした。

総じて、オーリウは財政に関心をもち、渋沢は主として金融に関与したといえるのであろう。その意味では、両者の視点はやや相違する。しかし、そもそも財政と金融の区分は相対的であり、いずれも経済的観点から国家を捉える点では共通している。わが国では平成一三（二〇〇一）年の省庁再編によって財務省と金融庁が分離したが、その当否を含めて検討すべき問題は多い。この点について伝統的な法律学は、金融と区別された意味での財政について、もっぱら国家の予算上の決定に基づく執行作用に関心をもってきたが、現代国家においては金融をはじめとした経済状況によって財政が規定される側面もあり、国家の財政的決定権を相対化して考える必要がある。[15]かかる現実的な視点がオーリウ理論（特に予算論）に含意されていることは、注目に値する。[16]

(二) 財政・金融の観点の重要性

ところで、筆者は、これまで完全に見過ごされてきたオーリウの財政法理論を検討し、それを通じて彼の公法理論全般にわたって既存の認識を修正することを試みてきたが、これに対しては、財政はオーリウの視点のひとつに過ぎなかったのではないか、という批判が予想される。

かかる評価に対しては、すでに前著のなかで予防的な反論をしているので(17)、以下では簡単な指摘をするにとどめる。すなわち、まず第一に、前述のように、オーリウの活躍した時代には財政の重要性が著しく高まっていたこと、第二に、それに対応して財政制度が急速に整備されたこと、さらに第三に、大学の講義課目・研究領域として財政が重視されるようになったことである。最後の点について敷衍すると、フランスの法学部では、一八八九年に、伝統的な六法を中心とした講義課目に加えて、「財政法制(législation financière)」の講義が登場した。ついで一九二二年には、経済的観点・政治的観点からの考察を含める形で、総合科目としての「財政論(finances publiques)」が誕生する。ここにはフランスの法学部が経済学の研究の場を提供していたという事情も関わっているが、第二次大戦後には、「財政論」が憲法・行政法・国際法と並んで、公法四大科目のひとつとして位置づけられるようになって、今日に至っている(18)。したがって、「財政論」を行政法各論の一部にすぎないと考えるのは適当でないし、一九七〇年代以降に登場した新しい学問分野(環境法・都市計画法など)と同列に置くべきでもない。

話を渋沢栄一に戻すと、フランスの教育・研究に対して、彼がどれだけの関心をもっていたのかについては認識が分かれるであろうが、財政・金融を理論的に考察する必要性は感じていたはずである(二(六)[19]参照)。そうした渋沢の目からみて、経済学者がフランスを素材に研究してきたことに対しては——ドイツやアメリカに比べて手薄であるとはいえ——相当の評価がなされようが、法学者が同国の財政法にほとんど関心をもってこなかったことは、どのように映るだろうか。本書が行おうとしている作業は、これまで法学者が看過してきた大きな間隙を、少しずつ埋めることにあると言ってもよい。

付言すると、晩年の渋沢が救護法の制定を求めるなど、社会保障に貢献したことは、よく知られている。他方フランスでも、一八八九年に「財政法制」の双子として誕生した「労働法制（législation industrielle）」の講義対象には、当時の社会保障政策の進展をうけて、労働者に対する社会保障が取り入れられていた。そこで、敬虔なカトリックであるオーリウは、それまでスローガンにとどまっていた《博愛（fraternité）》を明確に法原理として認め、労働者保護法を社会保障法に発展させる試みをしたのであった(19)。このように、渋沢とオーリウのあいだでは、財政のほかに社会保障の視点が共有されていたわけである。もっとも、公法学教授のオーリウが、私法学の一分野とされてきた「労働法制」に寄与するところは必ずしも大きくなく、今日問題となっている社会保障の財政的問題にも言及していないが、もし重点の置き方が変わっていれば、渋沢との接点も増えたのではないかと悔やまれる。

（13）　本節の記述のうち、オーリウを含めたフランス側の事情は、筆者が調査したものであるが、オーリウに関する文献等は原則として本論に譲る。他方、渋沢の生涯については、『渋沢栄一伝記資料集・第一巻〜第五八巻』（一九五五—一九六五年・渋沢栄一伝記史料刊行会）、『渋沢栄一滞仏日記（日本史籍協会叢書）』（一九二八年・日本史籍協会）が基本文献であり、このほかに多数の先行業績がある。以下に掲げるのはその一部にすぎないが、特に筆者の問題関心に近い書物として、渋沢栄一研究会編『公益追及者・渋沢栄一』（一九九九年・山川出版社）があり、同書巻末の参考文献も有益である。

（14）　フランス語の《finance》は、単数形では金融ないし財政を広く意味するのに対して、複数形としての《finances》は財政を意味するのが通例である。Cf. F. Holbach, La finance : essai d'une synthèse des faits et du droit, Bruxelles, 1909, p. 13. 類似の指摘として、大内兵衛「Finanz（finance）ということば」同『経済学散歩』（一九四八年・思索社、初出一九二八年）三五七頁以下。関連して、木村「フランスにおける行政上の金銭債務」日本財政法学会編『福祉と財政の法理〔財政法叢書12〕』（一九九六年・龍星書房）一四三頁をも参照。

(15) Cf. M. Duverger, Finances publiques, 7 éd., 1971, p. 11 et s. 参照、木村・財政法理論三〇二頁。

(16) 木村・財政法理論二七二頁以下のほか、本書第一章第一節一（二）②[26]をも参照。

(17) 参照、木村・財政法理論六一七頁。

(18) 本書第三章第一節三・四以下を参照。詳しくは、木村・前掲註（12）日仏法学二三号九五頁以下。

(19) 参照、木村・財政法理論五七頁、八四頁以下、二五八頁以下。さらに、藤井良治＝塩野谷祐一編『先進諸国の社会保障6・フランス』（一九九九年・東大出版会）九一―九三頁［木村執筆］。

二　思想的な共通点としての公私協働

最近では、《公私協働》という言葉がしばしば用いられる。従来は、国や地方公共団体によって構成される《公》と、それ以外の私企業ないし私人に相当する《私》が対置されてきたが、その融合を図る考え方である。特にこれまでは、中央省庁が地方公共団体や民間企業をはじめとした諸団体を先導していくという、しばしば《護送船団方式》と呼ばれる体制が取られてきたが、近時ではその反省のもとに、公的セクターと私的セクターあるいは住民が協働・連携して、経済や社会を動かしていこうという考え方が有力になっている。

その具体的な意義は論者によって異なっているが、たとえば、わが国では平成一一（一九九九）年に、いわゆるPFI法が制定され、民間資本の活用により行政上の施設（官公庁の庁舎のほか、刑務所や保育所、港湾設備など）を整備・運営するという手法がさかんに用いられている。これは、公共側の財政的な負担を緩和するという機能もあるが、理念としては公私協働の一種として位置づけられる。ちなみにフランスでは、二〇〇四年に法令が整備され、日本でいうＰＦＩ契約に《公私協働契約（contrat de partenariat public-privé)》という名称が与えられるようになった。[20] 行政に関する事務を民間企業に委託するという手法も、同一の方向性をもっている。また、公私協働の概念に含めるかどうかはともかくとして、行政上の情報を公開・開示し、住民の参加を促して、住民本位の行政運営を行うという方向も顕著である。これには、もっぱら選挙を媒介とした従来型の間接民主主義を、直接民主主義によって修正するという意味合いもある。さらに、最近の地方公共団体の審議会において、従来のように学識経験者や業界代表者等のみでなく、住民代表者を含める場合があるが、これも同種の発想に根ざすものといえる。

渋沢とオーリウは、こうした公私協働の理念を重視するという意味で、思想的な共通点を有していたのであり、当時としては極めて稀有な存在であったというべきである。さらに、ふたりの理念を接近させた要素として、渋沢が在仏中にみたフランスの法制度をあげることができると思われる。そこで以下では、これらの観点から彼らの生涯の描写を再開することにしよう。

（一）　渋沢とオーリウにおける公私協働の意義

既に述べたように、渋沢は幕藩体制末期に一橋慶喜に仕え、明治維新直後の一時期は大蔵省に在籍したが、その後は経済界で中心的な役割を果たした。しばしば指摘されるように、それに前後するフランス滞在に際して渋沢は、官僚と経済界の人々が対等な立場で意見を述べ合っているという現実を目の当たりにし、日本における官尊民卑の思想を排するべきだと考えた。もちろんこのことは、渋沢が《民》と《官》の対立関係を志向する契機となったとみるべきではない。むしろ彼は、《官》と《民》の対等な関係を前提としたうえで、《官》と協調しながら《民》の経済を発展させることを考えたとみるべきであろう。その基本的な発想は、今日的にいえば、広い意味での公私協働の理念にほかならない。言い換えれば、初期の渋沢の官界における活動と、後年の経済界での活動とは、広い意

味での《公益》を追求するという点で、実質的にも思想的にも一貫しているとみるべきであろう。(21)

他方、オーリウは、公法学のうち、とりわけ行政法学を研究の対象とした。行政法学とは、おもに国や地方公共団体と私人の関係を問題にする学問であるが、その著書のなかで行政管理（gestion administrative）を、「公役務（＝行政）の執行のために行政と私人のあいだで確立された協働関係」と定義している。つまり、租税の納付にはじまり、各種の具体的な行政執行に至るまで、行政の本質は公私協働にあると解している。これは、租税の賦課徴収などにおける法律関係が、私人と行政の対等な関係ではなく、権力的関係（上下服従の関係）であると表現してきた伝統的学説を、大きく修正するものである。(22)

こうしたオーリウの考え方は、フランス革命以来、支配的であったルソー＝ジャコバン原理と対置される。すなわち、啓蒙思想家であるルソー（Jean-Jacques Rousseau）によれば、一般意思を表現する国家は、始原的には私人の意思に基づくにしても、私益を追求する個別的意思とは区別され、私人に対置される存在となる。この考え方を基礎として、フランスでは中央集権的な強力な国家体制が形成されていったのである。この結果、論者によって理論構成の違いはあるものの、概して《公》と《私》の対立関係が強調されてきたのであり、これに対してオーリウは、かかる伝統的観念を批判的に捉え、公私協働の重要性を説いたのであった。

ところで、フランスの社会思想との関係では、渋沢はサンシモン（Claude Henri de Rouvroy de Saint-Simon）に類似するといわれることがある。(23) サンシモン主義は、国家機能を経済界にゆだねることを主張するもので、本質的に《脱国家主義（désétalisation）》の傾向を備えている。(24) したがって、この理解によれば、渋沢は公私協働ではなく、むしろ《私》の優位を説いたことになる。他方でオーリウは、サンシモン主義者が産業的論理によって政治的論理を置き換えていることを強く批判し、政治的論理の優越性を説いているのであるから、渋沢とサンシモンの類似性を指摘すると、渋沢とオーリウの相違点が強調される結果になるであろう。

ここでサンシモン主義の詳細を検討する余裕はないが、基本的な認識としていえるのは、渋沢とオーリウは常に実務を意識した思索をしていたことである。オーリウがサンシモン主義に対して「無政府主義的なユートピア(utopie anarchiste)」と評していることからしても、[25]実務家たる渋沢に近似しているのはむしろオーリウだという推測が働くであろうし、現にオーリウは、実社会を直視して現実的な法理論を構築している。[26]ちなみにフランスでは伝統的に、大学行政には日本の場合以上に実務的素養が求められており、長らく法学部長を務めたオーリウもまた実務的感覚に長けていたといわれる。

また、たしかにサンシモンと渋沢は、《国家に対する産業の優越》を志向する点では大いに共通しているが、渋沢についていえば、国家の機能を縮減することまで主張していたようには見受けられず、むしろ政府の諮問機関の委員等を通じて政府との接点を握りつづけたのであった。その意味では、政府機能と民間機能の《均衡(équilibre)》を説いたオーリウと通ずるものがある。さらに、この点は、次にみる商工会議所に対する評価にも表れている。少なくとも——おそらく誰もが認めるところであろうが——実業家である渋沢に《○○主義》といった類型を当てはめることには、おのずから限界がある。

[15]

(二)　フランスの商工会議所

以上のように、渋沢とオーリウの思想には、公私協働という共通項があることは否定しえない。しかし、ふたりの問題意識のなかに具体的な共通点を見出すのは——両者の活動基盤の相違からして当然のことながら——容易なことではない。筆者は、目下この観点から検証作業を行っているところであるが、ここでは試みに、商工会議所(chambres de commerce et d'industrie)を例として取りあげることにしたい。さらに、本書第四章の導入の意味をこめて、商工会議所や公私協働との関連で、港湾・海運や教育制度にも言及することにしたい。

ヨーロッパ諸国では商工会議所に類する組織はふるくから存在していたが、フランスの商工会議所は近代的な商工会議所の先駆的存在であったといわれる。一六五〇年に公式に認められたマルセイユ商工会議所がその起源であるとされ、ついで一七〇一年までに、ダンケルク、リヨン、ルーアン、ボルドー、ラ・ロシェル、トゥールーズ、バイヨンヌ、モンペリエの諸都市で、商工会議所が公認された。これらの多くが港湾を有する都市であったことは、注目されてよいであろう。こうして登場した商工会議所は、大革命前には、商事に関する徴税権をはじめとして広範な権能を有していた。ところが、大革命期に、先述のルソー＝ジャコバン原理のもとで、《公》と《私》の中間的な存在が否定的に捉えられるようになると、商工会議所の存在はいったん公式に否定される（一七九一年九月二七日＝一〇月一六日法律）。その後、商工会議所は共和暦一一（一八〇二）年雪月三日法律によって復活され、さらに一九世紀末になると、一九〇一年七月一日法律によって《結社の自由》が承認されたことに象徴されるように、大革命期の原理が緩和されるようになる。その流れをうけて、一八九八年四月九日法律や一九〇八年二月一九日法律によって商工会議所の組織や活動に法的な基礎が与えられるに至る[27]。

欧州の大陸系諸国では、英米の場合と異なって、商工会議所が行政活動の一役を担うことが多いが、そうした活動が確立するのもこの時期である。特にフランスでは、空港や港湾といった社会資本が基本的には商工会議所によって管理・運営されており、そのための専門的な集団も配置されている。港湾についていえば、そのインフラは国家が設置し、上物の設置管理を含めた港湾運営は商工会議所が行うという、一種の公私協働の形態が採用されてきた[28]。

オーリウが学界で本格的に活動を始めるのも、ちょうど商工会議所の法制度が整備された時期であった。彼は、こうした流れを肯定的に捉え、商工会議所に多様な機能が与えられることを推奨する。法技術的にいうと、国家以外の公的団体（商工会議所を含めて、公施設法人 établissements publics と総称されるもの）は、単一の機能しか有し得ないという古典的な原理を否定的に捉える立場をとった。そのうえで、商工会議所が港湾等の公共事業を担う場合を含めて、国と特許的事業者の関係を《家庭における夫婦的な関係》であると形容したのであった。

その後は、右にみたような商工会議所よる港湾運営が確立していくが、一九二〇年代以降、マルセイユ港やボルドー港をはじめ、フランス本土の六つの中枢港湾は自治港公団（ports autonomes maritimes）の管理に移されるようになり、空港でいえばパリ空港も同様に独立した公団が管理している。この自治港公団は、国の財政支援の割合を増やす一方で、港湾施設の設置・管理を全体的に公団に委ねる形態をとったもので、沿革的には商工会議所の港湾管理部門を切り離して発展させた組織である。そのため、理事会の構成員に商工会議所の代表者が送り込まれている。こうして登場した自治港制度についても、オーリウは「長らく待ち焦がれた制度」と表現して好意的に受け止めており、国の事務を分散させる方法として重視している。

（二）　渋沢の率いた商法会所の歴史的意義

次に、こうしたフランスの商工会議所の実態をみた渋沢の活動について、述べることにしよう。明治元（一八六八）年にパリ万博使節団の任務を解かれて帰国した渋沢は、翌年、静岡藩に商法会所を組織し、その頭取となった。これを期として、全国に商法会議所が組織されるようになり、渋沢自身も東京商法会議所の創設に関与する。法律上も、商業会議所の制度が確立し（明治二三（一八九〇）年の商業会議所条例、明治三五（一九〇二）年の商業会議所法）、それが後に商工会議所に発展することになる（昭和二（一九二七）年の旧商工会議所法、昭和二八（一九五三）年の現行商工会議所法）。この渋沢の発想の起源としては種々の事情が考えられうるが、フランス滞在中にえた知見が基礎になっていたことは、しばしば語られるところである。[29]

渋沢が創設に貢献した商法会所は、これまで日本で制度化していなかった株式会社の先駆け的な存在であったとされ、その実際上の組織も、合本主義のもとで株式会社の実質を供えていた。しかし、同時に着目するべきは、これらが官民の合同出資によるものであったという事実である。たしかに、渋沢は商法会所の設立後に、官民合同であることが障害になるとして、民間だけの出資体制に移行させたのであるが、出発点としては公私協働の形態から始められていたことに留意すべきであろう。

かりに渋沢がサンシモン主義的な《脱国家主義》的な考え方をもっていたとすれば、商工会議所に関しても、フランス的な制度でなく、むしろ英米流の商工会議所（chamber of commerce）の考え方を取り入れて、国家の介入を極力排除する方途を模索したことであろう。しかし、静岡商法会所に先立って明治元年に、新政府の商法司のもとで勧業と収税を担う機関として、東京と大阪に商法会所が創設されており、それとの連続性などを考慮するならば、渋沢が商法会所を創設したこと自体に脱国家主義的発想を見出すのは無理がある。いずれにしても、フランスでの見聞が、渋沢の制度設計の思考に幅をもたせたことは疑いないところであろう。

こうして登場した日本の商工会議所は、第二次大戦前は、フランスと同じく強制加入の公法人として位置づけられつつも、フランスと違って行政の一端を担うという仕組みは採用されなかった。また第二次大戦後の商工会議所は、自由加入の組織に改められる。とはいえ、商工会議所には、特に戦前は唯一の民間経済団体だったこともあって、商取引関係の法改正などにあたって、経済界の意見を代表する役割が期待されてきた（現行法の規定として、商工会議所法九条を参照）。近時でも、商工会議所の公益的機能に関する法令の整備が進んでいる。たとえば、平成五（一九九三）年には「商工会及び商工会議所による小規模事業者の支援に関する法律（平成五年法律五一号）」が制定され、小規模事業者の支援のために、商工会議所が作成した事業計画をもとに各種の公的補助がなされることなどが定められている。まさにこれは、渋沢が期待する公私協働の一態様であるといえるだろう。

（四）海運事業との関わり

港湾については、フランスでは伝統的に商工会議所が中心的な役割を担っていたが、わが国の主要な港湾施設はもっぱら行政によって設置・管理されてきたために、在野の渋沢が関与する場面はなかったと思われる。そのため、海上輸送に関する渋沢の貢献は、港湾事業ではなく、もっぱら海運事業に関連するものであった。

もともと港湾は公的ないし行政的な性格が強いのに対して、海運は民間経営に依存するところが大きいから、法律学の世界では、前者は公法、後者は私法（特に商法）に属するといわれ、また行政組織においても、港湾と海事に区別されるのが一般的である（それぞれ、わが国の国土交通省における港湾局と海事局に対応する）。しかし、海上輸送という観点からすると、両者が機能的に連続していることは言うまでもない。

渋沢は、在官中の明治四（一八七一）年に郵便蒸気船会社の設立に携わったあと、明治一六（一八八三）年には益田孝や渋沢喜作らを支援して、共同運輸の創設に関与したことが知られている。このほか、東京汽船会社、函館船渠会社、渋沢倉庫、石川島造船所、東京海上保険会社などを通じて、海上運送に関わる事業を数多く手がけている。もとより渋沢は、さまざまな基幹産業の創設に携わったが、近代産業の発展のためには交通網の整備が不可欠であると考え、東京鉄道会社（後の日本鉄道会社）や京釜鉄道会社の創設に貢献したのであり、彼が海運に関心を持ったのも自然な成り行きといえるであろう。(30)

こうした海運の分野で、渋沢の後押しする三井系の共同運輸と、岩崎弥太郎の率いる三菱汽船とのあいだで、激しい競争がみられたことは、よく知られている。おそらく、渋沢の立場からすると、独占的に恩恵をうける政商は好まれず、自立的な活動をする企業が国家と協働関係を結ぶのが、自身の理想に合致していたと推測される。その後、三菱汽船ら同業者を結束させる形で、政府の支援と渋沢の協力のもとで、明治一八（一八八五）年には日本郵船会社が創設される。このように、渋沢と岩崎のあいだの因縁に近い関係は数々の変遷をたどったが、渋沢が発展させた東京商法会議所を媒介として交流がなされたという側面も指摘できよう。

他方、フランスでは、一九世紀末以降、海運に対する国家介入が拡張し、この分野での行政の組織や権限が増大化する。とりわけ本国と植民地とのあいだの交易を活性化させる目的で、海運事業者への補助金が増大した。フランス行政の歴史上、大規模な補助金を交付する対象として最初の存在が海運事業であった。かかる現実に対して、私法学者のなかには自由経済を擁護し、国家介入に否定的な立場もみられ、経済学においても批判的立場が主流であった。ところがオーリウは、この種の補助金行政を肯定的に位置づけた。すなわち彼の公私協働の考え方は、具体的場面としては特に補助金論に反映されており、国や地方公共団体から私人への補助金の交付は《公と私のあいだに柔軟な架橋を築き上げる》と述べられている。もっとも、オーリウは、私法の領域に属する海運については多くを語らなかったのであり、このあたりでは渋沢との接点は希薄になるが、海運のような公益的事業に対する国家機能のあり方という基本的なレベルで、彼らが共通の問題意識をもっていたことは否定しえないところであろう。[18]

付言すると、渋沢は、友愛会海員部の誕生にも与した。この友愛会は、労働者の組織でありながら、労使協調路線をとっており、経営側の渋沢も参画した。他方でオーリウは、組合活動が活性化しはじめた現実を直視して、これが集権的な国家体制を変容させる要素になると述べている。この点も、ふたりに共通する関心事として検討に値するであろう。

(五) 経済学的な教育への関わり

以上にみた商工会議所との関係で、経済ないし商業の教育制度について、ごく簡単に触れておこう。渋沢やオーリウの時代のフランスでは、大学での経済学(財政学を含む)の研究・教育は活発でなく、コレージュ・ド・フランス（Collège de France）などの学術機関や、商工業者らの協力によって創設された商業学院（écoles de commerce）が、経済学の発展の場を提供していた。そこで、オーリウをはじめとした当時の公法学者は、これら大学外における経済学教育・研究の成果を吸収しつつ、教育制度を整備する試みをしたのであった。特にオーリウと親密な交友関係にあった公法学者デュギは、大学の法学部は《社会科学部（faculté de sciences sociales）》であるとして、広く社会科学を探求する場であるとする一方で、大学と経済界の力を結集して、ボルドーに経済学院（Institut économique）を創設した。今日流にいえば、《産学協同》の教育制度が模索されたのである(31)。

一方、渋沢は、商業教育の重要性を認識し、私設の商業講習所を創設したことを皮切りに、官公庁や商工会議所の協力を取りつけて、商科大学等の教育機関の誕生に大きく貢献した。渋沢がこうした教育的活動をするにあたっては、彼がフランスで目にした教育制度が、意識的にせよ無意識的にせよ想起されたはずである(32)。

なお、オーリウについていえば、経済学系統の教育制度に関しては、表面的には目立った活動はみられない。それは、彼が既存の法学部の枠組みで、社会学や経済学などの隣接学問の成果を盛り込みながら法理論を構築することに努めたためであるといえよう。特に法学部と社会学の関係については、初期の論文で論じられており、それを発展させた中期オーリウの公法概説書には、隣接諸科目を総合化する意欲が鮮明に表れている。《法律学の社会科学化》という意味ではデュギに共通するが、その理論的実践の面ではオーリウはデュギをはるかに凌いでいる。とりわけ経済的・財政的観点を含めて行政法の体系化を図ったことが特徴的であり(33)、その伝統を引き継いだ現在のトゥールーズ第一大学は、法律学を含めた研究機関として《社会科学総合大学（Département de sciences sociales）》の名称を冠している。このように、それぞれの理念が具体化される姿には違いがみられるものの、オーリウらの法学者と渋沢の方向性は一致していたといえる。

(六) 公私協働の功罪

以上、商工会議所を通じた公私協働を中心に、港湾・海運・教育といった観点を含めて、渋沢とオーリウの接点を探ってきた。もとより、伝統的な考え方のように《公》と《私》を対立関係として捉える場合には、《公》に対して《私》が外部から監視・統制するという原理が取り込まれやすい。これに対して、公私協働の理念を重視すると、こうした外在的統制の観点が後退し、協働の名のもとに《私》的な権利・利益が脅かされる危険もある。実際、商工会議所は、第二次大戦中の昭和一八(一九四三)年には、商工経済会に改組され、府県単位の地域経済統制団体として位置づけられて、国家総動員体制の一役を担うことになった。これは、おそらくは渋沢の思い描いた将来像に反するものであっただろう。その意味で、《官》と一定の距離を置こうとした渋沢の姿勢は、今日改めて評価されるべきである。

ちなみに近時では、法律的な問題として、市役所職員を商工会議所に派遣して、市から給与を支出することの違法性が議論されている。いわゆる茅ヶ崎市商工会議所事件において、市は商工会議所との連携によって地域の商工業が活性化されることを理由として、当該給与支出を正当化しようとしたが、住民の訴えをうけた裁判所は、本件では公益上の必要性を認めがたいとして、この措置が違法であると判断した(最判平成一〇・四・二四判例時報一六四〇号一一五頁、東京高判平成一一・三・三一判例時報一六七七号三五頁)。第三セクターや社団法人(観光協会)に職員を派遣したことについても、同様の判断が示されている(広島高裁岡山支判平成一三・六・二八判例地方自治二二四号六二頁、東京地判平成一四・七・一八判例時報一八一七号四三頁)。これらの場合には、行政と商工会議所等とのあいだで事実上の連携がなされているにもかかわらず、裁判所は、実務の流れに抗して両者のあいだに一線を画そうとしているといえるだろう。

また、近時では、オーリウや渋沢の生きた時代とは逆に、《小さな政府》の名のもとで、国家機能の縮小が求められており、行政事務の民間委託や民間資金の活用が推進されている。その場合には、委託された民間企業に対する行政の関与の仕方などが問題になっている。こうした微妙な問題を、渋沢はどう評価するだろうか。

[20]

＊

筆者は、これまでオーリウについて断続的に研究をしてきたが、最近になって、渋沢との接点の多さを感じている。もちろん、渋沢と思想的に最も近い人物がオーリウだというつもりはない。これまでにも、渋沢には、多くの歴史上の人物との共通点があることが示されてきたところであり、本書はそこに新たな人物を追加したにすぎない。それだけ渋沢の生き方には幅があり、なおかつ思想的な奥行きが深かったというべきであろう。まったく同じ評価は、オーリウにも当てはまる。

ともあれ、渋沢とオーリウは、いずれも広い意味での《finance》にかかわり、近代国家のあり方を模索していたことは間違いない。それゆえに、公私協働のあり方という、まさに国家の根本に関わる原理的問題について、傑出した先達である彼らがどのように考えていたかを探求することは、極めて有益な作業であり、筆者の継続的な課題としなければならないが、本書の第一章以降において、この種の問題が随所に示されるであろう。(34)

(20)　本書はじめに**一**②[2]を参照。さらに、木村「フランスにおけるＰＦＩ型行政の動向」季刊行政管理研究（二〇〇五年）一一〇号五六頁以下。

(21)　同旨、渋沢栄一研究会編・前掲註（13）一五頁［片桐庸夫執筆］。

(22)　オーリウの行政管理の概念につき、木村・財政法理論一九〇頁以下、二五九頁以下。さらに、本書第一章第一節**一**

（二）⑤[29]をも参照。

（23）参照、鹿島茂「サンシモン主義渋沢栄一」諸君三一巻八号（一九九九頁）一九二頁以下。

（24）サンシモンに関する研究として、たとえば、坂本慶一『フランス産業革命思想の形成』（一九六一年・未来社）。社会思想史および経済思想史上の位置づけにつき、城塚登『社会思想史』（一九六〇年・東大出版会）二五三頁以下、伊藤誠編『経済学史』（一九九六年・有斐閣）一〇一頁［野口真執筆］。

（25）Hauriou, DC 1, p. 148-149, note. さらに、経済に対する政治の優位につき、本書第一章第一節**一**（一）[24]をも参照。

（26）サンシモンは、広義の社会主義者として位置づけられることが多いが、オーリウは社会主義思想の台頭を意識した法理論を展開している（木村・財政法理論五七頁以下、二三〇頁以下を参照）。また、同じく社会主義的色彩をもつP・J・プルードンの思想との関係につき、同書三一五頁以下、その従兄弟にあたるJ・B・プルードンの公物理論との関係につき、本書第一章第一節**一**註（45）・註（46）を参照。

（27）現在では、これらの規定は商法典のなかに取り込まれている。なお、商工会議所の法的地位に関する研究として、Centre d'études administratives de la Faculté de droit et des sciences économiques de l'Université de Nice, Problèmes juridiques des chambres de commerce et d'industrie, 1972.

（28）本書第四章のほか、木村「フランスにおける政策評価——港湾事業の評価を中心に」季刊行政管理研究九五号（二〇〇一年）一三頁以下をも参照。商工会議所の役割にも触れながら、フランスの港湾の文化的背景を解説するものとして、深沢克己『海港と文明』（二〇〇二年・山川出版社）。

（29）参照、佐々木聡「渋沢栄一と静岡商法会議所」渋沢研究七号（一九九四年）五九頁以下。

（30）これらの経緯については、片山邦雄『近代日本海運とアジア』（一九九六年・御茶の水書房）五八頁以下、加持照義「渋沢栄一——日本海運史上の指導者たち（二）」海運労働八巻五号（一九五五年）一四頁以下。

（31）Cf. G. Pirou, Léon Duguit et économie politique, REP 1933, p. 55 et s.

（32）渋沢の教育・文化への貢献を全般的に記すことは本節の目的から離れるが、ここで触れておくべきことは、ポール・

クローデル（Paul Claudel：一八六八―一九五五年）との関係である。フランス人の外交官であったクローデルは、渋沢と同じく実務に携わる傍らで、駐日大使に着任したことを契機として日本文化に深い理解を示し、渋沢とともに日仏文化交流の基礎を形作った。

（33）　初期の社会学的研究を含めて、参照、木村・財政法理論四頁、五四頁以下。

（34）　ここでフランスの実務について付言しておくと、フランスの法文化には《温故知新》の伝統があることを反映して、公法の分野では、コンセイユ・デタの裁判官をはじめとした実務家の論説においても、オーリウを含めた古典的文献が参照される頻度が高い。この点では、日本の裁判実務の風土とのあいだに少なからぬ相違があると思われる。また、英米系の諸国に比べてフランスの実務には保守的な要素が強いように思われるが、このことは、特に憲法院やコンセイユ・デタ（行政裁判系統の最上級裁判所）において、伝統的な理論との整合性が強く意識されていることにも一因があると思われる。もっとも、フランスの実務家がオーリウらの書物を引用する仕方は、かなり定型的な印象も拭えず、古典の本質的理解が伴われているとは言いがたい面がある。本書の課題は、こうした一般的な認識を補足ないし修正し、古典と現代とのあいだの《見えざる連関》を探ることにあるといってもよい（現代の判例とオーリウ学説との連続性につき、たとえば本書第二章第二節三⑤[160]を参照）。

なお、フランスではもっぱら自国の法理論に依存していると考えられがちであるが、少なくとも最近では大きな変化が生じている。すなわち、近時では、コンセイユ・デタのスタッフらによって英米的な制度がさかんに比較・参照されており、公私協働契約や公物制度改革もその成果の一例であるといえる。特に後者については、コンセイユ・デタと財務省の関係部局とのあいだで、外国の法制度の分析をもとに綿密な連携作業がなされており、日本法への関心もみられる（木村「国公有財産制度・公物制度をめぐるフランスの動向」千葉大学法学論集二一巻三号（二〇〇六年）一頁以下を参照）。また、近時の予算会計改革の基礎をなしている二〇〇一年八月一日組織法律は、国会の要請に対して会計検査院のスタッフらが意見表明をしたことに端を発しており、その結果として英米のＮＰＭに近い発想が取り入れられている（第一章第二節一（一）[46]を参照）。このように、現代においてはフランス的な法理論と英米的な法制度が融合する現象が生じているが、フランスの実務は安易に外国法を取り入れるのでなく、既存の法理論との整合性を考慮しながら慎重に継受しているという印象をうける。こうした動向をより正確に理解するうえでも、古典の再読作業が重要な意味をもつと思われる。

第一章　行政における政治性と経済性
——現代的ガバナンス論と古典的公法学説の連続性

［細目次］

序説　問題状況の概観

現代においては、行政上の決定において、経済性や効率性が強く求められる傾向にある。行政の指導理念が、公益性から効率性に、あるいは政治性から経済性に、変化しているということもできる。(1) このことは、本書の冒頭で述べたように、しばしば《ガバメント》から《ガバナンス》への移行として語られることがらである。(2)

概して、伝統的な学説においては、公的なガバメントの特殊性を前提として、《公》と《私》が峻別されていたのに対して、近時のガバナンス論では、《公》と《私》を融合・相対化させ、両者の相互交流を重視する傾向にある。この結果、従来は行政管理と企業管理が別個の性質を有すると考えられてきたのに対して、近時のガバナンス論においては、公的セクターにおいても企業経営的なマネジメントが求められている。具体的には、①民間的な財務管理（発生主義会計など）、②民間的な成果主義（政策評価など）が、行政管理にも積極的に取り入れられている。さらに、③効率的な行政管理のために、民間への管理委託や民営化を推進し、公私協働を図るという考え方も伴われる。

こうしたガバナンス論については、行政学や経済学（ないし経営学・会計学）からの分析が、最近になって数多く出されており、とりわけ英米系の新公共経営（ＮＰＭ）の動向を参照しながら、行政運営の実際的な改善の方向性が論じられている。(3) これに対して公法学では、参加型の公私協働に関する研究のほかは、ガバナンスに関する議論はほとんどみられず、特に経済性や効率性の観点からの考察に乏しい(4)。

そこで本章では、ガバナンスの諸問題の鳥瞰をするために、とりわけ財政的観点を重視する(5)。なぜなら、ガバナンス論の主たる関心である、行政における経済的要素は、基本的には財政作用に関わるからである(6)。とはいえ、かかる財政的・経済的な要素の位置づけは公法学の基礎に密接に関わっており、その位置づけ方の変化は当然に公法理論全般に大きな影響をもたらすはずである(7)。しかも、財政的観点からの効率性を重視する考え方は、財政や資本の観点からの公私協働、ひいては公私協働一般につながってくる。その意味で本章の考察は、公法学の基本的前提を問い直す作業を伴わざるをえないのであり、こうした問題意識が現代ではガバナンスの問題として包括されるわけである。

あわせて本章では、かかる現代的な動向と古典的学説との連続性を重視し、その歴史的な変遷を概観する。それは、あとの記述を先取りするならば、現代的な論点の多くがフランス公法学の古典的学説において表現されており、そのことが従来ほとんど認識されてこなかったからである。また、この分野では、概して経済学系の研究が先行しているとはいえ、オーリウをはじめとした法律学の古典のなかには、財政に関する重要な研究成果が隠されており、時代的にいえば経済学的研究に遅れを取っていたとはいえない面もあると思われる。

叙述の順序としては、はじめにフランスの古典的学説を概観したあとで（第一節）、日仏両国における諸制度を適宜引用しつつ、現代における変容の諸態様を明らかにし（第二節）、最後に今後の方向性について述べることにしたい（第三節）。なお、本章の目的は、今後のガバナンス論の展開に向けた基礎的作業を行うことにあり、以下の叙述では、伝統的な学説の分析をもとにして、行政管理の改善に向けた理論的な視角を示すことに重点を置いている。そのため、関連する諸制度については、それぞれの位置づけを示すにとどめ、詳細な制度論や解釈論を展開することを差しひかえているところが少なくない(8)。

（1） これがフランスの学界の問題意識でもあることにつき、本書はじめに━②[2]および同註（34）を参照。

（2） 筆者のガバナンスに関する各論的研究として、木村「国有財産の管理委託に関する一考察――港湾管理を素材としたガバナンス研究」千葉大学法学論集二〇巻四号（二〇〇五年）七〇頁以下。また、基礎的研究として、木村「成果主義的な行財政制度の構築に向けた試論（一）～（五・完）――複数年度型予算会計・補助金・定員管理」自治研究七九巻九号（二〇〇三年）一三八頁以下、一一号七九頁以下、八〇巻九号（二〇〇四年）八〇頁以下、一二号一〇四頁以下、八一巻一号（二〇〇五年）一一二頁以下、同「財政統制の現代的変容（上・下）――国会と会計検査院の機能を中心とした研究序説」自治研究七九巻二号（二〇〇三年）九一頁以下、三号四四頁以下。さらに、ガバナンス的な考え方をもとに制定されたといわれる、フランスの二〇〇一年八月一日組織法律については、同「フランスの二〇〇一年『財政憲法』改正について」自治研究七八巻九号（二〇〇二年）五七頁以下、同「フランスにおける予算会計改革の動向――日本法への示唆を求めて」季刊行政管理研究一〇六号（二〇〇四年）二〇頁以下、同「フランスにおける予算会計改革について――最近の動向を踏まえた補足的考察」千葉大学法学論集一九巻二号（二〇〇四年）一八三頁以下。さらに、同「フランスにおける公物制度の機能的分析」千葉大学法学論集二〇巻一号（二〇〇五年）一三三頁以下をも参照。

（3） 行政学・経営学等の観点からガバナンスを扱った文献は多いが、本章では逐一引用せず、基本的には本書はじめに註（2）に掲げた論文等に譲ることにしたい。他方、公法学においても、ガバナンスの語が用いられることはあるが（たとえば、中川丈久「米国法における政府組織の外延とその隣接領域」金子宏先生古希記念論文集『公法学の法と政策・下巻』（二〇〇〇年・有斐閣）四七六頁、橋本博之「特殊法人と情報公開」公法研究六四号（二〇〇二年）二〇六頁、角松生史「行政事務事業の民営化」ジュリスト増刊『行政法の争点〔第三版〕』（二〇〇四年）二〇三頁、村上武則「憲法原理と行政法理論体系」公法研究六七号（二〇〇五年）六七頁）、必ずしも行財政全般にわたっての詳細な分析にはつながっていないように思われる。もともとガバナンスの観点は、財政的視点を取り入れてこそ意義があるのであり（本書はじめに━参照）、これまでの公法学が財政法的分析に重点をおいてこなかったことからすれば、他の学問分野に比べてガバナンス概念に依拠する度合いが低いことにも、ある種の必然性があるように思われる（右の諸論文においても協働参加の観点に重点が置かれていることは否めないし、また財政的観点を交えることがないと、後出註（7）の文献に示されるような、伝統的な国家と社会の一元論・二元論の対立図式、ないしその延長にとどまってしまう可能性がある）。さらに、本書で強調したいのは、フランスの財政法学を含めた古典的学説のなかに、すでにガバナンスの考え方が内包されていたことであり、以下でもその観点からの分析を重視する。

（4）　本章では、経済的要素として、経済性（économie）・有効性（efficacité）・効率性（efficience）という、いわゆる《3E》の要素を念頭におきつつ、これらを包括した全般的傾向を示すにとどめる。すなわち、概念的にいえば、経済性とは、事業がより少ない費用で実施されえないかという観点であるのに対して、効率性は、同じ費用でより大きな成果が得られないかという観点であり、また有効性は、事業が所期の目的を達成しているかという観点であって、政策評価等にあたっては相互に区別されるが、本章では経済性ないし効率性の語を、これら三つの要素を包括させた意味で用いる。これらの概念に関するフランスの公式的定義については、Conseil scientifique de l'évaluation, Petit guide de l'évaluation des politiques publiques, La Documentation française, 1996, p. 13.

（5）　法的観点から行政の効率性の意義について論じたものは少ないが、近時では《法と経済学》のアプローチが取り入れられることがある。こうした方法論は本書とアプローチは異なるが、問題意識は重なり合っている（たとえば、八代尚広『規制改革』（二〇〇三年・有斐閣）、福井秀夫『司法政策の法と経済学』（二〇〇六年・日本評論社）、中里実「法制度の効率性とソフトロー」中山信弘先生還暦記念論文集『知的財産法の理論と現代的課題』（二〇〇五年・弘文堂）五五五頁以下）。その本格的な検討は別の機会に譲ることにしたいが、少なくとも指摘するべきことは、財政を含めた公法原理においては、経済的な原理を超越した、あるいはそれと対峙した政治的原理があり、両者の調和を図るという視点が重要であると考えられるのであり、本章はかかる原理的な対立を歴史的に概観するとともに、法学的観点からその均衡を図る試みをするものである（とりわけ第三節参照）。類似の指摘として、本書はじめに註（18）のブーヴィエ論文のほか、高橋滋「続・法と政策の枠組み」自治研究八三巻七号（二〇〇七年）二三頁も参照。

他方、近時の行政法学では、効率性の原則が行政上の一般原則として掲げられることがあり、その根拠として、地方自治法二条一四項、地方財政法四条一項などが掲げられることが多いが（大橋洋一『行政法〔第二版〕』（二〇〇四年・有斐閣）四七頁、宇賀克也『行政法概説Ⅰ〔第二版〕』（二〇〇六年・有斐閣）五三―五四頁、中川義朗「行政法の政策化と行政の効率性原則について」川上宏二郎先生古希記念論文集『情報社会の公法学』（二〇〇〇年・信山社）一〇四頁、さらに、阿部泰隆『行政の法システム・上〔新版〕』（一九九七・有斐閣）六二頁をも参照）、これらの規定の解釈論的意義が必ずしも明確に示されてこなかったように思われる（第三節二（三）（1）[91]参照）。このほか、本章に近い問題意識を含む論考として、磯部力「行政システムの構造変化と行政法学の手法」塩野宏先生古希祝賀論文集『行政法の発展と変革・上巻』（二〇〇一年・有斐閣）五六頁以下があり、本章の最後でコメントする（第三節二註（251）参照）。なお、国立大学法人における効率性（国立大学法人法三〇条・三一条および、同法三五条が準用する独立行政法人通則法三条一項など）について、第一義的には経済的・定量的な意味での効率性を意味するわけではないという指摘が見受けられる（藤田宙靖「国立大学と独立行政法人制度」ジュリスト一一五六号（一九九九年）一一四頁）。

（6）　企業管理においては、しばしばヒト（personnels）・モノ（materiels）・カネ（moyens financiers）の三つの要素が中核になり、行政管理においては、それぞれ公務員・国公有財産・公金が対応するが、本章では、後二者を包含する財政を中心的に論じ、公務員制度については最小限の指摘にとどめる。財政と公務員制度の双方に絡む定員管理については、木村・前掲註（2）自治研究八〇巻一二号一〇四頁以下を参照。なお、オーリウが右の三つの要素に着目して行政組織を論じていることにつき、Hauriou, DA 9, p. 388.

（7）　本章では、行政と政治との関係、《公》と《私》の区分など、公法学の基礎をなす諸問題に関わることになり、理論的な検討を要する事項は多いが、以下の考察では、オーリウやジェズの所説をもとに、現代的な諸問題との連関を明らかにする形で、古典的学説を簡潔な形で描写することにしたい。総じていえば、オーリウらの基本的理解には、伝統的公法学と共通する前提があるが、彼らは伝統的理論を脱却する方向性をもっていたといえるであろう。

もとより、類似の要素はドイツ公法学説にも見出しうるところであるが、ここでは、政治的中立性等に関する分析を含む塩野宏『オットー・マイヤー行政法学の構造』（一九六二年・有斐閣）八八頁以下、行政の公的性格に関する小早川光郎『行政法・上』（一九九九年・弘文堂）七頁以下、国家と社会の二元論に関する藤田宙靖『行政法学の思考形式』（一九七七年・木鐸社、初出一九七六年）八九頁以下、三六〇頁以下、をあげるにとどめる。他方、フランスにおいては、財政に関する法制度を中心として、政治的観点と経済的観点の二つが、実定法上、極めて明快な形で変遷しており、それに対応する古典的学説が明確に存在している。それゆえにこそ、筆者は、オーリウらの学説をかかる現代的文脈のなかで取り上げる意義があると考えている。

なお、念のために述べるならば、塩野教授がマイヤー学説を《企業的国家観》と形容しているのは、主として国家機能の増大に伴う行政作用の拡張に着目したものであり、オーリウの《企業的行政観》が、行政作用が商工業的公役務に拡大していく現象のみならず、行政内部の管理方法をも対象にしているのと比較すると、重複はあっても射程は大きく異なるというべきであろう。

（8）　本章は抽象的な記述にとどめている箇所が多いが、実際にはさまざまな具体的問題に関係している。そこで、読者に具体的なイメージをもってもらうために、あくまで例示的に、次の二つの事件をあげておく。いずれも実際に住民訴訟（地方自治法二四二条の二）の形で問題になった事件であり、住民が地方公共団体に代位して、首長に対して当該地方公共団体が被った損害の賠償が求められている（いずれも平成一四年改正前の旧四号請求である）。

①　A市が市民にゲートボール場を提供するために、土地を地主から低廉な価格で借り受けた。その際、A市長は、地方税法三四八条二項に基づき、当該土地の固定資産税を非課税とした。同条では、固定資産が公共の用に供される場合には、それが「有料」で貸し付けられた場合を除き、固定資産税が課税されないことが定められている。これに対して同市の住民の一部が、この非課税措置は同法の違法な解釈によるものであり、それによってA市に損害が発生したと考えて、A市長に対し損害賠償を請求した。最高裁は、右の措置の違法性を認めながらも、右の措置による損害と右の措置を採らなかったならば必要とされる右土地の使用の対価の支払を免れたという利益とのあいだには、損益相殺が認められるとして、原告住民の請求を退けた（最判平成六・一二・二〇民集四八巻八号一六七六頁）。この事例は、地方税法の解釈のみならず、公金管理と財産管理の関係を含めて、行財政の効率性に関して興味ぶかい素材を提供している（第二節二（二）

（4）[63]および第三節二（三）（2）[92]、註（249）および（250）などを参照）。なお、実際の事件とは異なるが、かりにA市長個人に対する敗訴判決が下されたとして、A市議会が市長の責任を免除する議決（九六条一項一〇号）をすることが可能かどうかも、論点となる（第三節一（二）②[75]および註（197）参照）。

② B町は、元町長が町長在職中に、B町の財産である砂利を低廉な価格で某会社に譲渡した。地方自治法九六条二項六号は、「適正な対価」によらないで公有財産を譲渡するには、議会の議決が必要であると規定しているが、本件譲渡に先立ってB町議会は、同社から町に支払われた砂利採取料を財産収入として計上した補正予算を可決した。ところが、その審議においては、議員から本件譲渡の単価が適正な対価といえるのかどうか質問があり、これに対して町長側は、近傍区域の取引事例の単価を参考にして上記単価を決定したことを説明するにとどまっていた。訴訟においては、このような経緯のもとでは同法の求める議会の議決（適正な対価なき譲渡の当否について実質的な審議を経たうえでの議決）がなされたといえるか否かが論点になった（最判平成一七・一一・一七判例時報一九一七号二五頁）。この事件は、財政民主主義との関係で、議会の財政規律のあり方について重要な問題を提起している（とりわけ第三節二（一）（2）⑤[81]を参照）。

第一節　伝統的な公法学説における政治的要素の重要性

[22]　一般的な説明によると、伝統的な学説は、公的領域における政治的決定の重要性を主張してきたのであり、この点で公的領域は私的領域の場合と異なると考えられてきた。(9) ここでは代表的な説明として、現代フランスの公法学者、シュヴァリエ（J. Chevallier）の記述を取り上げよう。公的領域と私的領域の関係について、大要次のように述べている。

「《公（public）》の世界は、一般利益（intérêt général）に支配されている。これは、秩序の原理（principe d'ordre）

であり、これによって社会が統合に向かい、社会の一体性が実現される。これに対して、《私（privé）》の世界では、個別利益（intérêt particulier）ないし私的利益（intérêt privé）によって支配されている。かかる利益を基礎にして、各人は自己に固有な目的を実現できるようになり、各人の自律性が保障される。それに応じて、公的管理と私的管理では、異なった規範が求められ、行政が私企業の管理と同じ規律によることは許されない。こうした《公》と《私》の区分は、ながらく自明の理として考えられてきた。……ところが最近では、《公》と《私》の境界が不鮮明になったことから、国家の正統性を構成するはずの一般利益が権威を失っている。この結果、効率性という私企業の論理が、行政にも入り込み、行政も私企業にならって効率的であるべきだという考え方が広く認められるようになっている。(10)」

おそらくこれが、今日の一般的な認識を代表する説明であろう。かかる現代的な変化は、《行政的国家（Etat administratif）》から《企業的国家（Etat entreprise）》ないし《戦略的国家（Etat stratège）》への変容であると言われることもある。(11) しかしながら、伝統的な学説が公的領域の特殊性を語ってきたことは、誇張して捉えられるべきではない。筆者は、この観点からフランスの古典的な公法学説を《再読》する必要があり、むしろ古典的学説との連続性から少なからぬ示唆が得られると考えている。そこで以下では、公法の一般理論（一）と財政法理論（二）のそれぞれについて、右の観点から検討していくことにしよう。

一　公的領域における政治的要素

[23] 公的領域における政治的要素の重要性を主張した論者として、二〇世紀初頭に活躍した公法学者、モーリス・オーリウをあげることができる。彼の所説は、シュヴァリエのいう伝統的な思考方法に依拠しつつも、現代的な考え方

を取り入れている点で注目に値する。

もとより本章は、オーリウ学説の分析自体を目的とするわけではなく、別に論じたところを今日的なガバナンスの観点から補足する意義をもつにすぎないので、以下では彼の個々の記述を詳細に引用することを避け、要旨の紹介にとどめざるをえない。いずれにしても、あとにみるジェズと比較対照した場合のオーリウの叙述が、主として財政的観点からみて極めて豊かな含蓄を伴っていることは、彼が公法理論を構築するにあたって財政的・経済的な要素を強く意識していたことを物語るはずである。そして、かかる作業を通じて、難解という定評があるオーリウ学説の基底を、改めて認識することができると思われる。[12]

〔24〕

（一）公的領域と私的領域の区分とその帰結

オーリウは、政治的権力と経済的権力を峻別したうえで、それぞれを公的領域と私的領域に対応させる。すなわち、《国家制度（régime d'Etat）》のもとにおいては、公的世界（vie publique）と私的世界（vie privée）が分離しており、前者は政治的権力に、後者は経済的権力に、それぞれ対応する。また前者は、個別利益と区別された一般利益によって正統化されるという。[13] そのうえで、彼は政治的権力が経済的権力に優越することを説いて、いわく。

「政治的権力は、次の理由により経済的権力に優越する。第一に、政治的権力は、事物の管理（administration des choses）を目的とするものではなく、人の統治（gouvernement des hommes）を目的とするものであるから、人の営みに直接関わり、法的ないし道徳的な感受性とともに、人格の第一面に関わる。……第二に、政治的権力は、集団の政治的統治を目的とするものであるから、一般利益と融合し、相対的に無私の存在となる。[14]」

この観点からオーリウは、社会主義ないし集産主義（collectivisme）やサンシモン主義（saint-simonisme）を批判する。すなわち、社会主義ないし集産主義は、政治的権力と経済的権力を融合させ、いずれをも国家権力のもとに置こうとするが、これは自由の理念を否定することにつながる。また、サンシモン主義は《人の統治》を《事物の管理》に置き換えるが、これは無政府主義的な理想郷にすぎないとして批判し、《人の統治》の優越性を説いている。[15]

さらに右の引用文の考え方から、《国家は無私の企業（entreprise désintéressée）である》という言明が導かれ、さらには《公役務の無料原則（principe de la gratuité des services publics）》が帰結される。公役務無料原則は、初期オーリウにおいては警察権と財政権（ないし財産権）の区分として表現されていたことも、あわせて想起されるべきであろう。[16] 同時にオーリウは、公役務は《富（richesses）》ではなく《財（biens）》を生ぜしめる、という。[17] この場合の《富》は、私企業の生産物であり、ここでも行政の論理と私企業の論理とが区別されているわけである。同様の考え方は、ドイツの国庫理論（théorie de l'Etat-fisc）に対する批判にも表れている。つまりオーリウは、国庫理論が私企業的な発想に立脚しているという理解のもとで、国庫理論のもとで財政が公権力の支配をすること、より実際的にいえば財務大臣の機能が拡張することに対して警戒感を示しており、そのことが公権力主体たる国家から国庫を切り離すことに対する最大の問題点とされているのである。[18]

以上の前提のもとで、オーリウは、公的領域に属する行政＝公役務（service public）が基本的には政治的責任によって担われていることを明らかにするのであった（(二) ③[27]をも参照）。

[25] (二) 公的領域と私的領域の区分の相対化

このようにオーリウは、基本的には公的領域と私的領域を区分し、同時に政治的権力と経済的権力を区分しているのであるが、彼の記述は常にニュアンスに富んでおり、それゆえにこそ現代においても示唆的なことが多い。そこで以下に、かかる現代的要素を抽出しておくことにしよう。いわば、現代的なガバナンス論の構築のために、

《法学的な遺産》の発掘作業を行うわけである。

① 相対化の理論的枠組み　オーリウは、公的領域と私的領域を峻別しつつも、両者を相対化する記述をしている。右に彼が掲げた《国家制度》の概念は、歴史の流れに応じて《行政制度（régime administratif）》や《憲法制度（régime constitutionnel）》に変容していくのであり、後二者は《国家制度》の生物学的変態の類型として位置づけられている。(19) 内容的にいえば、《国家制度》においては公的領域と私的領域が峻別されているのに対して、《行政制度》と《憲法制度》においては、両者の融合が認められる。(20) またオーリウは、《行政制度》が財の創出を目的とすると述べつつも、実際には私企業が創出する富とのあいだに、微妙な境界領域が存在することを認めている。このことは、経済的活動を行う特殊行政主体である公施設法人（établissements publics）の位置づけに関して、苦渋に満ちた論述をしていることに典型的に現れている。(21) さらに、行政の有する公的性格について《段階性》が認められるとしており、(22) 特に地方公共団体に対しては、公役務無料原則をはじめとした諸原則について例外を肯定する立場を明らかにしている。(23) このほか、個別の行政手法に注目すると、補助金によって公的世界と私的世界の融合が図られると述べている。(24)

② 企業としての行政　同時にオーリウは、日常的な公的事務である《行政（administration publique）》を、一種の企業（entreprise）として捉えている。すなわち、「制度（institution）として構成された行政活動は、統治的な利益および公衆の利益に向けられた、一種の事務管理の企業とみなされる必要がある」という。(25) ここでは、オーリウが行政を企業と同視していることとあわせて、(26) 事務管理という私法的概念を用いていることにも注目する必要がある。(27) さらに別の箇所でオーリウは、国家の構成員である市民は、国家の主体（sujet）として、国家という企業の株主（actionnaire de l'entreprise）の地位にあり、企業の統治（gouvernement de l'entreprise）に対して参加と統制の権利を有すると述べており、(28) 組織体としての企業の理念から導かれる帰結を明確に示している。(29) ここでの

《企業の統治》は、現代的にいえばコーポレート・ガバナンスに近い用語法である。

こうした企業との類推は、行政と区別された意味での《統治》にも妥当すると考えられている。オーリウによると、権力はそれ自体、人間集団の統治の事業の要素を含んでいることから、統治者にも野心やイニシアティブ、さらには企業的精神（esprit d'entreprise）が必要である。それゆえ、人間集団の統治は企業と捉えられなければならず、すべての企業に適用される合理性の規範（règles rationnelles）が統治にも適用される、と述べている。(30) さらに、企業経営の理論家であるファヨル（H. Fayol）らの著書を引用したうえで、次のようにいう。

「国家権力が企業になるという考え方は、経済的な事務管理の領域のみならず、政治的事項の運営においても妥当する。たとえば植民地支配はひとつの事業であり、戦争や外交、さらには研究・教育や選挙も同様である……。すべてのリスクを伴う活動は、事業としての性質を有する。企業的観念を認める意義としては、統治者の責任が説明しうること、国家の法人格は国家の統治企業の法人格であるという帰結が導かれることがあげられる。(31)」

総じてオーリウによれば、統治や行政＝公役務は、私企業のように富の創出を目的とするものではないが、企業的な発想が求められることになる。こうした考え方は、先に引用した《企業的国家》の観念に因んで、《企業的行政観》と呼ぶことができよう。オーリウの企業的行政観は、行政法理論としては晩年の行政裁量論に反映されており、行政機関を企業の長と同視するという思考方法が明確に示されている。すなわち、行政の裁量権（pouvoir discrétionnaire）は、私法における意思自律の原則や、国際法における国家の主権性と同じように、法規範との関係で行政に保障されているイニシアティブや独立性に相当する。しかし、それだけでは、法が合目的性（opportunité）の領域において行政の判断の余地を認めていることの理由が明確にならない。それに対する答えは、行政は個人の場合と同じように、企業の長（chefs d'entreprises）であり、それゆえに自律的決定権や合目的性の判断権を有するという原理から導き出せる、と述べられている。(32)

[27]

さらに財政に関しては、オーリウは、公会計（comptabilité publique）と企業会計（comptabilité privée）の融合の可能性も示唆している。すなわち、後にみるジェズをはじめとした正統派の財政法理論は、企業会計に対する公会計の独自性を主張し、その考察の対象を基本的には公金（deniers publics）に限定していたのに対し、オーリウは、公的資産（patrimoine public）ないし公的財（chose publique）、財産権（droit domanial）の概念を用いながら、現金会計と資産会計が融合する方向性を志向している。(33) このオーリウの視点は、現代の公会計の動向につながる意義を有している。他方、予算制度に関しては、私企業の場合と同様に、予算における規律（認可的要素）を緩和することに努め、《予測としての行政》の中核的要素としたのであった。(34) この論理を応用すれば、公的資産全般に関する効率性の観点から、公物についての規範を緩和する方向性も考えられるであろう（④のほか、第二節二（二）（4）[63]をも参照）。

③　公務員個人の位置づけ　右にみたように、企業的行政観をとるオーリウは、公務に携わる個人のイニシアティブないしインセンティブを重視している。(35) ここでは、行政法概説書第九版の記述を、やや詳しく引用しておくことにしよう。

「公役務は、行政官の個人的・金銭的な責任という制裁によっては、管理しえない。なぜなら、この種の責任は、政治的責任、つまり政治権力の喪失しか認めないという政治的風習と両立しえないからである。この帰結として、管理者の個人的・金銭的な責任という刺激によってしか成功しえない事業は、実際上、公役務としては創設されえない。(36)」

オーリウは、ここから商工業的公役務（services publics industriels et commerciaux）が限定されることを導くのであるが、その前提として、公役務には基本的に政治的責任が妥当しており、(37) 公務員の個人責任という金銭的なディスインセンティブが機能しないという前提があると述べている。そのうえで、行政管理の基本原理を修正する可能性を含意させた記述を続ける。

「公役務は、無意思的な手続（procédures automatiques）によってのみ管理され、そこでは管理に携わるすべての公務員の責任が消滅する。公役務の行政は、錯綜化・複雑化した手続にほかならない。この手続は、関係者の相互的統制によって適法性を担保するが、同時に、作業を著しく遅延させる。なぜなら統制は、緩慢な段取りや複数の形式（formalités）によってしか確保されないからである。……公務員の過誤や怠慢は、それが役務の管理にとっていかに重大なものであろうとも、役務過失（faute de service）のもとでは度外視されることになる。……公務員の個人責任がないことからイニシアティブが働かない。なぜなら、責任は形式や監督によって置き換えられ、それらが公務員の活動の妨げになるからである。……こうした公役務手続の機能障害（infirmité）のもとでは、言いかえれば、なされるべき技術的作用（opération technique）が役務の手続に適合していないという状況のもとでは、行政作用が発展することには限界がある。しかし、この限界は可変的である。一方で、行政は柔軟になりうるし、他方で、商工業的な技術的作用は、その黎明期を乗り越えて規律化されると、公役務においても熟成することが可能となるはずである。……そこで、かかる技術的作業が、個人のイニシアティブや個人責任のない、公役務の手続によってうまく管理されるかどうかを、それぞれの公役務ごとに検討する必要がある［いずれも傍点は原文強調］[38]。」

この論述の直接的な目的は、当時さかんに議論されていた、商工業的公役務がいかなる範囲で認められるかという問題に答えることにあり、それ自体、今日《小さな政府》の名のもとで議論されている諸問題（民営化や民間委託の許容性など）に関わるが[39]、行政管理に関して、より広い視点が提示されている。すなわち、右の引用文では、行政は手続そのものであるという、いわば手続的行政観が出発点とされており、このテーゼは初期オーリウにおいて端的に示されていたものである。その後のオーリウは、訴訟手続を含めた手続的規律に注目しながら、行政統制の理論的な深化を追及したが、後年その限界を認識し、企業的行政観に基づいて柔軟な行政管理を模索したのである[40]。

ここで我々は、二つの対立する原理を認めているオーリウの苦悩を見出すことができる。すなわち、彼は一方で、企業的な行政観を採用するとともに、他方では、企業にとって不可欠な管理者のイニシアティブが、公法的規範（とりわけ、役務過失に基づく公務員の個人責任の否定）[41]の存在ゆえに欠落していることを認めているのである。公役務無料原則に対する例外をやや技巧的に設定したり、財と富を慎重に区分したりしているのも、同じ配慮によるものと考えられる。いずれにしても、彼が手続による適法性統制の限界を認め、手続的な迅速性を含めた効率性の観点から、行政の《柔軟化》を図るべきであるという思考をしていた点で、現代的なマネジメントにつながる要素を提示していたことは否定しえないところであろう。

[28]

④　良好な行政　オーリウが企業的行政観を展開させるために用いた鍵概念として、《良好な行政（bonne administration）》をあげることができる。そこで次に、この概念について検討することにしたい。

オーリウは、行政法概説書第九版において、その著名な《制度》理論と《良好な行政》の関係を説明している。すなわち、行政的社会（société administrative）は、国家のなかでひとつの制度となる。この行政的制度の存在は、行政権をして、《良好な行政》の理念（idée）から導かれる根本的諸規範を遵守せしめ、それが行政裁判制度によって担保される。そこでは、制度の一般理論が特殊に適用される。行政的制度を含めたすべての制度は、仕事ないし企業の理念（idée directrice de l'entreprise）から生まれる。当該理念がそれ自体で好ましくなければ、当該組織は制度にはなりえない、という[42]。もともとオーリウの制度理論は、公的領域と私的領域のいずれにも当てはまる一般理論であり、行政的制度においては、私企業に妥当する制度理論が、修正されて適用をみるわけである。

ここでは、《良好な行政》の規範的な性格だけが掲げられているが、具体的な展開をさせた箇所もみられる。その例として、公物の一時占有（occupation temporaire）の許可に関する記述があげられる。オーリウによれば、一時占有許可に際して行政は、公衆の利益のために、当該公物の一般的な用途と適合するように、その所有物から最大の利用価値（maximum d'utilisation）を引き出さねばならない。原則的にいえば、行政は占有許可をするか否かの自由があるが、公物に対する行政の所有権は信託的であり、公衆の利益と《良好な行政》の利益のためにあるから、私人から申請された占有が公物の効用を高める場合には、行政機関は、その道義的義務として、役務に関連する理由によらなければ申請を拒否できない、という。(43) オーリウは、一九世紀に主流であった学説と異なり、官公庁の庁舎を公物に含めるなど、公物の概念を拡張したのであるが、(44) その一方で私産の場合と同様に公物の有効利用の必要性を説いた。(45) さらに、公物占有者に対し《行政的物権（droit réel administratif）》を肯定し、伝統的な公物の不融通性（inaliénabilité）の原則を緩和させる方途を示した。(46)

この《良好な行政》にかかる道義性は、行政行為の違法事由のひとつである権限濫用（détournement de pouvoir）の説明において、端的に示されている。行政法概説書第八版では、権限濫用の意義として、「《良好な行政》に相当せず、《行政道徳（moralité administrative）》によって非難される理由に基づいて権限を行使すること」という定式が掲げられ、(47) また同書の直後に刊行された公法概説書では、《よりよく行う（mieux faire）》という公益、ないし公的世界の目的に反することが、権限濫用を構成すると述べられていたが、(48) 行政法概説書第九版では、かかる行政道徳の観念につき、基本的には私法における私的道徳（moralité privée）と同質であると説かれたうえで、詳細な判例分析が試みられるようになる。(49)

さらに最晩年の法哲学論文では、《指針（directive）》の法理が展開されて、《良好な行政》の内容がいっそう充実する。(50) オーリウのいうところの指針は、《良好な行政》を根拠とするものであり、社会にとって有益な企業の利益に相当する。具体的には、指針によって通達（circulaire）や計画（projet）が定められ、(51) 公用収用に際しての公益性認定（déclaration d'utilité publique）や納税者訴訟（recours du contribuable）も、指針に基礎づけられる。同時に指針は、権限濫用の根拠になるが、そこには効率性等の経済的要素をも明示的に取り込まれている。その証としてては、「［指針に包含される］合理性の基準（standard de rationalité）は、裁判官が相対する利益の経済的均衡を確立し、この均衡を公序（ordre public）や政策（public policy）の利益と結合させなければならないことを意味する。これら三つの要素の均衡は、なかば経済的であり、なかば政治的なもので、裁判官に専門的能力を要求する」という一節をあげれば足りるであろう。(52) こうした《良好な行政》の概念は、その例示からしても、今日にいう《よきガバナンス》の概念と重なり合うところがある。かくしてオーリウは、指針の法的性質の考察を通じて政治的要素と経済的要素を統合させ、その調整役として、理念的には裁判官（特に行政裁判官）に期待を寄せているわけである。

［29］ ⑤ 複数の段階での協働　オーリウは、複数の段階で《協働（collaboration）》の重要性を指摘している。(53) 今日では、公私協働の重要性が各方面から主張されているが、オーリウが行政における協働の理念を早くも一九世紀において提示し、みずからの行政法理論の骨格に位置づけていたことは、特記されてしかるべきであろう。

オーリウは、まず、行政と私人の関係における協働が《行政管理（gestion administrative）》の本質であるとしている。彼のいう行政管理は、「公役務を目的として行政と私人のあいだに確立された協調・協働、すなわち特殊な結合」と定義され、補助金のみならず租税も協働の一形態とされる。(54) また公役務特許（concession de service public）も、私人と行政の協働であり、家族における婚姻関係に類するものと記されており、こうした補助金や公役務特許を通じた協働によって、財政支出の削減も可能になるという。(55) さらにオーリウは、ドイツ的な国庫理論（théorie du fisc）が財産的取引を副次的ないし非公開的にし、協働の理念に矛盾するという論理を媒介として、行政における《公開性（publicité）》の原則を掲げるに至る。(56) これらは、今日のガバナンス論が重視している諸観点にほかならない。

また、オーリウにおける公私協働の考え方は、分権論の一環としても位置づけられている。すなわち初期オーリウは、分権には、地方公共団体に権限を委譲する《地方分権（décentralisation térritoriale）》のほかに、行政事務ごとの分権というべき《役務分権（décentralisation par service）》があるとしたうえで、とりわけ後者を重視していた。[57] この役務分権の考え方は、商工会議所（chambres de commerce et d'industrie）などの公施設法人を通じて、行政に民間事業者が関与することを含意していたが、晩年には分権論を《公益の管理（administration d'intérêt public）》の理論に発展させ、広く公益事業者を行政の補助者として位置づけるようになる。そこでは、公施設法人のみならず、私的企業による公益的事業も分権の一種として位置づけられ、《公益事業者による分権》の考え方が示される。そして、行政主体と民間の公益事業者との《協働》の重要性を指摘して、この種の団体の創設・活動等の自由を認める反面で、行政主体による監督の必要性を強調し、両者の《均衡》が図られるべきであると述べている。[58]

他方、統治機構についていえば、オーリウは、とりわけ財政に関して立法府と行政府の協働を重視している。すなわち、経済における《分業（division du travail）》の原理を権力分立という政治的領域に直接当てはめることは、政治的一体性を損なうことになるから、分立された権力相互間の《協働》が好ましいと述べ、権力分立原理の柔軟化を志向している。[59] この考え方は、次にみるジェズの財政法理論に通ずるところがある。

以上に概観したように、オーリウは、私人に対する行政作用の考察と並行して、内部的な行政管理のあり方にも関心をもち、行政管理と企業管理との同質性と異質性をいかに認めるか、という基本的な問題意識を抱きつづけた。その意味でオーリウは、ジェズとともに、現代的なガバナンス論の視点を提示していたと評価できるであろう。

⑥　協働と行政訴訟・行政賠償責任　本章でのオーリウ理論の分析をひとまず終えるにあたって、彼の学説における協働の原理と行政訴訟および行政賠償責任の関係に触れておくことにしよう。これまでのオーリウ研究においては、行政訴訟や行政賠償責任の観点が重視されており、その際、彼の初期の著作において協働の理念が存在していることは早くから指摘されていた。[60] しかし、両者のあいだの実質的な連関として、現代にいうガバナンス論的な連関（とりわけ、コーポレート・ガバナンス論に依拠した考え方）があったことは、少なくとも意識的には示されてこ

なかったといえる。もとより本書でその全体像を提示することはできないが、以下で従来のオーリウ研究を補足することにしよう。

オーリウは、先に掲げた行政管理の定義（⑤参照）をもとに、一方的な行政行為や行政立法に基づく《公権力》の問題状況と、それに基づく《管理》の問題状況を区別したうえで、次のようにいう。公権力の状況においては、行政と私人は純粋な隣人関係（rapports de pur voisinage）にすぎない。事態は客観的であり、行政は適法性を逸脱しないことのみが求められ、私人の主観的権利の問題はごく稀にしか生じない。これに対して、管理の状況においては、しばしば協働によって交渉（negotium）が生まれ、協働によって私人に新しい主観的な権利ないし利益、すなわち既得権（droits acquis）が発生する。そこで、（a）協働によって私人に対していかなる権利が導き出せるか、（b）その権利の確定にあたって適法性はいかなる役割を果たすか、が問題となる。

まず前者の問題についてみると、私人の権利としては二つの種類のものがある。第一に、損害賠償に関する権利である。すなわち、管理の状況において、私人は行政の社員（associé）とみなされ、私人は協働的社員として資本投下し、会社からいかなる損害も被らないことについて権利を有している。損害が発生した場合の賠償金は、保険的な投下資本（apport d'une assurance）に基づくと解釈される。第二に、私人は行政の社員として、法定の投下資本に応じた負担することについて権利を有する。直接税や兵役などの訴訟は、それによって説明できる。また、私人は企業の決算（règlement définitif de l'entreprise）に対する権利を有する。期限付きの公土木や納品契約の訴訟が、それに相当する。さらに、私人は企業の利益分配（partage des bénéfices）に対する権利も有する。公務員の年金などがそれにあたる。以上の例示は網羅的なものではないが、全面審判訴訟（contentieux de la pleine juridiction）[61]の大多数は、これら二つのカテゴリーに対応している。すなわち、損害賠償に関する訴訟と、管理によって生じた権利の保障を求める訴訟の二つである。

次に、後者の適法性の問題についていえば、二つの考え方がありうる。すなわち、ひとつは、個々の場面において、何らかの条文が裁判官の解釈によって援用されなければならないとする立場であり、いまひとつは、管理の状況自体が法を形成し、管理によって生じた法が適法性を構成するという立場であるが、第二の考え方が適当である。結局、協働に関する行政上の意思の解釈は、信義（bonne foi）の問題となり、裁判官の仲裁（arbitrium du juge）に委ねられる。さらに、管理の理論は、訴訟要件のみならず実体判断においても、法令準拠主義（doctrine de la détermination légale）から脱却することを可能にし、全面審判訴訟における裁判官は必ずしも法令の条文に拘束されないという考え方に結びつく、という(62)。

ここでオーリウが行政と私人の関係を整理するにあたって、会社と社員（株主など）の関係を類推し(63)、社員が会社に対して財務会計上有する地位などを応用しながら行政訴訟等の基本原理を論じていることは、まさに彼が現代のガバナンス的な発想を取り入れていることの証といえよう。また、紛争が発生した場合の実体的な法規範ないし訴訟要件の認定にあたって、協働の理念をもとに法令にとらわれない解決を図る可能性を示している。

さらに、右に示された公私協働に関する初期の論述を継承する形で、晩年には、紛争の結果生じた訴訟自体が討論の場であるという考え方を示している。すなわち、討論の原則（principe de la discussion）が命令権（droit de commander）の前提であるという、次の記述が参照に値する。「権力の原則（principe d'autorité）がなければ統治がなしえないが、討論の原則がなければ自由が確保されない。……原則として、国家のすべての命令は、執行に先立つ討論の対象になりうるのであり、その例外は、国家の防衛の必要のために、即時の服従が要求される場合である。さらに、事前的な討論が要求されうる場合にも、訴訟による事後的な討論がなされうる。行政訴訟は、仮の形で執行的な行政的決定に対する訴訟であり、まさに事後的な討論にあたる(64)。」このように、討論の原則を通じて、行政上の事前手続と争訟手続が相対化されるとともに、現代的にいえば、ガバナンスにおいて私人の争訟可能性が要請されることが論拠づけられている。

他方、先にみた《良好な行政》と納税者訴訟の関係は、効率性の観念をもとにしたガバナンス論の一環として位置づけられうるであろう（④参照）。こうしたオーリウの学説を横目にみながら、現代につながる財政法の基礎理論を構築したのが、ジェズである。そこで、ジェズの学説が次の考察の対象となる。

（9）伝統的な公法学における政治的要素の意義は必ずしも一義的ではないが、ひとまずジェズの述べるように、議会の政治的責任にかかる要素であると解しておく（ただし、ジェズの著作において政治性の語が多義的に用いられていることにつき、木村「フランス財政法学の生誕と現状」日仏法学二三号（二〇〇四年）一〇〇頁以下、同「財政制度と行政法（四）」国家学会雑誌一一〇巻一・二号（一九九八年）六二頁）。

（10）J. Chevallier, L'Etat post-moderne, LGDJ, 2003, p. 64-65. De même, P. Moreau Defarges, La gouvernance, PUF, 2003, p. 32 et s.

このうちシュヴァリエの著書については、木村・前掲註（2）自治研究八一巻一号一二八―一二九頁で簡単に紹介している。本章の記述も同書に示唆を受けているが、シュヴァリエは、ガバナンス論として公私協働の側面に重点を置いており（Chevallier, op. cit., p. 211）、また後に分析するオーリウやジェズらの古典的学説を引用しているわけではない。Cf. Chevallier, 《Gouvernance et droit》, Mélanges offerts à Paul Amselek, Bruylant, Bruxelles, 2005, p. 189 et s.

なお、シュヴァリエのいう、《公》における政治性と《私》における経済性の分離に関連して、福田歓一「西洋思想史における公と私」佐々木毅ほか編『公共哲学一・公と私の思想史』（二〇〇一年・東大出版会）一頁以下、樋口陽一『近代国民国家の憲法構造』（一九九四年・東大出版会）一六四頁以下などを参照。

（11）J.-P. Lassale, 《De l'Etat-administratif à l'Etat-stratège》, RFFP, n°73, 2001, p. 87.

（12）モーリス・オーリウの学説に関する筆者の基本的理解は、木村・財政法理論のほか、同・前掲註（2）自治研究七九巻九号一三九頁以下などにおいて提示している。

（13） Hauriou, DP 2, p. 393 et s. オーリウの公的世界と私的世界は、それぞれ、シュヴァリエのいう公的領域（sphère publique）と私的領域（sphère privée）にほぼ対応すると考えられる。

（14） Hauriou, DC 1, p. 149-150. De même, DC 2, p. 108. Cf. DP 2, p. 368 et s.

ここにいう《人の統治》は、一見すると、もっぱら《行政（administration）》と区別された意味での《統治（gouvernement）》に対応するようにもみえるが、《統治》と《行政》を包括する意味であると解される。もともと本文中の引用文は、第一次的には政治的権力と経済的権力の相違を論じたものであり、政治的権力に関わる《人の統治》が公的世界に対応し、経済的権力が私的世界に対応すると述べられているのである（DC 2, p. 105）。しかもオーリウ自身、その註において、行政作用（fonction administrative）の限界に関する行政法概説書の記述の参照を求めている（ibid., p. 106, note 12）。本文中のサンシモン主義に対する批判の内容からしても、《人の統治》には《行政》に相当する部分が含まれていると解される。Cf. DA 3, p. 10, note 1.

なお、本文に述べるように、オーリウは《統治》と《行政》とのあいだに、企業としての同質性を見出しており、さらには行政作用の目的が《統治》であるともいう（SD, p. 99）。さらに、木村・財政法理論二八九頁をも参照。

（15） Hauriou, DC 1, p. 148-149 ; DC 2, p. 106-107, texte et note. オーリウとサンシモン（C.-H. Saint-Simon）の関係につき、本書序論第二節二（一）[14]をも参照。

（16） 公役務無料原則については、木村・財政法理論二三八頁以下を参照。Cf. Hauriou, DA 11, p. 844.

（17） オーリウにおける《財（bien）》ないし《公的利益（bien commun）》の概念については、木村・財政法理論一一二頁以下、一六〇頁以下。Cf. Hauriou, DA 6, p. vii.

オーリウの《財》の概念は、シュヴァリエのいう《一般利益（intérêt général）》に相当する要素（[22]参照）を含んでいる。つまり彼は、行政主体に対して私人に類した《財産権（patrimoine）》の概念を当てはめる（後出註（33）参照）と同時に、《財》という経済学的な概念を用いて、行政に企業的な観念を浸透させる素地を築いているわけであるが、その一方で、単なる企業経済的な《富》の追求とは一線を画している。さらに、警察概念を行政作用全般に拡張させることを通じて、警察上の概念である《公序(ordre public)》を《財》に包摂させることも意図している。

(18) Hauriou, GA, p. 70-71. 木村・財政法理論一〇五頁以下。

(19) Hauriou, DP 2, p. xv. 国家制度・行政制度・憲法制度の相互関係については、木村・財政法理論一三五頁以下および二〇八頁を参照。とりわけ行政制度においては、経済的集権が本質的な要素とされている(同書一三七頁)。

(20) Hauriou, DP 2, p. 600-601.

(21) 木村・財政法理論一二二頁以下、二四三頁以下。

(22) 参照、木村・財政法理論二〇九頁、二四一頁以下、三三四頁。

(23) 同前二〇九頁以下。

(24) Hauriou, DA 11, p. 276. 参照、木村・財政法理論二五九頁。

(25) Hauriou, DA 11, p. 19.

(26) ここでの《entreprise》は、組織体としての企業と、その活動対象である事業という二つの意味があるが、引用文中にみるように《制度》としての理解が示されていること、続く文章では企業的性格が行政賠償責任の根拠にされていること(ibid., p. 20-21)、本文中に示した他の叙述などと照らし合わせてみると、組織体たる企業としての理解に重点が置かれているというべきであろう。もともとオーリウのいう《制度》は、仕事の理念に依拠する概念であるから、両者の区分は相対的なものにならざるをえない。Cf. Hauriou, SD, p. 98.

(27) オーリウの企業的行政観に関する記述自体は、日仏の学説において早くから認識されている(兼子仁『現代フランス行政法』(一九七〇年・有斐閣、初出一九五九年)三五一頁以下、兼子仁=磯部力=村上順『フランス行政法学史』(一九九〇年・岩波書店)二九二頁以下[磯部執筆]、亘理格『公益と行政裁量』(二〇〇二年・弘文堂)二〇頁以下、およびそれらに引用された諸文献を参照)。しかし、その意義についてガバナンス的な観点から検討されることはなかったといえる。

（28）オーリウが行政を《事務管理》と性格づける場合の事務管理は、必ずしも民法的な意味ではなく、《事務の管理》という広範な意味で用いられることもあり（ex. DC 1, p. 145, note 1）、文脈に応じた理解が求められる。参照、木村・財政法理論一八七頁以下。

（29）Hauriou, SD, p. 102. オーリウにおける《統治（gouvernement）》は、協同的制度に広く妥当する企業的理念（idée de l'entreprise）に基づくものであり、今日にいうコーポレート・ガバナンスの趣旨を含んでいると解される。

（30）Hauriou, DC 1, p. 144-145.

（31）Ibid., p. 145, note 1. 租税行政においても企業的精神が必要であることにつき、DP 2, p. 375. オーリウとファヨルの理論的交流については、後出註（40）を参照。

（32）Hauriou, DA 12, p. 353-354.

（33）木村・前掲註（2）自治研究七九巻九号一四二頁以下。もともとオーリウの財政権（pouvoir financier）は、私人と同様の財産権（droit domanial）の類推に基づいている（木村・財政法理論一〇八頁以下を参照）。

なお、フランス会計学の研究においては、予算会計に代わる公的財産総体の会計の必要性が、二〇世紀前半の会計学者によって指摘されたことが紹介されているが（大下丈平『フランス管理会計論』（一九九五年・同文社）一〇一頁）、法学者オーリウが一九世紀末に同趣旨の論述をしていたことは注目されてよいであろう。

（34）木村・前掲註（2）自治研究七九巻九号一四〇頁。

（35）《イニシアティブ（initiative）》や《インセンティブ付与（incitation）》の視点は、オーリウ理論にとって極めて重要な位置を占める（③の公務員の個人責任に関する記述のほか、②の統治に関する説明、木村・財政法理論二五九頁、三五五頁などを参照）。社会主義や集産主義を批判する論拠も、生産に対する個人のイニシアティブが阻害されることにある（同前五七頁、二三五頁）。他方、訴訟制度との関係では、個人による法的規律のイニシアティブに限界を認め、それが行政裁判制度の最も重要な論拠とされているのである（同前二一九頁以下、磯部・前掲註（27）行政法学史三一一頁）。
Cf. Hauriou, SD, p. 159.

なお、現代の行政管理におけるインセンティブの重要性については、木村・前掲註（2）自治研究八一巻一号二七頁、B・アバト＝木村訳「予算改革および新行政手法への期待」季刊行政管理研究一〇八号（二〇〇四年）四頁以下を参照。

（36）Hauriou, DA 9, p. 50-51, texte.

（37）財政に関する政治的統制の重要性と、例外的な公務員の個人責任につき、Hauriou, DC 2, p. 430. さらに参照、木村・前掲註（2）自治研究七九巻二号九六頁以下。

（38）Hauriou, DA 9, p. 51-52, note.

（39）行政の民間委託については、本書第二章を参照。

（40）オーリウの行政法概説書のうち、ガバナンス的な論調が相対的に豊富に盛り込まれているのは、とりわけ第九版であるといえよう。彼が企業管理ないし行政管理の理論家であるファヨルの著書をさかんに引用しつつ、企業的行政観に基づく《行政＝予測》のテーゼを打ち立てたのも、まさに同書第九版であった。初期の手続的行政観からの推移については、木村・財政法理論〇二八三頁以下、とりわけ二九〇頁註（12）を参照。Cf. Hauriou, DP 2, p. xvii.

（41）ここでは、公役務の執行に際して役務過失が認められる場合には、公務員の個人責任が否定され、行政賠償責任が成立するという一般法理が基礎になっているが（J・リヴェロ＝兼子仁ほか訳『フランス行政法』（一九八二年・東大出版会）二九三頁参照）、これに関係する判例評釈では、役務過失の要件を厳格化することは、財政支出を抑制するとともに、公務員の責任感覚（sentiment de la responsabilité personnelle）を刺激する、と述べられている。Hauriou, note sous C.E. 19 mai 1922, Dourdent et 23 juin 1922, Gaspard, S. 1924. 3. 9., JA 1, p. 654.

（42）Hauriou, DA 9, p. 9-10, texte et note 1.

（43）Hauriou, DA 9, p. 790-791. De même, DA 10, p. 686-687 ; DA 11, p. 715-716. 公物利用において公益最大化が求められるという原理は、伝統的な公物理論においては否定的に捉えられていたが、オーリウと同時代のジェズも、積極的な立場を明確にしている（木村・前掲註（2）千葉論集二〇巻一号一五四頁以下）。Cf. Jèze, Note sous C.E. 15 avril 1910, Société des automobiles Brasier, RDP 1910, p. 695.

また、港湾の特許における収益最大化に触れる記述として、DA 12, p. 864. この考え方の実際的意義につき、第四章第二節四[268]をも参照。さらに、公役務特許の一般論として、DA 12, p. 1015.

(44) Hauriou, DA 1, p. 499 ; DA 2, p. 496. 反対の学説として、L.-A. Macarel et J. Boulatigner, Traité de la fortune publique, tome 1, 1838, p. 39 et 144 ; J.-B. Proudhon, Traité du domaine public, ou de la distinction des biens, tome 2, 1883, n°334 ; G. Dufour, Traité général de droit administratif, tome 5, 3 éd., 1869, p. 77. Cf. Th. Ducrocq, Cours de droit administratif, 6 éd., tome 2, 1881, n°918-921, p. 111-113.

(45) 今日のフランスでは、オーリウの公所有権説が現代的な公物の有効利用の考え方の起源であるという指摘がある (A. Fournier et H. Jacquot, Un nouveau statut pour les occupants du domaine public, AJDA 1994, p. 759 ; Y. Gaudemet, Traité de droit administratif, tome 2, 12 éd., LGDJ, 2002, n°19, p. 21)。かかるフランスの学説は、わが国でも繰り返し紹介されている（小幡純子「公物の有効利用と公物占有理論」上智法学四一巻三号（一九九八年）三七頁、橋本博之『行政法学と行政判例』（一九九八年・有斐閣）一四九頁）。しかし、公所有権説と公物の有効利用は、論理必然的な関係にはないと解される。実際、公所有権説を採用していないジェズも、オーリウとほぼ同時期に、公物の有効利用の考え方を提示しているのである（前出註（43）参照）。

また、オーリウについていえば、公所有権説は行政法概説書第一版（一八九二年）からすでに提唱されているのに対して（DA 1, p. 493-494）、公物の有効利用の考え方が明確にされたのは、行政概説書第九版（一九一九年）である。たしかに、この改訂以降のオーリウは、本文に引用したとおり、行政は公物という「所有物から最大の利用価値を引き出さねばならない」と述べるようになり、ここでは公物に対する所有権の存在が有効利用の根拠とされているように読めなくもないが、必ずしもその点が強調されているわけではない。しかも、同書第九版については、その全体にわたって《企業的行政観》を提唱したことに新規性を見出すことができる（前出註（40）参照）とすれば、オーリウは企業的行政観を裏付けるために、かねてからの自説であった公所有権説を部分的に用いていると考えるのが自然である。

さらに、公物の所有権の意義についても、オーリウは今日の学説が指摘するところとは異なり、これをもっぱら経済的な観点（彼のいう国庫的な観点）から捉えることを拒んでいる。そのうえで彼は、公物は公衆の利益のための信託的な性質をもつと表現しており（木村・財政法理論一七〇頁、同・前掲註（２）千葉論集二〇巻四号一〇三頁註（３））、本文に示したように、かかる信託的な理解から公物の有効利用を導いている。その意味では、オーリウに先行するプルードンらが公物に公衆の所有権を認めたことと連続性を有しているのであるから、かかる公物原理との関係からはオーリウ学説の先駆性は見出しにくいことになる。Cf. Proudhon, op. cit., tome 1, 1883, n°202, p. 241 et 266 ; Ducrocq, op. cit., n°910, p. 107.

　もともとオーリウの公所有権説は、私産との種別替えなどに際しての説明の便宜のほか、彼の研究の出発点となった《逆家産国家論》というべき前提、すなわち公法人の権利義務について、できるかぎり私人の地位と同一の構成を図るという考え方（木村・財政法理論八二頁以下、一〇五頁以下）に基づいていることをも考慮すべきである。そこで筆者は、オーリウの公所有権説よりは、むしろ彼の公法概説書（初版一九一〇年）などにおいて段階的に展開されていった《企業的行政観》にこそ、公物の有効利用を含めた効率性重視の行政法理論の淵源が見出せると考えている。

（46）　オーリウの行政的物権の理論によれば、公物占有者は、行政に対しては一時的な地位しか有さず、行政による占有許可の撤回ないし公用廃止によって占有が排除されるが、第三者に対しては物権に類する地位を有し、占有訴権を行使することが可能である（DA 9, p. 722 ; DA 11, p. 715）。これに対して、ジェズらの公役務学派は、公物占有者は公物の一般利用者と同じ性質の地位を有し、その内容が公物の供用との関係に応じて異なるにすぎないという立場を示して対抗した(Jèze, op. cit., RDP 1910, p. 695 ; note sous C.E. 3 juin 1910, Pourreyron et autres, RDP 1910, p. 713 ; note sous C.E. 14 mai 1915, Poincloux, RDP 1915, p. 463)。

　このように対立する立場のうち、オーリウ学説が、一九九四年の国有財産法典改正（第二節Ⅰ（二）（１）③[50]参照）によって公物上の物権設定を認めたことにつながっている、という指摘がある（Gaudemet, op. cit., n°407, p. 205）。たしかに、両者のあいだには表現上の共通点はあるが、内容的には大きく相違していることに留意が必要である。すなわち、オーリウのいう行政的物権の概念は、初期の課税根拠論に用いられた長期賃借権（emphytéose）の発想を用いつつ（木村・財政法理論三三三頁）、公物の占有者がその権原を第三者に主張しうることを認めるにとどまり、行政に対する意味で公物の不融通性を否定するものではないのに対して、一九九四年以降の実定法は、不融通性の原則自体を緩和する趣旨を含んでいる点で、相違がみられるわけである（さらに参照、木村「港湾の公物法上の位置づけについて」千葉大学法学論集二〇巻二号（二〇〇五年）二四七頁）。

（47）Hauriou, DA 8, p. 457.

（48）Hauriou, DP 2, p. 22, note.

（49）Hauriou, DA 9, p. 510-511. Cf. DA 11, p. 419-420 ; DA 12, p. 442-443. よく知られているように、オーリウの《行政道徳》の概念は、後の行政法学説によって強く批判されるようになる（リヴェロ・前掲註（41）二七六頁、および橋本・前掲註（45）二二〇頁以下に掲げられた諸文献を参照）。しかし、単なる法技術的な概念としてではなく、その理論的基礎を含めて評価する必要があろう。

（50）Hauriou, SD, p. 147 et s.

（51）ここでは、オーリウが予算を一種の計画として性格づけていたことも想起されるべきであろう（木村・財政法理論二八三頁以下）。かかる予算論は、②に述べた企業的発想に根ざしている。

（52）Hauriou, SD, p. 153.

（53）オーリウの公私協働論につき、木村・財政法理論一九一頁以下のほか、本書序論第二節をも参照。また、国庫理論批判の論述のなかには、国庫理論によると、租税が国庫みずからの利益のための手段とされてしまい、《納税者たる私人が公役務のための支出に協力する》という視点が欠落してしまうという問題点も、あげられている（GA, p. 70）。なお、事務管理的企業としての行政の帰結としても、協働行政があげられている（DA 11, p. 21, note 2）。参照、木村・財政法理論一九一頁以下。

（54）Hauriou, GA, p. iii et 63. ここに定義された行政管理は、もっぱら私人とのあいだの行政外部関係を念頭においているようにみえるが、実質的には行政組織内部の、いわゆる行政管理（西尾勝『行政学の基本概念』（一九九〇年・有斐閣）

一〇五頁以下など）をも対象にしていると考えられる。そもそもオーリウの行政管理概念の本質的要素は、公役務の執行であり、内部関係と外部関係の違いを問わない。また彼自身、同概念の定式化に至る論述の冒頭において、会計手続に関する諸規定（一八六二年五月三一日デクレ三条および一八九三年七月一二日デクレ三条）を引用しながら、《管理(gestion)》の概念が、狭義では行政内部的な財政作用（opération financière）の意味で用いられる場合があることを認めつつも、公役務の執行の意味に拡張して用いられるべきである、と述べているのである（ibid., p. 3)。ここでも、財政（会計）に関する原理を行政法ないし公法一般に展開させるという、オーリウの思考方法が垣間見られる。

なお、行政管理における協働の理念は、後期の制度理論における協同的制度（institution corporative）につながっており、そこではさらに進んで、公的制度と私的制度が区別されていない。Cf. Hauriou, SD, p. 96 et s.

（55）公役務特許の性質につき、Hauriou, DA 12, p. 1015-1016 ; JA 3, p. 437. 公役務特許や補助金が財政的な利点があることにつき、Hauriou, DA 12, p. 1017. さらに、木村・財政法理論二五九頁、同・前掲註（2）千葉論集二〇巻四号一〇七頁。

（56）オーリウ学説における公開性につき、木村・財政法理論二一〇頁および後出註（95）を参照。Voir aussi Hauriou, DA 9, p. 4 ; DP 2, p. 251-252. 国庫理論と公開性の対立につき、DA 11, p. 21. 国庫理論と協働の原理とが相互に矛盾する関係にあることにつき、GA, p. 70.

（57）Hauriou,《Des services d'assistance》, RPP, 1895, p. 615 et s. 初期オーリウの分権論については、本書第四章第二節[265]のほか、木村・財政法理論八二頁以下をも参照。

（58）Hauriou, DP 1, p. 493 et s. ; DA 9, op. cit., p. 402 et s.

（59）Hauriou, DP 2, p. 698-700. Cf. DC 1, p. 405 et s., 486-490 ; DCE 1, p. 53 et 151. なお、法律の制定にあたって国会の《参加（participation)》が求められることにつき、DC 2, p. 435.

（60）たとえば、雄川一郎「フランスにおける国家賠償責任法」同『行政の法理』（一九八六年・有斐閣、初出一九五五年）四二八頁、亘理格「行政による契約と行政決定（二）」法学四七巻三号（一九八三年）一三三―一三六頁、橋本博之「フランス行政法における全面審判訴訟の位置づけ（二）」国家学会雑誌一〇二巻一一・一二号（一九八九年）四一—四二頁。
（61）全面審判訴訟は、わが国の当事者訴訟（行政事件訴訟法四条）にほぼ相当するものであるが、オーリウは、その第一義的な意義は金銭的訴訟であると説いている（GA, p. 62）。さらに参照、木村・財政法理論二二五—二二六頁。
（62）Hauriou, GA, p. 57 et s. なお、国の債権者が行政の協力者であるという記述として、DA 5, p. 751.
（63）株主としての私人の地位につき、（二）②[26]および前出註（29）を参照。
（64）Hauriou, DCE 1, p. 13.

[31]

二　財政における政治的問題と経済的問題

ジェズは、フランスにおいて本格的な財政研究を始めた者として位置づけられており、財政研究の方法論に関してはその後の学説に大きな影響を与えている(65)。彼は、財政における政治的観点の重要性を指摘しており、理論の内容としては、オーリウよりも伝統的な公法理論に与する度合いは高かったといえる。それは、ジェズが公役務の管理と公役務以外の管理を峻別したうえで、両者に異なった規範を設定し、前者については政治的観点の重要性を指摘したからである。しかし、その一方で彼の所説には、行政の効率性等に対する関心を垣間見ることができ、今日の問題意識と共通する要素がある。そこで以下では、これら二つの側面を順に概観することにしよう。

（一）　政治的観点からの財政

ジェズが財政研究を始めた時期の学界では、ルロワボリュ（P. Leroy-Beaulieu）をはじめとした経済系の研究者によって、財政上の問題がもっぱら経済的ないし技術的な問題であると解されていた(66)。これに対してジェズは、財政的問題のなかには、政治的問題と技術的問題の二種類があり、一般には政治的問題がより重要であると主張している。このような認識は、ジェズの財政研究の基礎をなしており、彼の財政研究の方法論などに色濃く反映されている。

[32]

(1) ジェズによる財政的問題の分類

予算における政治的観点の重要性については、ジェズが一九一〇年に公表した財政概説書において明快に示されたところであるが、(67) 一九二八年の論文「財政的問題における政治的観点」において、財政全般について、より分析的な記述が与えられた。(68)

同論文においてジェズは、財政的問題を政治的問題と技術的問題に区分することによって、政治家(politiciens)と技術者(techniciens)の役割が決まってくると述べている。政治的問題は、被統治者(gouvernés)と区分された意味での《統治者(gouvernants)》によって解決される。財政に関する政治的問題を処理する統治者は、基本的には国会議員ないし各省大臣であるが、政治的問題の比重は分野によって異なるという。そこでジェズは財政的問題を、歳出、歳入、公債、予算の定立、予算の執行の五つに分けている。このうち、公債については政治的問題と技術的問題の区分が不明確であるが、他の領域では、総じて多くの問題は政治的問題であり、ルロワボリュらのいう《科学(science)》によっては解決しえないと述べている。つまり、財政においては技術者の役割は二次的であり、基本的な財政上の問題が政治的に解決されたあとで、技術者(財政専門家)の出番があるのが通常であるという。(69)

[33]

以下では、この点を詳述する一九二八年論文の概要を示しておこう。

① 歳出 まず、いかなる支出がなされるべきかの決定は、公役務の外延の問題であり、行政機関によって担われるべき社会的需要の範囲の問題である。(70) これは、社会的要因をもとにして、政治的に解決される。今日での傾向としては、公役務が増大しており、歳出予算が増大しているが、その範囲の確定は政治的問題である。この問題

の解決のために、国会議員は適当な地位に置かれているが、彼らは専門的知識を有しない。議員らの本質的な役割は、国民の各階層の中庸な意見（opinion moyenne）を表現することである。(71) 中庸な意見が公役務の創設に賛同するか反対するかは、技術的には決まらない。たとえば、宗教活動を公役務として構成し、それに対して公的な支出をすることの当否は、国や時代によって異なっている。(72) これに対して、最小の支出で、いかに最大の役務、最大の納品、最大の利益を獲得するかについて考察することは、技術者の問題である。すなわち、公役務を機能させるには、一定の人的資源や物的資源（動産・不動産・金銭）が必要になるが、それらを調達するにあたっていかなる手段が最も効率的か、という問題は、技術者の解決すべき問題である。結局、歳出に関する考察は、二つの本質的要素を含んでいる。まず、政治的な解決（公役務の創設）が確認される。次いで、技術的考察として、当該公役務を機能させるための財政技術として、より良好な方法が用いられているか（効率性の最大化と費用の最小化が図られているか）が探求される。

②　歳入　公債収入を除いた歳入に関しては、政治的決定によることが多い。まず、いかなる歳入の手段をとるか、租税（impôts）によるか料金（taxes et contributions）等によるかは、政治的問題である。租税も料金も、必要な支出のための負担分配の手段（procédés de répartition）であり、その分配の方法は政治的決定により偶然に決まってくる。(73) また、いかなる程度に課税するかも政治的問題である。累進課税の採用の効果（経済的ないし財政的な効果、社会集団相互間での公的負担の配分、公負担の前の平等という政治的理念を実現できるか否か、など）について、技術者は事実の観察をもとに分析（recherche）を行い、統治者たる政治家に情報を提供（faire savoir）するが、それをもとに決定するのは統治者である。もっとも、実際には、財政専門家が技術的な分析という役割に閉じこもることは稀であり、理論的に好ましい解決を提案するのが常である。しかし、このことによって政治的問題が技術的問題に転化するわけではない。たとえば、技術者は特定の収入を特定の支出に割り当てることを禁ずる不充当原則

(règle de la non affectation) を主張するが、これは会計上ないし国庫上の規範 (règle de comptabilité et trésorerie) であり、これによって、同原則に反する政治的決定が排除されるわけではない。

[35] ③　公債　公債は、政治的問題と技術的問題の境界が不明確になる領域であり、技術的要素が顕著になる。いかなる場合に公債が発行されるか、いかなる種類の公債を発行するか、公債の利率等をいかに設定するか、不換紙幣 (papier-monnaie) を発行するか否かは、いずれも技術的問題である。たとえば、技術者によって、通貨と統治者の分離原則 (principe de la séparation de la monnaie et des gouvernants) が認められており、租税や通常の公債に代わる不換紙幣の発行は禁じられる。これを含めた諸原理を政治的理由で無視すると、国家の破産という壊滅的な状況に陥る。

[36] ④　予算の定立　従来、予算理論は技術的次元に属し、政治的次元に属するものではないと考えられてきた。しかし、私見によれば、これは極めて重大な誤りである。予算は、何よりも政治的行為 (acte politique) である。すなわち、将来の一定期間における政府の活動計画であり、執行府によって提案され、議会によって承認される。それゆえ、予算に関する規範（予算原則）の大半は、純粋に政治的な性格を有する。そこでは、技術的な問題は生じえない。技術者は二次的な役割しかもたず、政治的決定が技術的に好ましくない結果をもたらしたかどうかを調査するにとどまる。より具体的にいえば、まず第一に、政治的観点からすると、予算が政府の活動計画である以上は、予算編成権は執行府に認められる。この点について技術者は、議会の無責任によって公金濫用が生ずることを根拠にして同一の結論に達する。すなわち、議会の予算上の権限は、予算の統制・承認、減額修正、予算の拒否にとどまり、議会の増額修正権を認めるべきでないと主張される。しかし、問題の本質は政治的である。第二に、議会による予算の拒否も、政治的な問題であり、通常は大臣に対する不信任が理由になっている。技術者は、財政秩序を保つために、できるかぎり早く政治的対立が解消されるべきであると述べるにとどまる。第三に、予算許容費

の性質は、政治的には政府の支出を義務づけない。技術者はこの結論が良好な財政管理（bonne gestion financière）にとって好ましいと主張するが、この理由づけは現実には二次的なものにとどまる。

⑤　予算の執行　予算の定立とは対照的に、予算の執行（exécution du budget）、すなわち支出手続、契約締結、収入手続は、ほぼ完全に技術的次元に属し、政治的問題は二次的な存在となる。予算の執行は、公会計の問題であり、もっぱら技術的な配慮のもとで規律されなければならない。また、予算作用の統制（contrôle des opérations budgétaires）も、技術的問題である。たしかに各省大臣は、所管する活動の適法性や、会計上の規範への適合性のみならず、その管理の適格性（habilité）についても説明しなければならない。しかし、実際には、財政管理に関する各省大臣の巧妙さ（habileté）については、誰も関心をもたない。数ヶ月ないし数ヶ年にわたってなされた政府の行為に関する政治的討論は、なんら実際上の意義を有しない。実のところ、まったく興味を呼び起こさないのであって、各省大臣の財政的管理が適法であれば、結果として十分なのである。さらに、決算の統制（contrôle des comptes）の理論も、同様に技術的次元に属しており、このことはすべての国家について当てはまる。決算統制は、もっぱら技術的規範に基づいており、技術者によって担われる。予算の形式と対称性（symétrie）をもたせるという願望から、法律の形式によって、議会の決算審議に基づく決算承認がなされるが、議会はみずからの使命としてこれを行っているわけではない。議会は決算には無関心であり、この無関心さこそ決算が政治的事項でないことの証である。

以上が、一九二八年論文の本論の概要であるが、本章の観点からして重要なのは、予算の定立と歳出に関する記述であり、[74] ジェズによれば、いずれの領域でも技術者の役割は副次的である。この結果、歳出の効率性に関する配慮も二次的なものにとどまることになる。

[37]

［38］

（2） 政治的観点の重要性の意義とその帰結

このようなジェズの立場は、財政における政治性と経済性という観点からすると、いかなる意義を有するであろうか。当時の状況に照らした評価と、ジェズの財政研究の方法論との関係について、簡単にまとめておくことにしたい。

［39］

① ジェズの分類論の諸前提　右の論旨からも明らかなように、ジェズのいう政治的問題と技術的問題の区分は、理論的な区分というよりも、当時の議会等の実態を考慮したうえでの現実的な区分である。それゆえに、現代の環境のもとでは、ジェズの考え方が修正されることも当然にありうるはずである。しかもジェズは、以上の分析をもとにしながらも、後述のように政治家と技術者の《協働》を重視しており、このことは両者の機能が相対化する可能性を示していると考えられる。また、全体としてジェズは、従来の経済学系の学説を批判するために政治的問題の重要性を説いたのであるが、これは国家の機能の拡大という当時の新しい傾向のもとでの立論であった(75)。したがって、国家機能の縮減が求められる近時の傾向のもとでは、ジェズの所説も修正を余儀なくされるはずである。

ジェズの学説を評価するに当たっては、さらに当時の制度的前提をも勘案する必要がある。すなわち、第三共和制においては、議会の優越が確立しており、議会の財政的権力、言い換えれば議会の政治的権力を制約する法規範が乏しいという現実があった。当時は、予算に関する諸原則（ジェズのあげる不充当原則のほか、今日にいう予算単年度主義、総計予算主義、収支均衡の原則などを含めて）も、実定法上の原則ではなかったのである(76)。予算上の諸原則が政治的原則であるというジェズの主張も、そのような文脈で理解する必要がある。

② ジェズの方法論との関係　右にみたジェズの考え方は、彼の財政研究の方法にも反映されている。ジェズは、当時の研究者が財政の経済的側面だけを取り上げていることを疑問視し、財政現象を政治的・社会的・法的な文脈のもとでも理解しようと努めた。財政に関する複合的な現象を、それを条件づける諸要因とともに分析しよう

としたのである。つまり、ジェズは財政研究を《複合的な現象に対する科学》と性格づけたことになる(77)。そこで、ジェズは法学部に総合科目としての「財政論（finances publiques）」が創設されたことを歓迎し、みずからも積極的に、財政を政治的観点・経済的観点・法的観点から複眼的に分析したのであった。

同時にジェズは、財政に関する一般原理（principes généraux）について、それらが実際に適用されるにあたっての限界も認識していた。いわく、「財政を巧みに統御するには科学があれば足りる、と考えるのは誇張である。個々の状況に対して、一般原理を適切に当てはめなければならない。そこで、指導理念たる一般原理が適用される政治的・経済的・社会的環境を、正確に認識することが重要になる(78)」と。このジェズの言説も、ルロワボリュらが《科学としての財政研究》を標榜していたことに対する批判であり、ジェズ自身は《事実の観察（observation des faits）》の重要性を指摘し、とりわけ政治的事実の観察（議会の動態の観察）に力点を置いたのであった(79)。もちろんジェズは、単なる事実の観察にとどまって、もっぱら現状維持的な立場を示しているわけではなく、技術者（財政理論家）として現実的な改善の方向性もあわせて提示している(80)。この方法論は、次にみる効率性に関する叙述にも表れている。

[40]

（二）　効率性の観点からの財政

以上にみたように、ジェズは政治的決定の重要性を説き、公役務の創設は政治的に決定されると述べたのであるが、歳出に関する副次的な問題として、公役務の管理に際して要求される効率性や経済性の問題も論じている。そこで次に、ジェズ学説の後者の側面について検討しておこう。

(1)　技術的要素としての効率性

ジェズは、先に紹介した一九二八年論文において、歳出や予算の定立に関して、二次的な要素であるとしながらも、《財政に関する良好な技術的手段》や《良好な財政管理》といった視点を提示している。さらに予算の執行に

［41］

関しては、技術的観点から《財政管理の巧妙さ》という問題を意識しているが、実際には大多数の者はそれらに関心をもたず、《財政管理の適法性》のみに注目しているというのである（（一）（1）⑤［37］参照）。その後のジェズは、支出に際しての良好な技術的手法について、「最小限の支出で、なおかつ政治的・経済的・社会的な不都合等々を最小限にして、人的・物的な質を最大にして役務を提供すること」と定式化するが、実際にはこうした技術的手法の研究がなおざりにされていることを嘆いており、みずからがその先駆者たらんとしたのであった(81)。

もともとジェズは、方法論として《事実の観察》を重視したことから、財政的問題に対する現実の関心の向けられ方を明らかにすることに力点を置いたのであるが、同時に良好な財政管理に向けた具体的な提言をしていることにも注目する必要がある。内容的には、政治家と技術者の協働、財政に関する議会の役割、財政権限の集中と分散という、三つのテーマに大別することができると思われる。

①　政治家と技術者の協働　　ジェズは、良好な財政の管理のために、まず第一に、政治家と技術者の《協働（collaboration）》の必要性を説いている。先に紹介した一九二八年論文において、先の政治的観点の重要性に関する分析に続けて、結語として次のように記している。

「財政の理論において、政治的問題と技術的問題の区分は、極めて重要である。この区分によって、技術者の正当かつ必要不可欠な役割を限定すると同時に、技術者に知見が乏しい領域での彼らの関与を排除することができる。そこで、政治家と財政専門家の協働が必要になる。技術者のみに委ねると、彼らが通常属する集団の利益のための財政管理がなされ、民主主義に矛盾する結果となる。その反面で、いくつかの国の例にみるように、技術者の協力がないと、公金の濫用、公債の過剰な発行、加重な課税、国家破産といった悲惨な結果が生ずる。……理想をいえば、政治家が技術者であることが好ましい。しかし、このような姿は、近代民主主義国家においては、ほとんど期待できない。なぜなら、近代国家における根本的原理として、素人による統治という原則が存するからである。もちろん、これはすばらしい原則である。それゆえに、技術者と素人的な統治者とのあいだでの協働が必要になる。政治家は、財政研究の意義・目的などについて知識をもつことが求められ、なおかつ、真の理論派の技術者とは、経験主義（empirisme）に陥ることなく、よりよく事実を知り、その全体を把握できる者であるという認識をもつべきである。これによって、政治家は大胆かつ慎重な決断ができる。概して政治家は、慎重さの口実のもとで、無為政策（ineritie）を選択しがちである。これに対して技術者は、不可侵の教義（dogmes intangibles）を主張しがちであるが、これは大きな過ちである。財政に関する一般理論は、つねに修正が求められる。それゆえに、事実を注意深く、客観的に観察することが求められるのである。」[82]

ここでは、《事実の観察》によって一般理論を相対化させるという方法論が再度示されているが、論理の方向性としては、オーリウが財政に関して議会と執行府の協働の重要性を説いたのと通ずるところがある（一（二）⑤[29]を参照）。あわせてジェズは、議会との接点に位置する財務大臣（ministre des finances）の重要性を指摘するのであるが、その出発点として、財務大臣は《財政理論家（financier）》であるべきか、という問題を立てる。ジェズによれば、財政理論家とは、財政について学問的・体系的に研究し、その研究をみずからの活動の中心に位置づけている者である。そのうえで彼は、大臣が真の意味での財政理論家である必要はないと述べ、さらに「財政権限の行使に関する最善の方法は、知的な素人である財務大臣と、謙虚で控えめな偉大なる技術者とのあいだでの協働がなされることにある」という[83]。

このようにジェズは、政治家（とりわけ財務大臣）と技術者とのあいだの協働が求められるとしている。彼は、財政的決定のイニシアティブは技術者にあるとしたうえで、「助言者としての技術者の協力があってこそ、大臣は何をなすべきかが判断できる。知的な大臣にとって技術者は、刺激を与える主体であると同時に、調整する主体でもある。技術者は、何をするのが好ましいか、あるいは何をするのが好ましくないか、について意見を述べる。それをもとに、政治家である大臣は、行動に移すべき時期と行動の仕方について選択を行う。技術者が自分の職分をよく理解していれば、つまり、政策の統率は自分の権限に属さないことをよく理解し、そのような行動を差し控え、思慮深さと遠慮が必要であることをわきまえていれば、技術者の影響は好ましいものとなろう」と記している(84)。

ここで、ジェズは財政理論家として、財務大臣のもとにある財務官僚を念頭においているわけではない。彼は財務官僚のことを《財政実務家（hommes de la pratique）》とか《実務経験者（hommes d'expérience）》などと呼んでおり、これらと区別した学識経験者のことを財政理論家と呼んでいるのである。その点について、ジェズはいう。「科学的な知識を持たずに単に財政実務に携わると、経験主義や因習主義に陥る。……職業的規範を熟知しているだけでも十分ではない。財政や経済に関する文化全般が欠けていることが、しばしば官僚主義の脆さにつながっている(85)」と。それゆえにこそジェズは、政治家と学識経験者の協働に期待した。この種の協働は、外部委員を交えた調査委員会（commissions d'enquête）によって実現されるとし、外国の例としては特にイギリスを模範として参照している。フランスでは、一九二六年に財政有識者委員会（comité des experts）が創設され、ジェズ自身もまた、この種の委員会において財政専門家として活動を続け、戦間期の混乱した実務を、まさに技術者としての立場から理論的にリードしたのであった(86)。実務と学界の距離が比較的小さかった時期であるという留保は必要であるが、議会と議会外の人材・集団との交流が重視されていることは注目に値しよう。ここには、財政の基本原理が《公開》と《討論》にあるという考え方（後出②参照）とともに、現代的な手続的ガバナンスの理念に近い要素が見出せる。

[42]

② 財政に関する議会の役割　次いでジェズは、財政に関する議会の役割に関して、公金の濫用を防止するという観点から、一貫して消極的な立場を示した。いわく、「予算は、その性質上、行政的行為であり、それゆえに政府の通常の権限に属する。……議会に予算作成の権限を与えることは、権限の混同であり、行政と政府を両議院の勢力下に置くことになる。これは、責任ある機関を無責任な集団に置きかえることを意味する。……両議院の任

務は、みずから行動（agir par elles-mêmes）することではなく、統制（contrôler）することである。議院は、政府に対して一定の指摘をして、一定の所見を提示するが、政府の任務を代行することはできない[87]」と。この帰結としてジェズは、議員が歳出予算を提案することや、予算許容費の増額修正を求めるという実務に反対する[88]。これらを含めてジェズは、今日議会の役割として議論されている問題を先取りしていることになろう（第三節二（一）（1）[80]参照）。

ついで、一九一〇年の予算概説書の冒頭の記述を引用しておこう。「議院の予算上の権限は、財政に関する討論（discussion）と公開（publicité）を保障するものである。議会を通じた予測（prévision）とともに、討論と公開は、近代国家における予算制度の基礎をなす理念である[89]。」ここに我々は、公金濫用を防止するために、《公開》を通じて市民と協働するという理念を見出すことは可能であり、今日にいう《透明性の原則（principe de tranparence）》が表現されているといえるであろう[90]。

[43] ③　財政権限の集中と分散　さらに、晩年のジェズは、財政管理の技術的手法の問題として、集権性と自律性の選択の問題を論じている。現代的な用語法でいえば、行政主体の内部において《集中（concentration）》と《分散（déconcentration）》のいずれを重視するかという問題である。ジェズ自身は、国の全部局の契約を一機関に集中させるのが好ましいと述べており、その理由として、各部局の自律的管理を認めると、分散化によって統一性が害されるとともに、契約金額が上昇して公費の濫用につながるという。同じ観点から、公土木の契約に関しては、発注計画や契約締結を統括する中央機関があるが、納品に関しては類似の機関がないことを疑問視している[91]。

またジェズは、財務大臣の地位について、先に示した、議会に対する意味での重要性（言い換えれば、政治的権力に対する財務大臣の重要性）と並行させる形で、行政府における財務大臣の重要性を指摘している。彼によれば、公金の濫用を防ぐためには財務大臣が中核的な役割を果たすのであり、そのために財務大臣は議会や各省大臣と対立しなければならない場合がある。財務大臣の権限は、公益上の必要性に基づいて支出の要求を分類すること、分配された支出許容費が、それぞれの大臣によって、できるかぎり効率的に用いられているかどうかを監視すること、の二点にある。この結果、財務大臣は、公益と財政的均衡の監視者となる、という。[92] さきにジェズは、財務大臣が政治的決定と技術的決定の接点に位置することに鑑みてその重要性を指摘していること（①参照）と照らし合わせると、彼は、財政上の権限を一定程度、財務大臣に集中させるべきことを志向しているといえる。

〔44〕

晩年のジェズは、効率的な財政管理の延長として、行政契約（contrats administratifs）について多くの研究を残している。彼の行政法概説書の最終版（第三版）全六巻のうち、第二版以降に新たに書き加えられた四巻が、行政契約に関するものであり、その中心的なテーマのひとつに契約締結手続がある。[93] ジェズは契約締結手続を、政治的問題と対置した意味での技術的問題として位置づけていることからしても（(一)（1）⑤〔37〕参照）、効率性の研究を手がけはじめた晩年のジェズが契約締結手続に関心を持ったのは、自然な流れであるといえるであろう。ジェズによれば、公開と競争を伴う入札を通じて、公法人は一般に有利な条件で契約を締結することが可能になるとともに、行政官の汚職（prévarication）を防ぐことができる。また彼は、入札によるべき場合の随意契約について無効の効果を認め、入札手続の違反に対する制裁を厳格に課するという立場を示している。[94] ここでは、契約締結手続に関して、財政的な観点（財政支出の抑制）と腐敗防止の観点という二つの観点が見出され、今日の基本的な問題意識がすでに提示されている。[95]

(2) 効率性に関するジェズ学説の意義

以上にみたように、ジェズは生涯を通じて、財政の政治的問題を優先的に論じ、財政研究の新たな潮流を築き上げた。[96] 彼が支出に関する技術的ないし手続的な問題を本格的に論じたのは晩年になってからであり、効率性の観点からは多くの理論を提示することがなかった。しかし、この点についても、議会中心主義という、当時の制度的前提に留意する必要があろう（(一)（2）①[38]参照）。

また、《公》と《私》の関係についていえば、ジェズは、デュギ（L. Duguit）にならって《統治者》と《非統治者》の区分を採用したうえで、統治者が解決すべき政治的問題の範囲について論じている。この意味では、彼の学説は《公》と《私》の峻別を前提とする伝統的学説に忠実であり、現代的なガバナンス論の対極に位置づけられるようにみえる。しかし、その一方でジェズは、政治的問題を前提とした副次的問題（歳出や決算に関する技術的問題など）に関して、《私》における企業の論理と共通する効率性等の観点から、財政のあり方を論じている。この点は伝統的な公法学には見られない斬新な要素であり、その観点からみれば、ジェズは《公》と《私》の論理の実質的な融合を示唆しているという評価が可能であろう。

他面、ジェズが公金管理と財産管理の連続性を意識しつつも、基本的な考察の対象を公金の管理に限定していたことは[97]、特にオーリウと比較すると、偏狭な印象を与えることは否めない（一(二)②[26]参照）。ただし、この点は、一九世紀の公法学が財政上の諸制度を概観するにとどまっていたことから脱却して、総合的な財政研究を模索するという課題を背負ったジェズにとっては、やむをえないところであったと思われる。

オーリウやジェズ以降の学説は、基本的にはジェズのいう政治的観点・経済的観点・法的観点の区分を踏襲しながら財政研究の展開を図るようになり、政治的観点と経済的観点等の融合に関する問題などについては、多くを論ずることはなかったといえる[98]。とりわけ行政の効率性の意義については、一部で論及されることはあっても、ジェズの問題意識を発展させる例は乏しかった[99]。ところが、一九九〇年代以降の新たな環境のもとで、議論の状況が急速に変化するようになる。そこで次章では、オーリウやジェズの学説が今日においていかなる意義を有しているかに留意しながら、この変容の状況を概観することにしよう。

（65）　ジェズの財政研究史上の位置づけについては、木村・前掲註（9）日仏法学二三号七三頁以下を参照。ジェズの学説については、筆者はすでにさまざまな角度から分析しているが（同・財政法理論三二四頁以下、同・註（9）国家学会雑誌一一〇巻一・二号五九頁以下、およびそれらに引用された拙稿を参照）、本章では、財政における政治的観点と効率性の観点の問題に視点を限定して、これまでに得た認識を補充することにしたい。

（66）　ルロワボリュについては、木村・前掲註（9）日仏法学二三号六五頁以下。これに対して、ルロワボリュにやや先んじて予算研究を行ったスツルムは、予算の政治的性格（ないし主権的性格）を強調している。R. Stourm, Le budget, 6 éd., p. 6 et s.

（67）　Jèze, TSF 1910, p. 93 et s. De même, CSF, Budget, 1922, p. i et s., 10.

（68）　Jèze,《L'aspect politique des problèmes financiers》, RSLF 1928, p. 26 et s. この論文は、その後の概説書にも発展的に収録されているが（ex. CFP 1932, p. 7 et s.）、歳出に関する記述だけが要約されている場合もあり（CESF 1931, p. 37 et s.）、この部分の重要性が窺える。

（69）　Cf. Jèze, CFP 1932, p. 7. なおジェズは、行政法概説書においても、政策（politique）の問題と法的手続（procédés juridiques）ないし法的技術（technique juridique）の問題とを区分するべきことを述べている（PG, 2 éd., p. 3 et s.）。

（70）　この点は、わが国でいうところの法律の留保の問題に、ほぼ対応している。政治的問題は、議会の制定する法律によるべきであるという意味で、基本的には法律事項に相当する。この結論は、予算については自明のことであるが、行政法概説書においては、公役務の創設は法律事項であり、その実施に関する規範は命令事項であると記されている（参照、木村・前掲註（9）国家学会雑誌一一〇巻三・四号七頁）。ただし、本文中の公役務は、公法的規律の及ばない役務を含んだ、国家作用の総体という広い意味で用いられていると考えられ、行政法概説書における用語法とは若干相違する。

（71）　議会が中庸な意思を表明するという記述は、一般意思の概念の批判につながっている。ジェズ＝木村訳「国民意思のドグマと政治的技術」千葉大学法学論集一一巻二号（一九九六年）二〇五頁以下。Cf. Boucard et Jèze, ESF, tome 1, 1902, p. 39.

（72）Cf. Jèze, TSF 1910, p. 529 et s. Cf. Jèze,《De l'indépendance des pouvoirs publics dans la fixation des dépenses publiques》, RDP 1910, p. 3 et s.

（73）ジェズにおける《分配（répartition）》の意義につき、木村・財政法理論三二六頁。

（74）ジェズ自身、「歳入の問題は、しばしば財政の本質的要素と解されているが、それは誤りである。歳入は歳出をまかなうために、その範囲でのみ認められる」と記している。Jèze, op. cit., RSLF 1928, p. 33. さらに、木村・財政法理論三二四―三二六頁をも参照。

（75）Cf. Jèze, CSF 1922, Dépenses publiques, p. 52 et s.

（76）第三共和制における予算原則の意義については、木村・前掲註（9）日仏法学二三号八七頁、同「フランスにおける複数年度型予算管理」日本財政法学会編『複数年度予算と憲法』（二〇〇五年・敬文堂）三四頁などを参照。

（77）Jèze, CFP 1932, p. 28. Cf. M. Bouvier,《Réhabiliter et refonder la science des finances publiques》, Mél. Amselek, 2005, p. 142.

（78）Jèze, CFP 1932, p. 35.

（79）Jèze, TSF 1910, p. v. さらに参照、木村・前掲註（9）日仏法学二三号八七頁。

（80）ジェズは、財政に関する過去法（lex lata）、すなわち制定法の解釈や歴史認識のみならず、未来法（lex ferenda）に関する立法論をも重視している。Cf. Jèze, CFP 1932 p. 28.

（81）Jèze, CESF 1931, p. 128. ここでの問題を、ジェズの基本概念を用いて言い換えれば、《諸個人のあいだでの公負担の分配（répartition）に関する、より良い手法》という問いである。Cf. CFP 1932, p. 3.
さらにジェズは、公物法理論として、公物の有効利用の考え方を積極的に取り入れている（前出註（43）を参照）。

（82）Jèze, op. cit., RSLF 1928, p. 43-46. De même, CFP 1932, p. 36.

（83）Jèze, CESF 1931, p. 58-59.

（84）Ibid. De même, CFP 1932, p. 17-18.

（85） Jèze, CFP 1932, p. 34 et 35.

（86） Ibid., p. 38. 本文に示した財政有識者委員会は、一九二六年五月三一日デクレによって創設された機関であり、財務大臣の諮問をうけて、とりわけ第一次大戦後の混乱した財政状況の健全化（assainissement financier）を図るために意見を具申する役割をもっていた。Cf. G. Jèze et al.,《Le rapport du Comité des experts》, RSLF 1926, p. 484 et s.

（87） Boucard et Jèze, ESF, tome 1, 1902, p. 38-39 et 41. ジェズは財政に関する議会の役割について、晩年にも自説を維持して、より強い論調で記している。いわく、「民主主義のもとでの市民的議会は、浪費的である。議員たちは、無責任な集団である。……支出予算は、政府の政治的活動の計画にすぎないから、この計画を作成するのはもっぱら政府の権限に属する、という考え方に対して、議員たちは反発している。……しかし、議院の役割は、政府の提案を承認するか否認するかである。大臣に代わって行動（agir）することは許されない。これに反して議院が行動することは、公的財産（fortune publique）の管理に関して、財務大臣の責任を消滅させることになる。議会の統制権（droit de contrôle parlementaire）は、正統で不可欠なものであるが、その権限は政府を批判（critique）することにあるにすぎず、政府の行為の代行（substitution d'action）をすることにあるのではない。ここにいう議会の批判は、観念的なものにとどまるのである。」Jèze, CESF 1931, p. 64.

（88） Ibid.

（89） Jèze, TSF 1910, p. 4.

（90） Cf. H.-M. Crucis, Droit des contrôles des collectivités territoriales, Le Moniteur, 1998, p. 25 et s.

（91） Jèze, CESF 1931, p. 160 et s., en particulier, p. 162.

（92） Ibid., p. 53 et s. オーリウも、すべての行政的活動が予算会計の手続に服することとの関係で、財政に関しては各省大臣が財務大臣に服従することを述べている。Hauriou, DP 2, p. 161.

（93） Jèze, PG, 3 éd., tome 4, p. 65 et s.

（94） Jèze, CESF 1909, p. 173, 430 et s. 制度の趣旨としては、ジェズは腐敗防止の観点に重点を置いているようにみえる。なお、契約締結手続に関する違反に対しては、わが国の現在の判例（最判昭和六二・五・一九民集四一巻四号六八七頁参照）よりも強い制裁を認めているが、その一方でジェズは、契約が無効とされる場合には、契約相手方から損害賠償請求がなされる余地があるという。この問題については、さらに参照、木村・前掲註（2）自治研究七九巻二号九八頁以下。

（95）他方、オーリウは、当時の実定法の規定（一八八四年四月五日法律八九条）をもとに、入札が《原則（la règle）》であると解している。特に行政法概説書第一版では、「この原則はすばらしい。特に購買の入札においては、財政を節約し、行政官と業者との癒着を回避できるからである」と述べている（DA 1, p. 635）。これに対して晩年は、実定法の説明が中心となるが、契約締結における公開と競争が確保されるという趣旨を強調している（DA 8, p. 800-801, texte）。また、公法的規律の及ぶ公管理においては、国庫説的な私管理の場合と異なり、公契約が入札手続によって公開のもとでなされることに利点があるという（DA 11, p. 19）。

さらに、入札によるべきなのに随意契約によって契約が締結された場合には、ジェズと同様に、当該契約は無能力（incapacité）によるもので無効となるが、損害賠償の余地もあるという。ただし、契約の無効は行政主体の利益のためにのみ主張でき、契約の相手方からの主張はなしえないとする（DA 1, p. 638 ; DA 8, p. 801, note 3）。この趣旨の判例として、C.E. 4 août 1905, Martin, Rec. p. 755 ; C.E. 29 novembre 1929, Chatelot, Rec. p. 1049.

（96）ジェズの支出会計手続に関するわずかな記述をもとにした分析として、木村・前掲註（9）国家学会雑誌一一〇巻一・二号六三頁以下。

（97）ジェズは、国家が公的利益を充足するための要素として、《人（individus）》と《財物（choses）》があるとし、財物の要素として金銭以外の物的資源もあげているが、物的資源の管理は多くの場合、金銭的作用に帰着するとして（財産の収用や譲渡など）、もっぱら金銭に着目している（CFP 1932, p. 1-2）。もっとも、予算管理に問題において《公的財産（fortune publique）》という概念を用いて論じている箇所もある（前出註（87）参照）。

（98）ジェズ以降の財政研究の展開については、参照、木村・前掲註（9）日仏法学二三号九一頁以下。

(99) 後期オーリウに多大なる影響を与えたファヨル(前出註(40)参照)の問題意識を継承し、国家における効率性の拡大を追究した論者として、二〇世紀中庸にさかんに著作を公刊したアルダンがいる。彼は、国家の非生産性の原因として、軍隊的な組織原理が継承されたこと、役務が過剰に特定化されたことという二点をあげたうえで、合理性(rationalité)と有効性(efficacité)の方途を探っている。G. Ardant, Technique de l'Etat, de la productivité du secteur public, PUF, 1953, en particulier, p. 60 et s., p. 119 et s.
アルダンの所説には、予算を予測ないし計画と性質づけ、行政組織相互の連携の必要性を説くなど、オーリウやジェズとの連続性を見出すことが可能である。なお、アルダンの財政関連の著書として、Ardant, Problèmes financiers contemporains, 1948 ; Théorie sociologique de l'impôt, 1965.

第二節　現代行政における経済的要素の重要性

現代においては、伝統的な《公》と《私》の区分も相対化されつつあり、これに応じて、公的セクターにおいても、企業的な効率性の確保が求められる傾向にある。この原因としては、さまざまなものがあるが、国家の役割を縮小する自由主義的な思想、経済状況の変化に伴って財政支出の縮減を図るために、民間資本等を積極的に活用する必要性、財政支出に対する市民的な関心の高まり、などをあげることができよう。これらはすべて、現代のガバナンス論の背景をなしている。その結果として、行財政においても大きな変化が生じており、政治的要素に加えて経済的要素がいっそう重要になっている。

以下では、便宜的に、行財政の制度的な変化(一)と規範の性質に関する変化(二)に分けて、現代の動向を概観することにしよう。すなわち、いくつかの制度の変容を概観したあとで、それらに対する評価を交えながら、法規範の一般的な変容を論ずるという叙述の形式をとるが、両者が相互に関連していることはいうまでもない。

一　制度的な変容

行政の効率性を担保するための制度的な変革としては、予算会計制度の改革、国公有財産制度の改革、政策評価の導入、会計検査機関による評価的活動の活性化、公私協働的な法制度の導入、の五つをあげることができる。いずれも世界的な傾向といえるが、日仏の比較を中心に概観しておこう(100)。

(一)　予算会計制度の変容

フランスでは、二〇〇一年八月一日組織法律（二〇〇一・六九二号）によって予算会計改革が定められ、原則的には二〇〇六年度予算から施行されている(101)。同組織法律では、企業管理の考え方が大幅に取り込まれており、行政組織編制の変化を含めて、行政運営全般に大きな影響が生じている。二〇〇一年組織法律の眼目を列記すれば以下のとおりである。

まず第一に、予算編成の基本的な考え方として、《手段重視》から《結果重視》に移行している。いわゆる政策別予算ないし政策目的別予算（crédits par objectifs）の導入であり、二〇〇一年組織法律では、政策の単位としてミッシオン（missions）とプログラム（programmes）を採用している（七条）(102)。さらに、それぞれミッシオンとプログラムの成果が、指標をもとに評価される仕組みになっている（五一条参照）。第二に、財政統制の方法として、予算に加えて決算の役割が重視され、決算法律の《復権》が生じている（五四条などを参照）。第三に、企業会計的財務諸表（発生主義・複式簿記）の導入があり、法定の決算書として、企業会計基準に準拠した財務諸表の作成が求められている（二七条〜三〇条）。第四に、会計官（comptables publics）の役割の変化がある。会計官は出納系統の職員であり、各省大臣をはじめとした命令官（ordonnateurs）と区別される。従来は支出や収入の適法性を監視するにとどまっていたが、今後は効率性等の統制の機能をもつことが期待されている（三一条）。このうち、特に第二点と第三点は、企業会計の考え方に接近しており、第一点や第四点も、企業管理的な効率性を重視したことの現れである。そのような意味で、二〇〇一年組織法律は、全般的に新公共経営（ＮＰＭ）の考え方を取り入れ、ガバナンス的な発想を下敷きにしているといわれる[103]。

日本でも、類似の改革がなされつつある。国のレベルでは、第一の政策別予算については、今後の導入に向けて、現在予算書・決算書の表示区分に関する検討作業がなされている[104]。第二の決算の扱いについては、実際的な運用としてフランスに類した変化がみられ、特に参議院において決算審議を充実させる方向性が取られている。第三の企業会計的財務諸表については、法定の決算書としては採用されていないが、事実上の措置として、企業会計基準に準拠した省庁別財務書類等が作成されており、地方公共団体においても類似の作業がなされている。第四の出納職員の役割については、国のレベルでは特に改革はなされていないが、地方公共団体に関しては、平成一六（二〇〇四）年の地方自治法改正によって、収入役の設置が義務づけられない市町村の範囲が拡大しており（地方自治法一六八条二項）、フランスの改革とはむしろ逆の方向性が取られている[105]。

[47]

（二）　財産管理制度の変容

企業会計的な財務諸表が整備されるに伴って、公会計の対象として、現金主義的な予算・決算のみならず物的財産が重視されるようになり、それらが複式簿記的な財務諸表を通じて連動している。また、会計検査機関による評価の対象としても、現金会計のみならず、資産会計やそれらを含めた財産管理の評価が重要な要素となっている。

[48]

そこで、財産管理制度について、日仏の動向を一瞥しておくことにしよう。

（1）フランスにおける国公有財産法制の改革

近時のフランスでは予算会計の改革に続いて、国公有財産制度の改革もなされており、二〇〇六年四月には公的財産一般法典（Code de la propriété des personnes publiques）の法律の部が制定された（二〇〇六年四月二一日オルドナンス二〇〇六・四六〇号。以下、新法典という[106][107]）。新法典の眼目として掲げられているのは、①行政財産ないし公物（domaine public）[108]の範囲を明確にすること、②公的財産の管理に柔軟性を与えること、③公物の占有に関する規範を拡充すること、の三つである。全体として、伝統的な公物法理の規律と射程を相対化して、公的財産の《資産価値の向上（valorisation économique）》を図るという方向性が示されている。以下では、おもにこの資産価値の向上の観点から、新法典における前記三つの改正点を概略的に述べることにしよう。

①　公物の概念の明確化　　新法典の起草者は、公物の定義を明確化することに努めているが、同時に公物の範囲を限定し、私産（domaine privé）の領域を拡大していることから、新法典は国公有財産の《私法化（privatisation）》を図ったともいわれる。すなわち、公物と私産の区分について、従来の国有財産法典（L一条およびL二条）は、国の所有する不動産および動産のうち、「当該財産の性質・目的に照らして私所有権に服さない財産」という抽象的な定義をするにとどまっており、その範囲は判例の形成に委ねられていた。そこで新法典は、まず不動産公物（domaine public immobilier）については、当該財産に対して公役務の執行に不可欠な整備（aménagement indispensable）がなされること、または当該財産が直接公衆に供用されていることを、公物として認められるための原則的な要件とした（L二一一一条の一）。ただし、森林や林道等については、判例にならって、例外的に私産として扱われる旨が明示されている（L二二一二条の二）。また、国の省庁が使っている庁舎については、すでに二〇〇四年八月一九日オルドナンス（二〇〇四・八二五号）に基づく国有財産法典改正（L二条第二文）によって、公物た

る財産と不可分一体になっている場合などを除き、私産に属することとされていたが、[109] これが国以外の公法人の場合にも一般化された（L二一一一条の一第二文）。他方で新法典は、文化的財産等の保全を図るために、動産公物 (domaine public mobilier) の定義も与えている（L二一一二条の一）。その判断基準としては、当該動産が公役務に供用されていることではなく、歴史的・文化的・学術的観点などから公益的性格が認められることである。新法典は、博物館の収集物や古文書など一一の動産を列記しているが、これらは限定列挙ではないと解されている[110]。

② 公物管理の柔軟化　公物管理の柔軟化は、次の三点において顕著である。まず第一に、事前的公用廃止 (déclassement anticipé) の制度が採用されたことがあげられる。従来の考え方によると、公物の不可譲渡性（inaliénabilité）の原則から、当該財産（不動産）が公益のために供用され続けているかぎり、公用廃止の対象にはなりえないと解されていた。これに対して新法典は、公用廃止が事前になされること、公用廃止が一定期間（原則として三年以内）になされることなどの要件のもとで、この原則を緩和し、事前の公用廃止を認めた（L二一四一条の二）。その適用範囲は、国と国の公施設法人の財産に限られており、地方公共団体や地方公施設法人には適用されないが、この制度によって、実際上の供用廃止に先立って対価の支払いや建築許可をすることが可能になり、特に公役務の事業用地を変更する場合に活用できると考えられている。第二に、同じく公物の不融通性の原則に対する例外として、新法典は公法人相互間での所有権移転の制度を採用し、公役務の継続性が確保されることを要件として、交換契約の可能性を認めている。また、公役務の執行の条件を改善するためであれば、公法人の有する私産との交換もできることになった。第三に、公物上の合意的地役権が肯定された。従来の判例は、公物に編入される以前から存在していた地役権に限って、公物の供用を害さないという条件のもとで限定的に肯定していたが、公物の不融通性との関係で議論が続いていた。新法典は、公物編入後の場合を含めて、当該公物の供用目的に反しないかぎりで、地役権の設定を一般的に承認した（L二一二二条の四）。この制度は、ある公物が公物と私産に分筆された場

合や、公物たる土地と隣接する民有地をあわせて有効利用を図る場合などにおいて、利点があるとされる。

[50] ③　公物の占有に関する規範の拡充　国公有財産の資産価値（ないし経済的価値）の向上を図るための前提として、新法典は公物占有に関する一般法理を掲げている。すなわち、占有権原（titre）を取得する必要性、公物占有の一時性（précarité）、占有権原の撤回可能性（revocabilité）を掲げている（L二一二二条の一から三）。これに対して、占有権原の一身専属性や料金徴収の原則は明示されなかったが、料金徴収が不要となる場合が列記されている（L二一二五条の一、同条の三）。個別的な規定として、国有財産の取得や売却に関する規定の整備を図ったほか（L一一一一条の一以下、L三二一一条の一以下）、公物占有に際しての物権の設定に関する規定を充実させている。このうち公物上の物権設定については、一九九四年の国有財産法典改正によって、伝統的な公物の不可譲渡性の原則が緩和されて認められるようになったが、その権利の性質については議論が分かれていた。そこで新法典は、占有者の享受する物権が地上権（droit de superficie）の性質を有することを明らかにしたうえで、適用される規範を明確にしている（L二一二二条の六から八）。また、地方公共団体の有する公物についても、一九八八年以来認められていた永代賃借権（bail emphytéotique）に加えて、物権の設定が可能になることを明らかにした（L二一二二条の二〇）。

[51] **（2）日本における国有財産法制の改革**

ここで日本に目を転ずると、国有財産の効率的な利用を推進するために、平成一八（二〇〇六）年に国有財産法の改正がなされている（平成一八年法律三五号）。この改正によって、庁舎等の床面積の余裕部分等を貸付対象に追加すること、国有地と隣接民有地の上に合同庁舎等を合築する場合について、当該国有地を貸付対象に追加すること、行政財産である土地への定期借地権の設定が可能になるよう、貸付期間の制限を緩和すること、売却困難な不整形地等の売却を容易にするために交換制度を導入することなどの改善が図られた。これらは、右に示したフランスにおける法改正と共通の方向性を有している。このように、国公有財産の資産価値を高めるという視点は、今日の日仏両国で重視されているが、歴史的にみれば、二〇世紀初頭のオーリウ学説において、すでに同様の考え方が示されていたことが想起されるべきであろう（第一節一（二）④[28]参照）。

[52]
（三）　政策評価的な諸制度

行政の効率的な決定は、政策評価的な作用によって担保される。政策評価的な制度としては、行政機関（およびその付属機関）による政策評価と、会計検査機関による評価的作用に大別することができる。

⑴　行政機関による政策評価

行政機関による政策評価（évaluation des politiques publiques）は、事前評価（évaluation ex-ante）、中間評価（évaluation concomitante）、事後評価（évaluation ex-post）に大別される。理論的には、いずれの評価においても、その評価結果は事後の決定（予算配分を含む）に反映させることが可能である。日本とフランスの一般的な相違点をあげるとすれば、次の三つがあげられるが、いずれも相対的な違いであり、基本的な方向性は共通している[11]。

まず第一に、フランスの二〇〇一年組織法律は、予算法律案の添付資料として、プログラムごとの事業成果に関する計画書（projet annuel de performances）を作成することを求めている（五一条）。日本でも、実際の予算編成作業において、類似の評価資料が用いられる場合があるが、実定法上、かかる評価結果を予算書等に添付することまでは要求されていない。第二に、フランスでは、二〇〇一年組織法律が求める評価を別にすれば、個別法において政策評価が法定されている（国土交通基本法律（一九八二年一二月三〇日法律八二・一一五三号）一四条など）。これに対して日本では、政策評価に関する一般的な法律として、「行政機関が行う政策の評価に関する法律（平成一三年法律八六号）」が存在している。いずれの場合にも、財政的・経済的要素のみならず、社会的要素等を含めて評価がなされる。第三に、フランスでは、省庁横断的組織として、国家評価評議会（Conseil national d'évaluation）が存在していが、二〇〇一年組織法律が制定された現在では休眠状態にあり、予算編成に際しての各省庁の評価作業に委ねられている。これに対して日本では、総務省が省庁横断的な評価や政策評価に関する基本方針の作成等について一定の権限を有している。

いずれにしても、政策評価は、国民に対する説明責任を果たすことを目的としており（政策評価法一条）、その結果が国民や住民に公開されていることからしても（同一〇条二項、一九条参照）、行政の透明性を確保する手段となっている。その意味で、政策評価は、情報公開などの諸制度とともに、行政と市民の協働を推進するための制度的な基礎をなしているといえる。

（2）会計検査機関による評価的活動

行政機関による評価とは別に、近時では会計検査機関による評価的作業が活発になっており、これも世界的な傾向といえる。フランスの会計検査機関としては、会計検査院（Cour des comptes）のほかに地方会計院（chambres régionales des comptes）があり、伝統的には、命令官と会計官の分離原則を前提として、出納機関である会計官が作成した会計簿に対する会計検査（contrôle des comptes）を行ってきた。ところが、一九九〇年代以降、会計検査に並行して、命令官たる各省大臣等が行う財政作用全般について、管理統制ないしマネジメント統制（contrôle de la gestion）の名のもとで評価的活動を行うようになっている。その評価結果は報告書（rapport public）の形で公表されており、政策の当否を含めた幅広い評価がなされている。[112]

日本でも、平成九（一九九七）年に会計検査院法が改正され、会計検査が合法性のみならず、経済性・効率性・有効性の観点からもなされることが明記された（二〇条三項）。フランスの会計検査院と同様に、会計経理の指摘のほか、政策的な観点からの問題提起もなされている。実際の評価結果は、検査報告書の「概略記述」のなかで記されるほか、近時では「特記事項」の掲記という形で示されることもある。日仏の相違点として、フランスでは会計検査院の機能として、会計検査と管理統制が形式的に峻別されているのに対して、日本では両者の区分が不明確であるが、その実質は日仏両国で大きく異なってはいない。

このように会計検査機関の評価活動が活性化すると、その評価結果を利用する国会と会計検査院との関係が問題になる。この点は、近時の日仏両国で議論されているところであり、会計検査院の法的地位の問題として、後に検討することにしよう（第三節一（一）[72]参照）。

[54]

（四）公私協働的な諸制度

現代において、《公》と《私》の区分を相対化させつつ効率性を確保するための制度として、いわゆるＰＦＩ（Public Finance Initiative）をあげることができる。フランスにおいては、伝統的な公役務特許ないし公役務委託（délégation de service public）とは別に、二〇〇四年六月一七日オルドナンス（二〇〇四・五五九号）によって公私協働契約（contrat de partenariat public-privé）が法定され、英米のＰＦＩに類する制度が導入されている[113]。日本でも、おもにイギリスをモデルとして、平成一一（一九九九）年に「民間資本等の活用による公共施設等の整備等の促進に関する法律（平成一一年法律一一七号。以下、ＰＦＩ法という）」、が制定されて、その活用が推進されているところである。ＰＦＩ法においては、その目的規定において、「効率的かつ効果的」な社会資本の整備がなされ、国民に対して「低廉かつ良質なサービス」の提供が確保されることが掲げられている（一条）。

公私協働の理念は、他の行政領域でも重要になっているが、特に環境法の領域で顕著である。環境法においては、しばしば《参加の原則（principe de participation）》ないし《協調の原則（principe de concertation）》と呼ばれる原則が掲げられており、フランスでは、環境法典において明文化されている（Ｌ一一〇条の一、同条の二）。わが国でも、学説上、類似の原則が語られている[114]。

ここで再び伝統的な学説にもどると、オーリウは、行政全般に公私協働の理念を妥当させたうえで、特に公役務特許について、行政と事業者のあいだに家族的な関係があると表現して、財政的負担の軽減を図る機能があることを示唆したところであり（第一節一（二）⑤[29]参照）、右の諸制度には、協働の理念を重視したオーリウの考え方が歴史を越えて投影されているという見方も可能であろう。

(100) 筆者は、本章に関わるフランスの制度については、註（2）の拙稿においてすでに基本的な部分を紹介しているので、詳細は関連する拙稿に譲り、本章ではごく簡単な整理をするにとどめる。

(101) 二〇〇一年八月一日組織法律については、木村・前掲註（2）自治研究七八巻九号五七頁以下が公表されたあと、多くの文献で触れられている。たとえば、黒川保美「フランスにおける公会計改革」会計検査研究二八号（二〇〇三年）一五七頁以下、栗原毅「ユーロ時代のフランス経済」ファイナンス四五三号（二〇〇三年）三五一頁以下。筆者のさらなる分析として、註（2）に掲げた他の拙稿をも参照。

なお、二〇〇一年組織法律は、マーストリヒト条約による財政赤字の削減義務のほか、二〇世紀末のフランスの政治状況など、同国に固有の背景を有しているが、本章では、むしろ同組織法律の制定は世界的な傾向に合致したものであり、法理論の歴史的な展開としても普遍性をもつという観点から、その基本的部分を分析する。

(102) 改正前の国土交通省の予算は、共通経費、都市・住宅、交通・道路安全、海洋、観光という五つの部（sections）に分けられ、海上輸送関係の予算は、海事関係や研究調査については《交通・道路安全の部》に、港湾整備や船舶管理については《海洋の部》に、それぞれ配分されていた。このうち海洋の部は、役務手段（人件費・物品費など）、公的介入、国の自己投資、投資的補助という四つの款（titres）に分かれ、それらがさらに項・目・節に細かく区分されていた。たとえば、港湾に関する国の直接投資に関係する項としては、海洋港湾と沿岸保護、警察と海上保安、その他の施設整備があり、また投資的補助のなかの項としては、海洋港湾と沿岸保護、商業的船舶（改善的投資への補助）、公物関係のように、複雑に分類されていた。

これに対して改正後においては、国土交通省の予算の主要部分は、建設関係の《国土政策ミッシオン》と運輸関係の《交通ミッシオン》に二分される。後者は、国道、陸上・海上輸送、海事・海上保安、航空輸送などの八つのプログラムに分けられる。さらに、それぞれのプログラムはアクシオンに細分されるが、アクシオンの区分も概括的であり、たとえば陸上・海上輸送プログラムのなかの港湾関係のアクシオンは、港湾インフラ、海上交通の監督・調整、労働監督に区分されるにすぎない。この結果、港湾施設関係の費用が港湾インフラとして一括して計上され、政策単位のコスト分析が容易になっている。

(103) M. Bouvier, 《Nouvelle gouvernance et philosophie de la loi organique du 1er août 2001》, RFFP, n°86, 2004, p. 198 et s. さらに参照、アバト＝木村訳・前掲註（35）行政管理研究一〇八号三頁以下。

(104) 従来は、たとえば環境省の地球温暖化対策に関する予算は、環境本省（項）の地球環境保全対策に必要な経費（事項）と、エネルギー需給構造の高度化対策関係の経費（項・事項）とが、それぞれ分断されて表記されていたが、今後は両者が環境本省の予算において連続的に表記され、政策との関係が明確にされることになる。ただし、フランスと違って、人件費については環境本省の共通経費にまとめられるために、温暖化対策に対する人件費の額は、今後も当面は明示されることはない。

(105) 平成一六年の地方自治法の改正に対応する私見として、木村・前掲註（2）自治研究七九巻一一号八二頁以下、同「予算会計改革に向けた法的論点の整理」会計検査研究二九号（二〇〇四年）六一頁を参照。

(106) 公的財産一般法典に関する仏語文献は、すでに数多く出されているが、雑誌の特集号として、Actualité juridique-Droit administratif du 29 mai 2006, p. 1073 et s. 同法典については、さらに参照、木村「フランスにおける国公有財産制度と公物制度の動向」千葉大学法学論集二一巻三号（二〇〇六年）一頁以下。

なお、フランスにおける従来の国公有財産制度ないし公物制度と、それに関する学説の状況については、木村・前掲註（2）千葉論集二〇巻一号一三三頁以下、同・前掲註（2）二〇巻四号一四七頁以下、およびそれらに引用された諸文献を参照。

(107) 新法典は、オルドナンス（ordonnance）の形式を取っている。オルドナンスは、憲法三八条に基づき、ほんらい法律事項に属することがらを、国会の授権法律（loi d'habilitation）に基づいて政府が定めるときに用いられる法形式である。公的財産一般法典については、当初は、《法の簡素化（simplifier le droit）》のための授権法律（二〇〇三年七月二日法律二〇〇三・五九一号）三四条二号がその根拠であったが、制定作業が難航したため、二度にわたって授権期間が延長された（二〇〇四年一二月九日法律〔二〇〇四・一三四三号〕八九条、二〇〇五年七月二六日法律〔二〇〇五・八四二号〕四八条）。新法典のその他の形式的な特殊性については、木村・前掲註(106)千葉論集二一巻三号四―六頁以下を参照。

(108) フランスにおける公物は、原則として自有公物であり、当該財産を供用する行政主体の所有に属するので、基本的にはわが国にいう行政財産の性質をもつが、供用変更（mutations domaniales）などによって、他有公物が例外的に認められている（L二一二三条の四以下）。

(109) 二〇〇四年の改正につき、木村・前掲註（2）千葉論集二〇巻一号一五九―一六〇頁をも参照。より正確にいえば、自治港公団をはじめとした、国の公施設法人の庁舎も、同改正によって私産として扱われている。

(110) 新法典が公物の範囲を限定する側面として、このほかに、《潜在的公物の法理（théorie de la domanialité publique virtuelle）》を排除したことがあげられる。これまでの判例上は、将来的に公役務や公衆に供される予定がある場合には、同法理によって公物法上の諸原則が適用され、わが国の予定公物に類する扱いが認められていたが、新法典の立法者はこの考え方を否定した。これは、新法典における公物の定義規定のうち、とりわけ《不可欠な整備》の要件に現れているといわれる。

(111) 日仏における政策評価については、参照、木村「フランス会計検査院と政策評価」千葉大学法学論集一六巻一号（二〇〇二年）一頁以下、同「フランスにおける政策評価――港湾事業の評価を中心にして」季刊行政管理研究九五号（二〇〇一年）一三頁以下。さらに、J・L・グソー＝木村訳「フランスにおける政策評価」自治研究八〇巻二号（二〇〇四年）

三七頁以下をも参照。

(112) 会計検査機関による政策評価的活動については、前註に掲げた諸論文のほか、木村・前掲註(105)会計検査研究二九号六三―六四頁を参照。

(113) 公私協働契約に関する二〇〇四年六月一七日オルドナンスも、註(107)に掲げた二〇〇三年七月二日法律(六条)を根拠としている。同オルドナンスの詳細については、木村「フランスにおけるＰＦＩ型行政の動向——公私協働契約を中心に」季刊行政管理研究一一〇号(二〇〇五年)五六頁以下を参照。

(114) この問題に関する文献は多いが、たとえば、大塚直『環境法』(二〇〇二年・有斐閣)六〇頁、山本隆司「公私協働の構造」金子宏先生古希記念論文集『公法学の法と政策・下巻』(二〇〇〇年・有斐閣)五三一頁以下、戸部真澄「協働による環境リスクの法的制御(上)(下)」自治研究八三巻三号(二〇〇七年)八〇頁以下、四号九七頁以下。Cf. T. Kimura, 《Finances publiques et protection de l'environnement : le cas du Japon》, Chiba Journal of Law and Politics, Vol. 20, No. 3, 2005, pp. 23-36.

二　規範的な変容

[55]

近時では、さきに述べた諸制度の変容に対応する形で、法規範の一般的な性質が変化する傾向にある。以下では、この状況について、日本とフランスを比較しながら概観することにするが、叙述の順序としては、財政(おもに予算・会計上の作用)に関する歴史的分析から始めて、行政全般に視野を広げることにしよう。

(一)　財政統制の歴史的な推移

二〇世紀を通観すると、財政統制の手段としては、当初は議会による政治的統制が重視されていたが、次第に法的統制の比重が高められ、さらに現代では、法的統制から経済的統制への移行が生じているといえる。後者の変容は前者のそれに比べて、現在までのところ必ずしも顕著な傾向ではないが、ガバナンス論においては重要な要素である。そこで、この二つの変化について、全般的な描写をしておくことにしたい。

[56]

(1) 政治的統制から法的統制へ

政治的統制から法的統制への重点の移動は、第二次大戦前後のフランスの状況を比較すると明らかになるが[115]、わが国にも類似の現象がみられる場面がある。ここでは、予算原則等の実定法化と、個人責任制度と財政裁判制度の拡充の二点について、順に概観する。

① 予算原則等の実定法化　フランスでは、二〇世紀を通じて、財政上の諸原則が次第に実定法上の原則として確立するようになる。とりわけ重要なのは、予算原則である。第三共和制においては、学説上、毎年性（annualité）、普遍性（universalité）、一体性（unité）、特定性（spécialité）などの予算原則が提示されていたが、当時は実定法上の根拠ではなく、議会における政治的な規範（ないし慣習法）にとどまっていた。それゆえにこそジェズは、予算原則が政治的な性質を有すると述べていたのである（第一節二（一）（1）④[36]のほか、同②[34]をも参照）。ところが、第四共和制末期には、一九五六年六月一九日組織デクレに予算原則が取り込まれ、これが第五共和制における一九五九年一月二日オルドナンスに引き継がれた[116]。現在の憲法院（Conseil constitutionnel）は、一九五九年オルドナンスが《憲法ブロック》を構成することを認めており、同オルドナンスの規定する予算原則が憲法レベルの実定法規範として確立している。今後は、二〇〇一年組織法律がこれに代わり（一（一）[46]参照）、こうした憲法的規範をもとに、憲法院は予算法律や決算法律において予算原則が遵守されているかを審査することになる。

予算原則以外にも、予算に関する政治的問題とされてきた要素が法規範として確立したものがある。その典型的な例として、《予算便乗（cavalier budgétaire）》の禁止原則がある。予算便乗とは、予算法律に非財政事項を編入

[57]

させることにより、議決の便宜を図る手法であり、ジェズはこれをもっぱら政治的問題として論じたが、現在では憲法院の判例により、予算法律を定義した一九五九年オルドナンス一条を根拠として予算便乗が禁じられている。[117] こうした例の存在からしても、政治的問題ないし政治的統制の範囲は時代に応じて変化しうることが明らかになる。[118] 憲法院判例としては、このほかに、予算法律や決算法律が真実性の原則（後出（二）（2）[61]参照）に反するとして違憲判断を下した例などがあり、今後、二〇〇一年組織法律を根拠として、この種の憲法的統制が拡充されることが予想されている。

わが国では、憲法訴訟が活性化していないために、各年度の予算自体が予算原則に適合しているかどうかが訴訟において争われる例は見当たらず、住民訴訟において個々の財務会計行為が予算原則に適合しているかが審査されるにとどまる。今後は、この二つの問題状況で予算原則の意義が異なるか否かの検討とあわせて、予算原則を再構成することが求められる。[118]

② 個人責任の制度の拡充　右の傾向と並行する形で、フランスでは財政に携わる公務員の個人責任制度が拡充されており、このための裁判的制度も整備されている。すなわち、伝統的には、財政上の規範は各省大臣の政治的責任によって担保されており、決算審議は当該年度における大臣の政治的責任を解除することに本質があったが、近時では、大臣の政治的責任に代えて予算執行職員等の個人責任が重視されるようになっている。

まず、命令系統の職員の責任に関する制度が整備されている。フランスでは、一八〇七年以来の伝統をもつ会計検査院は、本来的には、出納系統の職員である会計官の個人責任を審理する機関であるが、一九四八年に命令系統の職員に関する審理を行う予算会計懲罰院（Cour de discipline budgétaire et financière）が創設された。日本でも、公務員の個人責任が認められる範囲は、第二次大戦前においては出納系統の職員に限られていたが、[119] 戦後は命令系統の職員にも広げられるようになった（予算執行職員等の責任に関する法律一条、自治法二四三条の二参照）。また、地方財政については、フランスでは一九八二年に地方会計院が創設され、国の場合の会計検査院に準じた機能を有している。日本でも、第二次大戦後に、会計監査を専属的に行う監査委員の制度が創設された（自治法一九五条以下）。

このように、財政統制のための機関が拡充するという現象が見出される。特にフランスでは、会計検査院や地方会計院は、出納系統の職員の個人責任を審理するもので、裁判機関と呼ばれており、その基本的な機能は、憲法院による予算法律・決算法律の統制、予算財政懲罰院による命令系統の職員に対する統制とともに、《裁判的統制（contrôle juridictionnel）》として整理されている。わが国では会計検査院が裁判機関であるとは認められていないが、第二次大戦前と比べると財政の法的統制が拡大したことは否定しえないところであろう(120)。

(2)　法的統制から経済的統制へ

一九八〇年代以降は、法的統制から経済的統制への移行と表現すべき現象が生じている。これは極めて現代的な傾向であるが、興味ぶかいことに、法的統制を媒介として、政治的統制から経済的統制に移行するという現象は、ジェズ自身の問題関心の変化にも対応している（第一節二（二）（2）[44]参照）。これに相当する要素を、いくつか掲げておくことにしよう(121)。

①　会計検査基準の確立　　一九八〇年代以降の世界的傾向として、会計検査機関によって経済的観点（経済性・効率性・有効性の諸観点）から行政運営を統制する手法が重視されており、そのための規定の整備も進められている。フランスでは、会計検査院のマネジメント統制の基準として、予算許容費の「良好な使用（bon emploi）」が掲げられている（一九六七年六月二二日法律六七・四八三号一条三段、現行の財政裁判法典L一一一の三条）。また地方会計院については、二〇〇一年一二月二一日法律（二〇〇一・一二四八号）に基づく財政裁判法典の改正により、「用いられた手段の経済性」や「目標との関係での結果の評価」を審査するという条文が置かれるようになった（現行の財政裁判法典L二一一条の八第二段）(122)。こうした事情はわが国でもほぼ同様であり、平成九（一九九七）年の会計検査

院法の改正によって、会計検査の基準として、正確性・合規性とともに経済性・効率性・有効性が掲げられるようになった（二〇条三項）。

[59] ②　良好な管理に関する諸規定　これに関連して参照されるべきは、第三共和制における一八六二年五月三一日デクレ（政令）である。同デクレは、支出や収入の会計手続のほか、議会が行う予算・決算の手続をも規定する大法典であり、その前文には同デクレの制定の趣旨として、次のような文言が置かれていた。すなわち、以前に制定された財政上の諸法令や、その後の国家組織に関する諸規定の改正を踏まえたうえで、会計上の手続に「国家的利益と調和する簡素さと厳格さ、公金の適正な徴収や良好な使用に対する保障」を導入する、という目的が掲げられていた。このように、一九世紀半ばの条文に、現代的なガバナンスの素地をみることができるわけである。ここにいう公金の《良好な使用》ないし《良好な管理》の趣旨は、予算・決算を含めた財政作用全般に妥当させる余地があったが、実際には当時の議会中心主義のもとで、理念的な存在にとどまっており、ジェズらの学説も直接的に引用することはなかった。第二次大戦後には、この文言が、①にみた会計検査の基準に関する「良好な管理」などの文言に発展していく[123]。

日本法との関係について付言すると、この一八六二年五月三一日デクレは、わが国の明治二二年会計法のモデルとなったが、右の前文が移入されることはなく、同趣旨の文言が明示されるには、第二次大戦後の法令の制定を待たなければならなかった（財政法九条二項、自治法二条一四項など[124]）。

[60] ### （二）財政上の法規範の変容

このように、行財政に対する経済的統制のための具体的な規範の例としては、右にあげた二つあるが、経済性を追求するために生じた最大の規範的な変化は、法的規律の緩和にあるといえる。すなわち近時では、行政運営の効率性等を向上させるために、財政上の法規範が弾力化される傾向にある。その一方で、財政に関して新しい統制規範が登場するとともに、行政の内部的統制が拡充されるという現象が生じている。このことについて、以下に若干の考察をしておこう。

（1）法規範の緩和・弾力化

法規範の弾力化が典型的にみられるのは予算改革であり、財政作用における裁量が拡大する傾向にある。フランスの二〇〇一年組織法律は、《結果重視》の考え方を導入するに伴って、この観点からの規定を多く配している。たとえば、先にみた政策別予算の導入は予算の特定性原則の緩和を伴うものであり、従来よりも予算区分が概括化している。また、予算許容費の移用・流用がなしうる範囲も拡張している（一二条）。さらに、予算の毎年性原則を緩和するために、わが国の国庫債務負担行為に相当する支出負担認可（autorisation d'engagement）の手法が拡張的に用いられている（八条参照）。概して立法者は、予算に関する規範を弾力化する代償として、行政機関に対して成果とその評価を求める傾向にある（五一条・五四条などを参照）。このほかに、事実上の運用として法規範が緩和されている場面もみられる。その例として、フランスの一部の行政機関が財務省予算局とのあいだで締結する成果契約（contrat de performance）をあげることができよう[125]。この成果契約によって、複数年度にわたって、裁量的な予算執行が可能になるとされてきた（(3)および（三）（1）[65]をも参照）。

また、物的財産である国公有財産に関しても、法的規律が緩和されている。フランスでは予算改革と並行して、二〇〇六年の公的財産一般法典が制定されており、効率性を確保するために、特に行政財産（公物）の規律が緩和されているが（**一**（二）（1）[47]参照）、かかる効率的な財産運用の起源は、オーリウやジェズの学説に求めることが可能である（第一節**一**（二）④[28]および同節**二**（二）（1）[40]参照）。

このうち、国公有財産の規律緩和については、解釈論には限界があるので、立法論的な手当てがなされるのが適当であろう。具体的には、フランスの法改正にみられるように、事前の公用廃止の制度などが検討に値すると思われる。それと並んで、基本的な制度設計のあり方として検討されるべきは、官公庁の庁舎の扱いである。庁舎については、近時のわが国では、伝統的な公物法理を修正して、貸付け等の範囲が拡大されているが、普通財産として扱う方向が検討されるべきであろう。

この点で興味ぶかいのは、庁舎が公物にあたるか否かについては、日本とフランスで同じような議論の経緯があったことである。すなわち、フランスでは、一九世紀の学説上は庁舎に公物の性質を否定する見解が有力であったが、一九世紀末のオーリウらによって、公物の標準を公役務への供用と解する学説が主流になり、庁舎等はほぼ異論なく公物として認められるようになった。[126]他方、わが国でも、第二次大戦前の学説において、公物にあたるかどうかが議論されていたが、[127]今日では庁舎が公物（行政財産）にあたることには異論がないところである。

しかし、機能的な観点からすると、庁舎には民間企業のオフィスと同様の扱いが求められるところであり、普通財産として取り扱うことにも理由がある。そのため、フランスでは二〇〇四年の法改正によって、普通財産としての扱いに変更されたのであり（一（二）（1）①[48]）、歴史の揺り戻しが生じたことになる。こうした流れに鑑みると、効率的な財産管理の観点から、わが国でも庁舎を普通財産として扱う法改正が検討されてしかるべきである。庁舎を普通財産として扱えば、コンビニエンス・ストアなどへの貸し付けが容易になり、収益性を高めることも容易になるし、売却等も柔軟になされることになるから、庁舎の省スペース化にもつながる。[128]他方で、このように法規範が柔軟化される場合には、庁舎の管理者が当該庁舎を有効に管理していることに対する説明とそれに対する評価が、いっそう厳しく求められることになる。

しかしながら、伝統的な公物原理の修正し、法規範を柔軟化することは歓迎されるにしても、そこに立法論的な限界がないと考えるのは早計である。とりわけ憲法規範との関係から、公物規範がどの範囲で修正可能であるかが

[61]

考察される必要がある(129)。

（2）新しい財政規範の登場

近時では、このように伝統的な予算原則等が緩和される一方で、新しい財政上の原則が付け加えられるようになっている。このうち予算原則としては、新たに《真実性の原則（principe de sincérité）》をあげることができる。フランスの二〇〇一年組織法律は、企業会計と同様に発生主義的決算書に真実性の原則を妥当させるのみならず（二七条一項後段）、現金主義的会計（同項前段）や予算法律・決算法律（三二条）を含めて、財政作用全般に同原則が妥当するとしている。真実性の原則は、必要な情報を収集・提示することによって確保されるものであるから、《透明性》ないし《情報による財政統制》の理念に基づいており（後出（三）（2）[66]および第三節二（一）（1）[80]）、同時に後述の手続的規律を重視する考え方に関連している（（三）（2）[66]参照）。また、真実性の原則は、企業会計原則が予算・決算や公会計に応用される場面であると同時に、複式簿記の発想にならって、金銭管理と財産管理を規範的に連動させる必要があることをも意味している（後出（4）[63]参照）。

わが国でも、財政状況全般について規定した憲法九一条などを形式的な理由として（あるいは、法の一般原則として）、財政上の憲法規範のなかに真実性の原則を含める余地がある。かかる原理が認められるならば、たとえば、予算法律が十分な情報に根拠づけられていなければ、違法と評価される可能性が生ずる。また、憲法上の明文の規定がなくとも、国の財政状況を正確に表現するために発生主義的財務諸表が法定の決算書として要求される、という解釈論が成り立ちうるように思われる(130)。

同じように、企業会計の原則が公会計においても妥当する例として、《継続性の原則》があげられ、真実性の原則と同じく、憲法八三条および九一条が根拠になると考えられる(131)。この原則は、公金管理のみならず財産管理にも当てはまり、たとえば予算表示区分や国有財産台帳の形式を頻繁に改正することは、許容されないことになる。このほか、《説明責任の原則》[132]も、憲法九一条に基礎づけられると考えられる。さらに、経済的統制の重要性に対応して、効率性の原則の位置づけが問題となる（第三節二（三）（1）[91]参照）。

[62]

(3) 内部的統制の拡充

財政に関する法規範の緩和に伴う代替的な措置として、内部的な統制が拡充されるという傾向も見出せる。ここで古典的学説に戻ると、財政統制に関してオーリウは、政治的統制を補う形で行政の内部的統制が重視されると述べていたところであり、この考え方が現代において形を変えて再生されたとみることも可能であろう[133]。

行政内部の財政統制の典型例としては、まさにオーリウの述べるように、個々の支出・収入に対する手続的統制がある。そのひとつに、一九二二年八月一〇日法律に基づく財務統制官（contrôleur financier）の制度があり、財務大臣の任命に基づき各省に配置された財務統制官が、おもに支出手続の統制を行ってきた。ところが二〇〇一年組織法律の施行に伴って、財務統制官が財務統制担当官（autorité chargée du contrôle financier）に改編されている（二〇〇五年一月二七日デクレ二〇〇五・五四号）。この制度改正は、二〇〇一年組織法律の趣旨に基づいて、予算区分を概括化し、予算執行者の裁量を広げるという観点からなされたものである。すなわち、財務統制担当官は、個々の支出負担行為に対して認証（visa）をするのではなく、各省の予算管理責任者（responsables de programmes）が策定する年度予算計画（document annuel de programmation budgétaire）および支出計画（projets d'actes au regard de l'imputation de la dépense）などに対して一括した認証を行い、必要に応じて事前意見（avis préalable）を提示する（五条、一二条）[134]。また、統制の観点としては、従来の財務統制官は主として適法性の統制を行っていたが、新しい制度においては、公務員の俸給関係の支出を除いて適法性の統制は消滅し、財政支出の必要性ないし財政的均衡の観点からの統制がなされることになった。この財務統制担当官は、従来と同じく財務大臣によって指名され、統制の方法等については、関係大臣の合意に基づき財務大臣によって定められる（三条）。このように、予算区分の概括化等の規律緩和がなされる一方で、財務省と関係省庁の連携のもとで、予算執行に対して新たな統制手段が用意されているわけである。

さらに、二〇〇五年一一月一八日デクレ（二〇〇五・一四二九号）は、各省の主任命令官（原則として各省大臣）のもとに、予算会計統制部（service de contrôle budgétaire et comptable ministériel）が設けられることを定めている。同統制部の長である予算会計統制官（contrôleur budgétaire et comptable ministériel）は、会計官の資格を有する者であり、組織的には財務省の公会計総局に属して財務大臣の指揮監督を受ける。予算会計統制部は、当該省庁の財務諸表を作成する（五条二段）ほか、財務大臣や主任命令官に対して定期的に情報提供を行い、予算執行に関する年次報告や財政状況分析を提出することとされている（七条）。また、財務統制担当官との共同作業によって、各省庁の予算・会計を統制するものとされている。(135)

このほか、前述の成果契約に基づく予算管理も、二〇〇一年組織法律の施行以前に、予算規律の柔軟化を図るために用いられてきた内部統制である。二〇〇一年組織法律は成果契約を明示的に採用しておらず、国会が従来よりも概括的な予算枠を議決して政府に成果を求めるという意味では、むしろ国会と政府のあいだで契約的な手法が採用されているともいわれるところであるが、予算執行のレベルでは、各省庁の予算管理責任者の自律的な予算執行を前提として、予算管理責任者と実施機関たる役務執行者とのあいだでの《管理に関する協議（dialogue de gestion）》と、事後的な追跡調査（suivi）および監督（contrôle）を想定しており、実質的な契約的交渉の関係は存在している。その意味で、成果契約は二〇〇一年組織法律の理念を《先取り（préfigurer）する》要素であったともいわれ、会計検査院は二〇〇五年度の予算執行報告書において、今後も契約的手法を活用する必要性があると述べている。(136)

近時では民間企業においても、コーポレート・ガバナンスの概念のもとで、内部統制が重視されていることが想

[63]

起されるべきであろう。もともと内部統制は会計的観点から出発したものであるが、近時ではリスク管理や法令順守、業務の効率化を含めた広範な概念に拡張している[137]。こうした民間企業におけるガバナンスは、会社の構成員や利害関係人の全体に関わること、情報開示を通じた透明性の確保が求められることからしても、公的セクターにおけるガバナンスと共通性を有している。

（4）公金管理と財産管理の連続性

こうした予算制度や国公有財産に関する法規範の変容との関連で、公金管理と財産管理を連続的に捉える必要があることが指摘されるべきであろう。この点は、伝統的な学説に抗して、オーリウが示唆したところであり（第一節一（二）②[26]参照）、現代的にいえば、たとえば公共施設等のライフサイクル・マネジメントを考慮することは、財産管理にあたって将来の財政支出を考慮する発想といえる[138]。また、効率性のために法規範が緩和される傾向があることにも、両者を通じて共通の方向性が見出せる。かかる連続性を考慮するならば、財政法九条二項などの財産管理に関する諸規定も、公金管理と財産管理に共通して適用されると解すべきことになろう。さらに公物管理においても、公金管理との連続性が考慮されるべきことになるから、いわゆる公物管理と財産管理の相対化も帰結されるはずである[139]。

また、いわゆるＰＦＩ契約は、公金と国公有財産の双方に関わる総合的な事業契約という性格を有しており、公金管理と財産管理の融合という現代的なテーマの素材にもなる。より実際的な説明を加えるならば、地方公共団体におけるＰＦＩ事業においては、契約の締結に際して議会の議決が求められている（ＰＦＩ法九条）。この規定の趣旨は、一般には長期の財政的統制であると解されているが[140]、正確には、公金と公的財産の総体に対する長期的な統制というべきであろう。現行法上、債務負担行為の議決（自治法九六条一項二号、二一五条四号）とは別個に議決が求められること、契約金額とは無関係に議決が求められること（通常の契約締結につき、同法九六条一項六号、同法施行令一二一条の二第一項を参照）からしても、かかる趣旨が導かれうる。実際、ＰＦＩ事業に先立って算定されるＶＦＭ（value for money）に関しても、当該行政主体がＰＦＩによらないで、みずから当該財産を取得・管理する場合との比較がなされるわけであるから、実質的には財政支出と財産管理が総合的に判断されることになる。もっとも、ＰＦＩ事業には公共側の財産取得が目的とされていない場合（いわゆるＢＯＯ方式など）もあるが、その当否を含めた判断が議会において審議される必要があるわけである。国のＰＦＩ事業の場合には、立法論として国会の議決の形式を要求することは現実的でないにしても、必要に応じて議会審議を通じた同様の統制（ないし情報の提供）がなされることが期待される。

さらに、フランスの国有財産管理においては、各省庁が財務省の国有財産管理部局に対して、占有面積分の資本コストを《予算上の賃料（loyer budgétaire）》として支払うこととされつつある。また、各省庁が占有面積の節減によって財産を売却した場合に、収入支出の不充当原則の例外を認めて、売却額の一定割合を当該省庁の予算に組み入れる措置も講じられている。これらは、いずれも予算制度と財産管理を連動させ、効率的な財産管理のインセンティブを付与する仕組みであり、これによって庁舎等の省スペースが図られることが期待されている。他方、財務省の国有財産の管理機関は、伝統的には公物収入と租税収入の関連性から租税総局（Direction générale des impôts）に属していたが、その会計的管理の側面に注目して、二〇〇七年一月以降、同省の公会計総局（Direction générale de la comptabilité publique）に組み込まれている。(141) これらの動きは、わが国でも参考に値するところであろう。

付言すると、オーリウは公金と公的財産の融合を図ると同時に、予算規律の緩和をも志向しているのであるから（第一節一（二）②[26]を参照）、その論理を延長すれば、公物をはじめとした公的財産についても、効率性の観点から、つまり行政主体が最終的に取得される金銭的価値に着目して、規律の緩和をするという方向性も示唆されるであろう（第三節二（三）（2）[92]参照）。

[64]

（三）　行政上の法規範の変容

右にみた法規範の緩和ないし弾力化は、財政の領域において顕著であるが、行政全般にみられる現象でもある。一般的にいえば、実体法上の普遍的な規範が後退し、広い意味での手続的な規範が相対的に重要になるとともに、個別の状況に応じた規範設定がなされるようになるという傾向がみられる。(142) 学説上も、近時のガバナンス論においては契約的規律と手続的規律が重視されており、(143) さらに契約的規律と関連して誘導的規律も重要になっている。これらの法的規律は、関係機関や利害関係人との《協働（collaboration）》ないし《協議（concertation）》を確保するためのみならず、行政運営の効率性を確保するためにも有用である。そこで以下では、財政的な規範（とりわけ予算・会計上の法規範）との関係に留意しながら、行政全般に視野を広げて試論を述べることにしよう。

[65]

(1)　契約的規律の重要性

はじめに契約的規律について述べておくと、一九八〇年代以降のフランスでは、法令が実体的な規律をすることを避けて、その内容を関係機関や関係人の交渉に委ねることが増えている。その場合の交渉ないし契約の当事者としては、実施機関とその上級機関（ないし予算部局）、国と地方公共団体、公法人と私法人など、さまざまであるが、大別すると、複数の行政主体間の外部関係として契約が締結される場合、すなわち《外部的な契約化（contractualisation externe）》と、同一の行政主体の内部関係として契約が締結される場合、すなわち《内部的な契約化（contractualisation interne）》とがある。後者の典型例としては、先に述べた成果契約があり、二〇〇一年組織法律に基づく予算執行にも類似の趣旨が見出せるが（（二）（1）[60]および（3）[62]）、前者の例としては、国と州のあいだの計画契約（contrat de plan）をあげることができよう。このほか、自治港公団（ports autonomes maritimes）をはじめとした公施設法人についても、国との契約によって複数年度の規律がなされている[144]。これらを通じて、一九七〇年代までのように、国が各港湾の事業計画の内容を細かく規律していたことが改められている。

このように、行政外部関係における契約と行政内部関係における契約とは、一応区別することは可能であるが、いずれも関係機関や関係人の《自律》と《責任》を前提とする意味で、契約の実質的な意義は両者のあいだで共通している。実際、近時のフランスの港湾法典改正（二〇〇四年八月一三日法律二〇〇四・八〇九号）においては、インフラ整備等の事業について国が地方公共団体に対して補助金等を交付するに際して、《成果目標契約（contrat d'objectifs）》を締結できるという規定が盛り込まれている（改正後の港湾法典L六〇一条の二）。この成果目標契約は、従来の行政内部関係における成果契約と実質的には同じ性質を有する[145]。

さらに最近では、租税に関しても、納税者との協働や効率的な租税運営を推進するために、《租税ガバナンス（gouvernance fiscale）》が論じられているが、その改善のためにも契約的構成が重視されている。まず、租税上の決定（法令の制定等）に関して納税者や関係団体の関与を求め、それらに対して情報を公開することを通じて、国と納税者とのあいだに存する《租税契約（contrat fiscal）》の理念を確立する必要があり、それを具体化するための制度として、租税法律（loi fiscale）の再生を図るべきであると主張されている。また、国会と政府の関係では、複数年度にわたる政府の租税政策に関して、《立法府に対する租税契約（contrat fiscal de législature）》を取り交わすことが提唱されている[146]。前者は行政主体と私人のあいだの契約であるのに対して、後者は行政主体内部の契約であるが、両者を通じて協議ないし契約の重要性が指摘されている。

一般に、行政上の契約にはさまざまな利点がある。まず第一に、契約の交渉や執行の過程を通じて、関係機関や関係人との協働作業が可能になる。第二に、契約には誘導の機能がある。とりわけ契約条項に評価の義務を取り込むことにより、契約当事者は次回の契約締結に有利な条件を得ることが動機づけられるので、成果を獲得することに対するインセンティブが付与される。第三に、法規範を事実上緩和することが可能になる。実際、フランスの計画契約や成果契約は、いずれも評価の条項を組み入れると同時に、予算毎年性の原則を事実上緩和し、複数年度にわたる予算管理を可能にするものである。このほか、後述のように、行政組織内部における集中と分散の均衡が図れるという利点もある（第三節二（二）（1）[83]参照）。その一方で、契約にどれだけの法的拘束力を認めるかは別途問題になるが、当事者のあいだに事実上の拘束力が生ずることは否定できない。

他方、契約的手法を重視すると、関係機関や関係人の交渉に基づいて規範が形成されるために、法規範が一般的規律から個別的規律に移行するという現象がもたらされる。また、後述の誘導的な機能を重視すると、《集団に対する規律》から《個に対する規律》に移行するという現象も見出される。[147]

わが国の行政法学では、一方的な行政行為に代えた契約的手法の可否が、さかんに議論されてきた。古典的な論点としては公害防止協定の許容性があるが、建築協定のように契約的手法が立法化された例もある（建築基準法六九条以下）。[148] これに対して現実的な視点に立つと、交渉に基づく効率性を確保するためには、一般に許認可において契約的構成を拡張する方途が考えられるところである。[149] また、補助金交付に際しても、フランスの計画契約にならって、政策評価の義務を取り入れた補助金交付契約の手法を採用する方途もありえよう。[150] これらは、行政外部関係における契約であるが、行政内部関係についても契約的手法は有益である。すなわち、行政主体と公務員の法律関係の性質については、行政組織法の体系との関係を含めて、ふるくから議論がなされてきたところであるが、[151] かりに公務員の地位について契約的構成を否定するにしても、行政機関ないし公務員の職に対して、予算措置を含めた《事業別の契約》という手法を事実上の措置として用いることは可能である。いずれにしても、ガバナンスの観点からさまざまな契約形態の妥当範囲や有効性を検討することが求められる。

[66]

（2）手続的規律と透明性原則

実体的な規律に代えて手続的な規律が置かれることも、ひとつの現代的な現象といえよう。とりわけ住民や関係団体の代表者からの意見聴取（consultation）の手続が重要になり、この種の手続的規定が彼らの協調をえるための柔軟な装置を構成する。国際法レベルでも、非政府組織（ＮＧＯ）の意見聴取などが制度化されつつあるが、フランスの国内法レベルでは、特に地方公共団体において、早くから国土整備に関する住民の意見聴取手続（enquête publique）が認められてきた(152)。また、二〇〇二年の近接民主主義に関する法律に基づいて、国土整備計画等について《公論（débat public）》を行うための制度が整備されている(153)。さらに、二〇〇三年三月二八日の憲法改正では、地方公共団体の議決事項等に関して、公共団体側の発意に基づき、拘束力を有する住民投票（référendum local）を行うことが認められるようになり（七二条の一第二項）、そのための組織法律が制定されている（二〇〇三年八月一日組織法律二〇〇三・七〇五号）(154)。このほか、二〇〇七年一月三一日に《社会的対話（dialogue social）》の改善に関する法律（二〇〇七・一三〇号）が成立している。同法律では、おもに国家協議委員会（Commission nationale de la négociation collective）を通じて、労働条件等に関係する政府の法令案などが労働者の代表者等に提示され、必要な情報が提供されるとともに、意見交換等がなされることが定められている(155)。

他方、政策評価についても、国民に対する説明責任の観点から、その内容を公表することが重要であり(156)、そのための手続が置かれることが求められる（一（三）（1）[52]に掲げたフランス国土交通基本法律一四条などを参照）。現在のフランスでは、二〇〇一年組織法律の定める手続によって、政策評価が予算・決算に組み込まれており、従来の評価作業を吸収している側面もある。このほか、契約的規律の重要性に対応して、法令が契約締結の手続を定める例もみられる（たとえば、計画契約の手続に関しては、一九八二年七月二九日法律八二・六五三号一一条に手続的規定が置かれている）。

一般にガバナンスにおいては、交渉の《公式化(officialisation)》ないし《定式化(formalisation)》のために手続的規範を設けることが重要となる。手続(ないしその結果)が公にされれば、関連する財政支出等について批判がなされることになるし、争訟の提起も可能になる。[157] ここでは、オーリウが《良好な行政》のために、納税者訴訟をはじめとした行政裁判制度を重視していたことが想起されるべきであろう(第一節一(二)⑥[30]参照)。

同時に、こうした手続的な適正さを担保するために、決定過程の《透明性(tranparence)》や、決定に関連する情報の《明瞭性(lisibilité)》を確保することが重要になる。[158] これらの諸原理については、オーリウやジェズが《公開性》の原理を重視していたことに、ひとつの起源を見出すことが可能であろう。[159] もともとフランスにおける透明性の原理は、おもに予算・決算や行政契約の問題を中心に論じられてきたところであり、一九九〇年代以降は、談合や贈収賄等の政治的な腐敗防止を図るという観点から、官公庁契約法典(Code des marchés publics)などの一連の法改正を通じて行政契約の手続的な透明性が高められている。[160] さらに二〇〇一年組織法律によって、国会等による《情報による財政統制》の理念が明確化され、透明性の原理がいっそう具体化されている。今後は、情報公開や情報開示の拡充とともに、行政全般について透明性の実質化を図り、国民に対する説明責任を充実させることが課題となる。

[67]

(3) 誘導的規範の重要性

近時では、行政全般において誘導措置が重視されている。法規範の内容が、《強制(contrainte)》ないし《規制(réglementation)》から《誘導(incitation)》に変化する傾向にあるともいわれる。[161] 誘導措置は、契約の場合と同じように、二つの類型に分けられる。ひとつは、行政と私人との関係における誘導措置であり、[162] 非課税・減免措置がその典型例であるが、補助金も同様の機能を有するし、手続的な誘導をする措置としては、コンプライアンス・プログラムなどがある。[163] いまひとつは、行政内部の誘導措置であり、成果契約が代表例であるが、国有財産の管理に関する誘導措置（（二）（4）[63]参照）もこれに含まれる。[164] 総じてフランスでは、行政外部関係と行政内部関係のいずれにおいても、契約的な構成が取られることが多い。

概して、行政における効率性は、個人や個々の機関の《働きぶり（manière de servir）》に依拠することが多いので、一般的な法的規律は効率的な管理の障害となることが多い。そこで、諸個人や個々の機関にインセンティブを付与することが重要となるが、[165] 契約的手法は、公務員たる個人や個別機関の自律と責任を前提にして、公務員らの選択可能性を前提としながら、公益に向けて関係人らを誘導することを可能にする。[166] 同時に、誘導の対象としては《集団》よりも《個》が重視されることになり、一般的規律が個別的規律に変容するという傾向が生ずる。さらに、インセンティブの裏返しであるディスインセンティブとして、公務員の個人責任などの諸制度を機能させることが課題となる。[167]

古典的学説との関係では、オーリウはつとに、インセンティブの重要性を指摘していた。すなわち、行政組織には公役務の《無意思性（automaticité）》や、公役務に関する組織的な賠償責任原理の存在ゆえに、誘導的な制度が欠けていることを嘆いていたのである（第一節一（二）③[27]）。同時に、オーリウが補助金を、公私の架橋をなす誘導措置と位置づけていたことも想起されるべきであろう。[168]

[68]

（4）　組織規範の変容

先にみたような、財政に関する規律（特に予算に関する規律）の緩和がなされても（（二）（1）[60]参照）、行政作用法上の規範や行政組織法上の規範が緩和されないかぎり、大きな効果は望めないという見方もある。[169] このうち、作用法的な規範については、前述のように契約的構成を採用することによって一定の修正が可能になる。他方、組織規範（とりわけ各省庁の局レベルの構成）については、フランスでは二〇〇一年組織法律による政策別予算の導入に伴って改善された例がみられる。[170] もっとも、会計検査院は、二〇〇一年組織法律の試行作業として編成された政策

[69]

別予算の問題点として、予算原理と組織原理の調整が不十分であることから、従来の組織原理に立脚した政策目標が予算上の目標と整合していない場面があり、今後は両者のあいだで一貫性を確保することが求められる、と述べている。(171)

組織規範に関する一般的な方向性としては、官公庁のセクショナリズムや、政府関係法人の事業特定原則(principe de spécialité)を緩和することが求められるであろう。特に後者の厳格さは、オーリウやアルダンらによって批判されてきたところであり、(172)近時のフランスでは実務上の解釈変更がなされていることが注目される。すなわちコンセイユ・デタは、商工業的な公役務を担う公施設法人(自治港公団など)について、当該法人の基本的任務を補充すると考えられる技術的・経営的な附帯事業であり、なおかつ当該法人の追求する公益に合致する場合には、関連企業の創設等は事業特定原則に反しない、という意見を述べている。この新しい判断をうけて、右の諸条件を取り込む形で、一九九〇年代の後半に港湾法典などの改正がなされており、同時にさまざまな許認可制度の緩和がなされている。(173)わが国では、特殊法人等の関連企業に関する規制は、もともとフランスほど厳しくはなかったが、その反面で、特殊法人等の創設などを通じて行政組織の肥大化がもたらされているという現実もあり、事業範囲や許認可等の弾力化とともに、効率的な組織管理が求められる点では変わりがない。(174)

(5) 公的管理と私的管理の接近

右の論点との関係で、より基本的な問題として、公的セクターがみずから事業を行う場合と私的セクターの事業とのあいだで、いかなる規範的な相違が認められるべきか、が議論される必要がある(地方公共団体における普通会計と公営企業会計の区分[85]⑤などを参照)も、これにかかわる問題である)。一般論として、現代的なガバナンスの観点からすれば、効率性が追求される意味では両者は接近しており、私的セクターによる事業との類似性を肯定せざるをえない(本章序説[21]をも参照)。理念的には、《自律》と《責任》に基づく管理が求められる点でも、共通している

（（1）[65]および（3）[67]のほか、（二）（1）[60]参照）。したがって、成果を重視するという観点から、予算・会計や財産管理などについて、両者に共通する規範を探求していくのが望ましい[175]。その反面で、公的な事務については、議会による政治的規律が強く求められるから、事業主体や業務内容に公的性格が強いほど、自律と責任の原理、ないし経営的な論理に修正が施されうる。オーリウにならっていえば、《公的性格の段階性》によって、さまざまな規律がありうるわけである（第一節一（二）①[25]）[176]。

なお、行政法的な論点としては、いわゆる公法・私法の二元論との関係で、民間委託などの法的規律において、民事法とは区別された《公法》的な原理が求められるか、が問題になる[177]。この論点についての詳論は避けるが、公的管理と私的管理にガバナンスの同質性が認められつつあることからしても、議論の方向性としては、《公法的規律》と《私法的規律》に二極化するのではなく、まさにオーリウが《公的性格の段階性》を示唆しているように、段階的な規範を定立していくことが求められよう。さらに、公的管理と私的管理の接近が求められつつも、それでもやはり公的管理には政治的統制の視点が重要であることに留意する必要がある（第三節二（一）（3）[82]）。

[70]

（6）ガバナンスにおける財政的規範の重要性

以上は、行政全般に通ずる現象であるが、公私協働のために契約的構成を採用するに当たって、最初に重視されたのは経済的要素であった[178]。また、誘導においても、金銭的な要素が中核となっている。すなわち、すでに概観したように、外部関係において誘導の手段として用いられるのは、多くの場合、租税・補助金・賠償責任等の金銭的な手段であり、また内部関係において誘導措置が取り入れられる対象と手段は、おもに予算等の財政的要素に関わっている。

さらに、手続的規律についていえば、予算会計上の規範は、その大部分が実体的な要素を含まない手続的な規定であり、立法政策上の当否はともかくとして、評価の手続（さらに理論的には、交渉の手続）を組み込むことも可能である。ここでは、「すべての行政活動を含み、かつ歳月の規律に最も強く結合しているのは、予算と会計である」という、オーリウの言葉が連想される。実際にオーリウは、予算会計手続をモデルとしながら、行政の手続的な構成を試みていったのである[179]。

加えて、透明性の原則をはじめとした現代的な法原則も、財政作用を媒介として展開してきたという歴史的経緯がある。説明責任の原則についても、国民主権原理から導かれるといわれることが多い[180]が、財政に関する憲法九一条も根拠とされるべきであり、歴史的な経緯としても財政に関する説明責任が先行していたというべきであろう[181]。このほか、財政規律の変化に応じて行政組織が変容していく現象が生じていることも、先に示したとおりである(4)[68]参照)。もともとガバナンス論においては財政が重要な関心事となっていることと合わせ鑑みると、財政的規範がガバナンス全般に通ずる法規範の先駆的な存在であることを肯定しうる場合が多いであろう。そこで、財政法上の原理を行政法上の原理にいかに浸透させ、両者の理論的な展開を図ることが、公法学の重要な課題になると思われる(第三節**二**(三)(1)[91]をも参照[182])。

(115) 政治的統制からの法的統制への変容については、木村・前掲(9)日仏法学二三号九二頁以下を参照。本章の以下の記述は、同論文における歴史的な認識を発展させたものである。
(116) 予算原則の歴史的変遷と現代の問題状況については、註(2)の拙稿のほか、木村・註(76)複数年度予算三二頁以下をも参照。
(117) 真実性の原則(二)(2)[61])を含めた会計に関する規範は、ジェズの学説においては政治的問題ではなく技術的問題とされていたが、その後、憲法レベルの規範として確立していった例である(二〇〇一年組織法律二七条以下)。それらが現代において政治的性格を有することにつき、第三節**一**(二)④[77]などを参照。

なお、予算便乗に関する学説・判例については、木村・前掲註（9）日仏法学二三号八五頁、九二頁を参照。

(118)　わが国の予算原則に関する代表的な記述として、河野一之『新版予算制度〔第二版〕』（二〇〇一年・学陽書房）一七頁以下、小林武『予算と財政法〔三訂版〕』（二〇〇二年・新日本法規出版）五四頁以下。通常は予算原則として上げられる諸原則を《財政通則》として整理するものに、杉村章三郎『財政法〔新版〕』（一九八二年・有斐閣）三四頁以下。それらの問題点の指摘として、断片的ながら、木村「行政上の債権の相殺（三・完）」千葉大学法学論集一四巻二号（一九九九年）八六頁、九二頁。

(119)　現行制度の概観として、小早川・前掲註（7）二一五頁、塩野宏『行政法Ⅲ〔第三版〕』（二〇〇六年・有斐閣）二九九頁以下。現行法上の諸論点につき、木村・前掲註（105）会計検査研究二九号六四—六五頁を参照。なお、ここでは、行政作用に関する公務員の個人的責任（塩野宏『行政法Ⅱ〔第四版〕』（二〇〇五年・有斐閣）二七七頁）の問題には立ち入らない。

(120)　このほかに、住民訴訟ないし納税者訴訟による財政統制があるが、これに関する日仏比較として、木村・財政法理論三三五頁以下、三五一頁以下を参照。

(121)　政治的統制から経済的統制への変容を略述するものに、R. Hertzog, 《La mutation des finances publiques : manifeste pour une discipline rajeunie》, RFFP, n°79, 2002, p. 267 et s. 本章の執筆にあたっては、同論文から多くの示唆を受けている。

(122)　参照、木村「会計検査機関による政策評価とその政治的障害——フランスの地方会計院改革をめぐって」内山忠明ほか編『自治行政と争訟』（二〇〇三年・ぎょうせい）四九五頁以下。

(123)　憲法院も、良好な公金使用（bon usage des deniers publics）が憲法的要請であるとしている（C.C. 26 juillet 2003, DC2003-473, Rec. p. 382, cons. 18）。

(124)　《良好な管理》に関する諸規定につき、木村・前掲（2）自治研究七九巻一一号九三頁を参照。

(125)　成果契約につき、木村・前掲註（2）自治研究七八巻九号七一頁を参照。行政内部の契約に関しては、このほか、後出註（145）の拙稿、内田貴「民営化と契約（一）」ジュリスト一三〇五号（二〇〇六年）一二六頁をも参照。

(126) 学説の対立につき、前出註（44）参照。その後の判例は、オーリウらの学説にならって、庁舎の公物性を認めるようになる（ex. C.E. 17 mars 1967, Ranchon, Rec. p. 131）。もっとも、特別の整備を必要としない建築物（公務員宿舎など）については私産として扱う判例も存在しており、公物の外延が不明確な状態であった。Cf. C.E. 4 octobre 1957, Ministre des travaux publics, Rec. p. 510 ; C.E. 11 mars 1987, Novise, AJDA 1987, p. 548.

(127) 庁舎等の公用物が公物であることを否定する見解として、佐々木惣一『日本行政法論・総論』（一九二四年・有斐閣）二五四―二五五頁。これを批判をする記述として、渡辺宗太郎『日本行政法要論・上巻』（一九三五年・弘文堂）一九一頁。同旨、美濃部達吉『日本行政法・各論上巻〔再版〕』（一九二一年・有斐閣）三四〇頁、同『日本行政法・下巻』（一九四〇年・有斐閣）七七七―七七八頁。なお、肯定説は、旧国有財産法（大正一〇年法律四三号）の制定によって、公用物が行政財産として整理されたことも理由としており、また、同法律を継承した現行の国有財産法のもとでは、庁舎の公物性を否定する学説は存在しないといえる。

(128) もちろん、行政財産の規律を緩和することによっても、同じ目的は達成できるが（国有財産法一八条二項参照）、今後の方向性としては、可能な限り規律を緩和したうえで、庁舎等の管理者に対して効率的な管理に向けたインセンティブを付与することが望ましいと思われる（後出(二)（4）[63]をも参照）。

(129) わが国では、公物の憲法規範に関する議論が皆無であることが、実務上の法改正に対する法律学からの発言を消極的にさせる一因になっているように思われる。この点を補うための試論として、木村「財政の現代的課題と憲法」長谷部恭男ほか編『岩波講座・憲法4』（二〇〇七年・岩波書店）一八二―一八五頁を参照。

(130) 筆者は、憲法九〇条一項が予定している法定の決算書に発生主義的財務諸表を含めることは憲法上の要請である、という解釈論を提唱したことがあり（木村・前掲註（2）自治研究七九巻三号四六頁）、本文に述べた考え方も、法定の決算書に《真実性の原則》を妥当させることを通じて、この立場を補強する趣旨を含むものである。ただし、筆者はこの解釈論に拘泥するつもりはなく、本文に示したように、憲法九一条の「国の財政状況について［の］報告」のなかに発生主義財務諸表が含まれる、という解釈論を採ることも別途可能であると考えている。その場合には、発生主義的財務諸表が法定の決算書としてではなく、国民（ないし国会）に対する情報提供のひとつとして義務づけられることになる。おそらく、後者の解釈論の方が、現在の通説的な立場からすれば、比較的無理なく受け入れられるように思われるが、前者の解釈論には実際上の利点もある（木村・前掲註（105）会計検査研究二九号五八頁）。

最近新たに制定された、特別会計に関する法律（平成一九年法律二三号）が、会計検査院の検査を経た発生主義的財務情報を国会に提出することを義務づけるとともに（一九条二項）、国民への開示を求めているのも（二〇条）、憲法九一条の趣旨を反映させたものと理解することができる。これらの原理は、一般会計についても、本来的には妥当すると考えるべきであろう。

もっとも、これらの発生主義的財務諸表の作成・開示が憲法上要請されていると解すると、従来、発生主義的財務諸表を作成していなかったことが憲法違反であるということになりそうである。しかし、少なくとも憲法九一条を根拠にする場合には、説明責任の内容や程度が時代に応じて変化するのと同じように、真実性の原則によって義務づけられる内容も、財務会計上の技術の進展によって変化するというべきである。また、企業会計においても、会計基準の変化に伴って財務情報の充実が図られている。したがって、今日では日本国憲法の制定直後よりも、多様な情報の整備が求められるはずである。また、憲法九〇条を根拠にする場合にも、広範な立法裁量は否定しえない。

いずれにしても、発生主義的決算書の法的位置づけを明確にすることが求められよう。これは財政法学の課題であると同時に、憲法学の課題でもあるというべきである。

（131）継続性の原則につき、木村・前掲註（2）行政管理研究一〇六号三〇頁。

（132）新しい財政原則と憲法の諸規定との関係につき、より一般的には、木村・前掲註（129）岩波講座一七四―一七九頁を参照。

（133）Hauriou, DC 1, p. 486 ; DC 2, p. 433. オーリウとともに述べるならば、財政の内部的統制は財政法の内部法性につながる要素であり、究極的には政治的統制によって担保される（木村・前掲註（2）自治研究七九巻二号九八頁参照）。

(134) 二〇〇一年組織法律の施行前から導入されている公用クレジットカードにおいては、すでに類似の包括的な支出会計処理がなされている。参照、木村「公会計における支出方法の一考察――ガヴァナンスカードの導入に向けて」千葉大学法学論集一七巻二号（二〇〇二年）一八頁以下。

(135) これらの内部統制の諸制度については、木村「フランスにおける財政制度の変容――日仏比較を交えて」手塚和彰ほか編『変貌する労働と社会システム』（二〇〇八年・信山社）三六八頁以下をも参照。Cf. N. Marion, La nouvelle comptabilité de l'Etat, RFFP, n°93, 2006, p. 37.

(136) Cour des comptes, Rapport sur les résultats et la gestion budgétaire de l'Etat, Exercice 2005, La documentation française, mai 2006, p. 34-35.

(137) 最近では、コーポレート・ガバナンスの観点からの内部統制に関する文献が多く出されているが、例として土田義憲『会社法の内部統制システム』（二〇〇五年・中央経済社）二頁以下、およびその参考文献を参照。

(138) 国公有財産の管理にあたってライフサイクル・マネジメントの視点が重要になることにつき、木村・前掲註（2）千葉論集二〇巻四号一四七頁を参照。

(139) 公金管理と財産管理の連続性については、国有財産の管理委託のあり方をめぐっても問題になる（木村・前掲註（2）千葉論集二〇巻四号九九―一〇〇頁を参照）。

(140) 参照、碓井光明『公共契約法精義』（二〇〇五年・信山社）三一〇頁。同書に引用された諸文献を含めて、ＰＦＩ法九条の趣旨については、自治法九六条一項五号との均衡をはじめとして、もっぱら《公金》管理の観点から記述されているようにみえる。

(141) 木村・前掲註（106）千葉論集二一巻三号一八―一九頁を参照。

(142) 一般に、法規範の柔軟化ないし弾力化は、経済的要素が伴われる領域（伝統的な行政法体系にいう公企業法・公用収用法・財政法）においては妥当しやすいのに対して、警察法の領域では当てはまりにくいといえるであろうが、警察規制的な領域でも、比例原則や平等原則等の諸原理に反しないかぎりで、誘導的手法等を用いて法規範を弾力化させることは考えられる（たとえば、理論的には、交通違反に対する制裁としての点数制などにも誘導的な趣旨を取り入れうる）。いずれにしても、こうした観点から行政作用の類型化を試みる必要があると思われるが、ここでは問題の指摘にとどめる。さらに関連して、木村「行政上の過料・反則金」前掲註（3）行政法の争点七五頁を参照。

（143）　シュヴァリエは、ガバナンスが法的規律と対立関係にあるとする一方で、ガバナンスの《法化（juridicisation）》として、《契約化（contractualisation）》と《手続化（procéduralisation）》を論じている。Chevallier, op. cit., Mél. Amselek, p. 191 et s.

（144）　港湾管理における計画契約につき、木村・前掲註（111）行政管理研究九五号二四頁以下。ちなみに港湾管理に対しては、フランスの会計検査院が継続的に厳しい評価を与えているところであり、一九九九年一〇月の特別報告書に次いで、二〇〇六年六月にも個別報告書が公表されているが、具体的な改善策として、国際競争を意識した戦略的な港湾政策を遂行するために、契約的手法を活用すべきことが指摘されている。Cf. Cour des comptes, Rapport public thématique : les ports français face aux mutations du transport maritime, juillet 2006, p. 156. 同書の紹介として、木村・学界展望・国家学会雑誌一二一巻一・二号（二〇〇八年）一七五頁以下。

（145）　木村「フランスにおける運輸行政の動向」千葉大学法学論集二一巻一号（二〇〇六年）一四六頁。

（146）　本書第三章第二節三（五）③[244]を参照。

（147）　法規範の個別化につき、Chevallier, op. cit., Mél. Amselek, p. 206. De même, Abate, 《La responsabilité des agents publics》, RFFP, n°86, 2004, p. 329 et s., en particulier, p. 332.

（148）　学説や制度の概観として、安達和志「行政上の契約・協定の法的性質」前掲註（3）行政法の争点三六―三七頁、大橋洋一「行政契約の比較法的研究」同『現代行政の行為形式論』（一九九三年・弘文堂、初出一九九二年）一二五頁以下。

（149）　許認可における契約的構成について、一般的な記述ながら、木村・前掲註（2）千葉論集二〇巻四号九一頁以下を参照。

（150）　補助金交付契約につき、木村・前掲註（2）自治研究七九巻九号一一五頁、同・前掲註（105）会計検査研究二九号六

七頁を参照。実務上の用法につき、たとえば、木村・判例解説・別冊ジュリスト『行政判例百選Ⅱ〔第五版〕』（二〇〇六年）四九四頁を参照。

なお、本文に述べたのは、機能的観点からの補助金交付契約の有用性であるが、現行の補助金適正化法のもとでの補助金交付契約の許容性につき、石井昇『行政契約の理論と実際』（一九八七年・弘文堂）八三頁以下、塩野宏「補助金交付決定をめぐる若干の問題点」同『法治主義の諸相』（二〇〇一年・有斐閣、初出一九九〇年）一七五頁以下などを参照。筆者の立場は、法解釈論上、補助金交付契約が補助金交付決定を排除しうると解することはできないにしても、補助金交付契約が事実上締結される場合を含めて、その有用性を積極的に認めるべきであるというものである。

（151）公務員の法的地位については、田中二郎『新版行政法中巻〔全訂第二版〕』（一九七六年・弘文堂）二四三頁以下、鵜飼信成『公務員法〔新版〕』（一九八〇年・有斐閣）七七頁、藤田宙靖『行政組織法』（二〇〇五年・有斐閣）二九六頁以下、塩野・前掲註（119）行政法Ⅲ二五〇頁以下などを参照。なお、公務員法は行政組織法とは異なる体系に位置づけられるべきことが主張されているが（藤田・同前七頁以下）、本文中に述べた契約的構成は、理論的には行政組織法と公務員法の双方のレベルで可能である。

（152）フランスの意見聴取手続については、わが国でも紹介が多いが、久保茂樹「フランス都市計画法における公衆参加手続の進展」青山法学三七巻二号（一九九五年）二五頁以下、亘理格「行政上の命令・強制・指導」岩村正彦ほか編『現代の法4・政策と法』（一九九八年・岩波書店）二六三頁以下などを参照。Cf. Gaudemet, op. cit., n° 622 et s, p. 308 et s.

（153）公共事業に際しての公論については、独立行政委員会として国家公論委員会（Commission nationale du débat public）が組織化され（二〇〇二年二月二七日法律二〇〇二・二七六号一三四条、環境法典L一二一条の一から一二）、そのための手続規定が設けられている（二〇〇二年一〇月二二日デクレ二〇〇二・一二七五号）。

（154）住民投票制度に関する基本的な文献として、P. Delvolvé, Le référendum local : loi organique du 1er août 2003, RFDA, 2004, n° 1, p. 7 et s.

（155）フランスの会計検査院は、港湾管理において、旧来の労働慣行のもとで効率的な人員活用ができないという問題があり、港湾管理者と港湾労働者の代表者等とのあいだでの《社会的対話》を通じて、港湾のガバナンスを改善する必要がある、と述べている。Cour des comptes, Rapport public thématique des ports, op. cit., p. 81-83.

（156）政策評価における公表の重要性につき、J.-Cl. Groshens et G. Knaub, 《A propos de la rénovation de l'évaluation》, Mélanges offerts à Gérard Timsit, Bruylant, 2004, p. 358-359.

（157）ガバナンスの論点として行政争訟制度を含める例として、G. Mastrallet et al., La réforme de la gouvernance fiscale, LGDJ, 2005, p. 129 et s. さらに、本書第一章第一節**一**（二）⑥[30]、第三章第二節**三**（四）②[241]をも参照。

（158）ガバナンス論においては、透明性の原則のほか、公平原則（principe d'impartialité）や比例原則（principe de proportionnalité）などの一般的な法原則が、行政全般に関して重要になることにつき、Chevallier, op. cit., Mél. Amselek, p. 205.

このうち透明性の原則に関しては、さまざまな議論の展開がみられるが、法の一般原則として行政立法の公表義務を認めたフランスの判例として、C.E. 12 décembre 2003, Syndicat des commissaires et hauts fonctionnaires de la police nationale, AJDA 2004, n°8, p. 442.

（159）オーリウ学説における公開性原理につき、第一節**一**（二）⑤[29]、木村・財政法理論一九〇頁を参照。ジェズの学説につき、第一節**二**（二）（1）②[42]および③[43]を参照。

（160）フランスの行政契約における透明性の原理につき、木村・前掲註（113）行政管理研究一一〇号五七頁以下、および後出註（248）を参照。わが国でも、行政契約などにおいて透明性の原則が掲げられている（たとえば碓井・前掲註（140）八頁、大橋・前掲註（5）行政法四三頁）。

（161）アバト＝木村訳・前掲註（35）行政管理研究一〇八号六―七頁。

（162）行政外部関係における誘導については、最近になって比較的議論が蓄積されている。おもな文献として、小早川・前掲註（7）二三一頁以下のほか、木村・財政法理論三七四頁に掲げられたものを参照。

（163）欧米の輸入手続などにおいては、コンプライアンス・プログラムが検討されており、政府との協定により、優良企業が手続的に保護される仕組みになっている。わが国にも特定輸出申告制度があり、財務省の定めるコンプライアンス・ルールに準拠することを条件として、輸入貨物を保税地区に入れずに輸入の許可がうけられる手続があり（関税法六七条の三参照）、その適用範囲とインセンティブ機能の拡大が課題とされている。また、認定事業者の制度のなかにも、同様の趣旨を含むものがある（鉄道事業法一四条など）。手続的な誘導につき、木村・前掲註（142）争点七五頁をも参照。

(164) 行政内部関係における誘導につき、木村・前掲註（2）自治研究八一巻一号一二七頁―一二八をも参照。

(165) 参照、清水克俊＝堀内昭義『インセンティブの経済学』（二〇〇三年・有斐閣）三〇七頁。

(166) 契約の誘導的機能に関する学説を概観するものとして、C. Vayrou, Management public et droit administratif, ANRT, 2000, p. 206 et s. 経済学的な分析として、赤井伸郎『行政組織とガバナンスの経済学』（二〇〇六年・有斐閣）七〇頁以下。

(167) ガバナンスの観点からすると、公務員の昇給停止や分限処分などの、いわば広義の個人責任の原理を効率性のために活用することが考えられる。また行政機関に対しては、予算配分の削減が、ひとつのディスインセンティブになりうる。Cf. A. Barilari, 《La réforme budgétaire et la responsabilisation des acteurs》, RFFP, n°91, 2006, p. 125 et s. この点については、別の機会に論ずることにしたいが、さしあたっての試論として、第三節二（三）（2）[92]を参照。なお、現行の公務員個人責任の制度に関する私見は、木村・前掲註（105）会計検査研究二九号六四―六五頁で整理している。
さらに、オーリウがインセンティブの観点から役務過失の問題点を指摘していたことにつき、第一節一（二）③[27]を参照。

(168) 参照、木村・財政法理論二五九頁。

(169) 伝統的な法規範や行政組織の障害につき、アバト＝木村訳・前掲註（35）行政管理研究一〇八号六―七頁を参照。

(170) 二〇〇一年組織法律の施行に伴う組織改編につき、木村・前掲註（2）行政管理研究一〇六号二八―二九頁、同・前掲註（2）千葉論集一九巻二号二〇四頁以下。なお、財務省においても、同組織法律の施行に伴い、国有財産管理の管理機関（（二）（4）[63]参照）をはじめとした大幅な組織変更がなされている。

（171）　これは、会計検査院の二〇〇五年度予算執行報告書におけるコメントである。Cour des comptes, Rapport sur la gestion budgétaire de 2005, op. cit., p. 34 et s. さらに、地方における国の出先機関等における問題点として、idem., p. 22, 46 et s.

二〇〇一年組織法律は二〇〇六年度から本格的に施行されており（六七条）、これに伴って決算に対する会計検査院の検査報告の枠組みも変化しているが（五八条四項参照）、二〇〇五年度予算については同組織法律が試行的な予算編成を予定していることから（六六条の一）、二〇〇五年度決算についても同組織法律の趣旨に照らした検査報告がなされている。新法のもとでも、予算単位の設定方法等は検査報告の本来の対象ではないが、会計検査院は、効率性等の観点から同組織法律の施行準備過程について踏み込んだ報告をしており、その一環として組織原理との関係での問題点に言及したわけである（cf. idem., p. 12 et 25）。ちなみに、以上は現金主義的決算に関する検査報告であるが、発生主義的財務諸表についても、同様に試行的な作成作業とそれに対する検査報告が公表されている。Cour des compte, Rapport sur les comptes de l'Etat, Exercice 2005, mai 2006.

（172）　Ardant, Technique de l'Etat, op. cit., p. 126 et s.; Hauriou, DA 10, p. 304-305, note.

（173）　公施設法人の事業特定性の原則に関するコンセイユ・デタの意見として、C.E. Ass. avis, 7 juillet 1994, RFDA 1994, p. 1146. その具体的な意義につき、本書第四章第二節二[266]、木村・前掲註（2）千葉論集二〇巻一号一四四―一四五頁を参照。

（174）　特殊法人を実質的な国の分枝的な機関とみなしたことが、特殊法人の硬直化や官僚化の原因であるという指摘として、塩野宏「特殊法人に関する一考察」同『行政組織法の諸問題』（一九九一年・有斐閣、初出一九七五年）二一頁。

（175）　たとえば、国公有財産につき、私人と同じく所有権を基礎にした構成が図られるべきことにつき、木村・前掲註（106）千葉論集二一巻三号六頁以下、同・前掲註（129）岩波講座一八四―一八五頁を参照。これらの拙稿は、公物管理権を所有権に求める見解（塩野・前掲註（119）行政法Ⅲ三三一頁以下）に近いところがあるが、憲法解釈との関係から、かかる公物管理権が私人の所有権と異なる理由を明確にし、その理論的基礎を与えることを意図している。

なお、逆に民事の領域においても、公的管理と同じような規範が設定されることがある。たとえば、弁護士の顧客に対する義務が民法上の委託関係に基づく義務とされながら、説明責任の観点を重視した判決として、最判平成一八・九・一四判例時報一九五一号三九頁。

(176) 参照、木村・財政法理論二〇九頁、二四一頁以下、三三四頁。この関連で参照されるべきは、オーリウの《行政法の自律性》論であるが（磯部・前掲註（27）行政法学史二七一頁）、筆者の理解としては、前掲拙書二二一頁以下を参照。総じてオーリウは、《行政法の自律性》を主張することを通じて、公法的規律と私法的規律の相違を述べる一方で、公的性格の段階性をも主張しており（同書二〇九頁）、公企業特許に関する法律関係を含めて、公法的規律と私法的規律の融合を示唆していると考えられる。

(177) この問題に触れる記述として、磯部・前掲註（5）塩野古希六六頁、橋本博之『「競争の導入による公共サービスの改革に関する法律」案について」自治研究八二巻六号（二〇〇六年）三七頁など。さらに、内田・前掲註（125）論文（六・完）ジュリスト一三一一号一四八頁をも参照。

(178) 契約的手法が最初に当てはめられたのは経済的分野であり、国家が私的セクターの経済力との協働を図るための道具として契約が用いられたことにつき、Chevallier, op. cit., Mél. Amselek, p. 200. De même, J.-P. Gaudin, Gouverner par contrat, 1999, p. 104 et s.

また、伝統的な行政契約の一類型である《公役務の特許（concession de service public）》においても、財政支出の削減という意義が認められてきたところである（木村・前掲註（2）千葉論集二〇巻四号一〇八頁）。

(179) 予算会計制度の手続的性格につき、木村・財政法理論二八三頁以下を参照。Cf. Hauriou, DP 2, p. 160-161.

実際、日本国憲法の財政に関する規定（第七章）のほとんどは手続的な規定であり、八九条を除くと実体的要素は乏しいといえよう。ただし、同条をはじめとした諸規定の実質化を図る必要があることにつき、木村・前掲註（2）自治研究八〇巻九号八九頁以下を参照。

(180) たとえば、宇賀・前掲註（5）行政法概説Ⅰ五二—五三頁、本多滝夫「行政スタイルの変容と説明責任」公法研究六五号（二〇〇三年）一八五頁。

(181) 本文（二）(2) [61]のほか、木村・前掲註(129)岩波講座一七六頁を参照。コーポレート・ガバナンスにおける透明性ないし説明責任につき、本文（二）(3) [62]を参照。

なお、現在のフランスでは、基本的には一九七八年七月一七日法律（七八・七五三号）に基づいて情報公開がなされており、行政と市民の関係の改善を図る制度であるとされるが、沿革的には、予算会計情報の公開に関する一八八四年四月五日法律五八条に起源をもつものである。

(182) ここで個別の行政領域について具体的な記述をする余裕はないが、オーリウの財政的関心が現代の港湾行政におけるガバナンス論につながっていることにつき、本書第四章二[266]以下を参照。

第三節　政治的要素と経済的要素の統合に向けて

[71]

前節にみたように、現代行政においては経済的要素が重要になっており、財政に関しても政治的統制から法的統制ないし経済的統制に重点が移動している。それにもかかわらず、特に財政の領域では、第一章で述べた政治的な要素が色濃く残っていることに留意する必要がある（一）。そこで、政治的要素と経済的要素の結合を図ることが、財政法学を含めた公法学全般にとって重要な課題になるであろう（二）。これはきわめて緻密な分析を要する問題であるが、以下では制度的な観点を中心に、試論的に述べることにしたい。

一　公法における政治的要素の残存

財政作用に関して政治的要素が残存していることを明らかにするために、ここでは、会計検査院の法的地位に関する問題(183)と、財政上の規範の性質に関する問題を、順に論じておくことにしよう。また、これに関連して、財政法学のあり方について付言しておく。

(一)　会計検査院の法的地位

会計検査院の法的地位を考察するにあたっては、フランスの会計検査院の起源とその変容に触れておくのが適当である。なぜなら、沿革的には、日本の会計検査院は同国の検査院をひとつの重要なモデルにしており、また両国の会計検査院をめぐる今日の問題状況も類似していることからすると、フランス法の理解が日本法に応用できると考えられるからである。

[72]

(1)　会計検査院の沿革

フランスの会計検査院は、もともとは国家元首（chef de l'Etat）の附属機関であった。すなわち、大革命以前に国王の附属機関として存在していた会計検査機関を、一八〇四年にナポレオン一世が復活させたという経緯がある。こうして誕生したフランスの会計検査院が、日本の会計検査院の創設にも影響を与えている。すなわち、現行憲法九〇条一項は、会計検査院の検査報告は内閣を通じて国会に提出されることを規定しているが、この手続は、第二次大戦前の旧憲法下において会計検査院が天皇直属の機関であったという沿革に由来するものである（旧会計検査院法一条参照）。この点では、英米の会計検査院が、国会の附属機関として誕生したのと相違する。

ところが、最近のフランスでは、会計検査機関が国会の《補助機関（auxiliaire）》ないし《情報提供機関（informateur）》として活動することが重視されている。すなわち、国会には財政情報を収集・分析する能力が十分に備わっていないために、国会が財務の専門機関である会計検査院に助力を求め、特に検査院の政策評価的な活動の成果を活用することが重要になっている。同国では、会計検査院の機能として、伝統的な会計検査と並んで、政策評価的なマネジメント統制があるとされるが、現代では後者の比重が高まっており、その機能が国会による財政統制と結合的に捉えられることが多いわけである。

フランスの二〇〇一年組織法律においては、国会が会計検査院に対して具体的な調査を要請することが認められており、会計検査院はそれに対して八ヶ月以内に報告する義務を課せられている（五八条一項二号）。その反面で、国会が会計検査院の検査計画に関与することは認められないなど、会計検査院の独立性からして一定の制約が存在することが、憲法院の判例によって明らかにされている[184]。

フランスでは、会計検査とマネジメント統制が概念的に区分されているために、会計検査院が国会を補助する機能は、検査院が裁判機関としての地位を有すること（第二節二（一）（1）②[57]）とは切り離して考えられることが多い。また、伝統的な会計検査においても、会計検査院の検査報告をもとに最終的に判断するのは国会であると考えられているのであるから[185]、いずれの場面でも、会計検査院と国会のあいだに一定の補助的関係があることは否定できない（後出（二）②[75]をも参照）。

[73]

（2）　日本法における会計検査院の位置づけ

これに対して日本では、一九九七年の法改正によって、国会から会計検査院に対する検査要請が認められたもの の（国会法一〇五条、会計検査院法三〇条の三）、会計検査院の報告義務はないと解されている。フランスと比較すると、日本では国会の補助機関的性格が必ずしも重視されておらず、実際の検査要請も少ないのが現実である。この理由として、日仏両国のあいだで憲法の規定の仕方に違いがあることも、あげられなくはない。すなわち、フランスの第五共和制憲法では「会計検査院は……国会を補助する」という文言が存在するのに対して（四七条六項）、日本ではこの種の規定がないことは、一見すると大きな相違である。しかし、わが国の憲法八三条の財政民主主義の実質的な趣旨は、《情報による統制》の意義であると解されるから（後出二（一）（1）[80]参照）、その実質化のために会計検査院を、国会の情報提供機関（ないし情報分析機関）として位置づけることが求められる。実際上も、会計検査院にこの種の現代的な機能が要請されることは疑いないところであろう。(186)

したがって筆者は、会計検査院を国会の補助機関として位置づける見解を好意的にみている。ただし、右に述べたのは、筆者の憲法解釈（とりわけ八三条の趣旨解釈）に基づいた理念的な帰結であり、実際の制度設計においては、会計検査院の自律性をはじめとして、さまざまな考慮の余地がありうることを強調しておきたい（後出二（二）（2）②[88]参照）。いずれにしても、右に述べたところからして、会計検査院による会計検査と政策評価（マネジメント統制）のあいだには、国会の関与の仕方に相違が認められるべきであるから、両者を概念的に区分することには、一定の合理性があると思われる。(187)

他方、一九八二年に創設されたフランスの地方会計院については、しばしば政治的権力との対立がみられる。特に、その政策評価的な機能が地方政治家の圧力によって縮減されている。法制度としても、二〇〇一年一二月二一日法律（二〇〇一・一二四八号）により、地方会計院が選挙期間中に所見を公表することが禁じられるようになった（改正後の財政裁判法典L二四一条の一一第六項）。(188) 学説上、これは必ずしも好ましい姿ではないと評価されているが、(189) 現実的な観点からすると、一般に会計検査機関の評価的機能は、政治的な判断との調整が求められることになるのであり、後述するように、この点は国の場合の会計検査院についても同様である。

なお、近時の会計検査院法の改正（平成一七年法律一一二号）により、会計検査院から国会および内閣に対する報告が随時なしうるようになったことは（三〇条の二）、右のような会計検査院の役割に照らしても、また継続性の原則（第二節二（二）（２）[61]）に適合した財政の継続的統制の観点からも、評価されるべきであろう。

[74] （二）　財政上の法規範の本来的性質

財政上の法規範において、いまなお政治的要素が残存しており、さらには伝統的な学説が述べるところ以上に、政治性が求められている側面もある。その証として、次のような法原理や法制度をあげることができる。[190]

①　まず、伝統的な学説において、決算の違法性に対する制裁としては、出納職員等の個人的賠償責任と並んで、各省大臣の政治的責任ないし個人的賠償責任があると考えられてきた。また、財政法の内部法性（たとえば、国や地方公共団体が予算を超過して契約を締結したとしても、当該契約は当然には無効にならないことなど[191]）を認める根拠としても、政治的統制ないし大臣の個人責任の存在があげられてきたところである。[192] これらの原理は、出納官吏のみならず予算執行職員等にまで賠償責任が拡張された日本の現行法においても、基本的には妥当すると考えられる。

さらに、フランスの二〇〇一年組織法律においては、予算執行権限の分散が理念とされながらも、政治的な責任を負う各省大臣が原則的な命令官（支出負担行為担当官）であるという伝統的な原則が維持されている。しかも、大臣等の政治的職員は、予算財政懲罰院によって制裁をうけることはない（財政裁判法典L三一二条の一第二項）。前者については、日本法でも同様である（会計法三条、一〇条参照）。これらの諸制度は、決算における政治的責任が、いまなお理念的には重要であることを裏づけるであろう。

[75] ②　第二に、出納官吏等の個人的な賠償責任を政治的機関が減免できるという制度がある。フランスでは、会計検査院が会計官の個人責任に関する欠損判決（arrêt de débet）を下したのちに、不可抗力等の事情を考慮して、財務大臣が減免（remise）をすることが認められている（一九六三年二月二三日法律六三・一五六号六〇条九項、一九六四

年九月二九日六四—一〇二二号デクレ六条)。この場合の会計検査院は、裁判機関として《判決》を下すのであるが、政治的機関である財務大臣の判断によって裁判機関の判決の内容が修正されるのであり、《二重裁判制度(double juridiction)》といわれる[193]。この原理についてジェズは、会計検査院の判断は《会計官に対する裁判》ではなく、《(会計官の作成する)会計書類に対する裁判》である、という説明を与えてきたところであり[194]、現在の学説もかかる説明方法を継承しているが[195]、沿革的には、共和国大統領に対する恩恵的減免(remise gracieuse)の申立てとして認められてきた制度であり(一八六二年五月三一日デクレ三七〇条)、財政に関する政治的判断の優越性を物語っている。

[76]

この種の制度は、フランス法を継受した日本の現行法にも存在している。すなわち、出納官吏等の個人的賠償責任を国会ないし地方議会の議決によって減免することが、財政作用全般に認められている(会計検査院法三二条四項、予算執行職員の責任に関する法律七条、地方自治法二四三条の二第八項)。損害賠償の制度としては、きわめて例外的な制度であり、財政作用の特殊性とその普遍性を示している。

もっとも、かかる減免制度の当否が立法論的に適当かは別途問題になるが、この問題は予算執行職員以外に対して賠償責任が認められるかという論点に関わっており[196]、また実際的にみても一般職員に対する賠償責任の追及は困難であること、効率性などの公益上の必要性から減免が求められる場合もあることなどを考えあわせると、予算執行職員の賠償責任を政治的機関の判断によって減免を認める制度には、一応の合理性があると思われる[197]。

③ さらに、予算の内容については、政策評価の結果を含めて、政治的な判断に依存するところが多い。とりわけ、フランスの計画契約や成果契約をはじめとした、予算措置を伴う複数年度契約(第二節二(三)(1)[65]参照)については、法的な観点からすると、翌年度以降には効力を有しないと考えられており、それを事実上継続するか否かは、政治的な判断に依存せざるをえない。また、この種の契約の不履行に対する制裁は、損害賠償の可能性を別

にすれば、政治的な要素によらざるをえない[198]。筆者は、日本においてもこの種の複数年度契約を採用することは有益であると考えているが、予算単年度主義の原則からすると、事実上の契約という性格づけは免れられないところであり、それゆえにこそ、実務においては否定的な立場がとられているわけである。

[77] ④　このほか、現代では公会計（comptabilité publique）が政治的問題とされる傾向が生じていることも、あわせて指摘できる。すなわち、ジェズの時代には、予算と区別された意味での会計や決算は、もっぱら技術的な問題であると考えられていたが（第一節二（一）（1）⑤[37]参照）、近時では、国会をはじめとした政治的な議論の場においても公会計の重要性が主張されており、公会計の整備に大きな影響を与えている。民間企業においても、今世紀に入って、エンロン事件やワールドコム事件をはじめとして、会計書類の作成が単なる財務情報の開示であるにとどまらず、経営者の一種の政治的な責任にまで発展している。ただし、このことは、すぐれて現代的な現象であると考えるのは必ずしも適当でない。なぜなら、フランスでも、大革命直後（とりわけ一八一四年まで）は、決算制度が未発達であったために、議会は会計制度の構築に関心をもち、会計に対する統制を充実させることを意図したのである[199]。その意味で、公会計の政治問題化という現象は、歴史の揺り戻しといえるであろう。少なくとも、公会計は政治的問題となりうるのであり、その程度は時代に応じて変化しているというべきである。

さらに、こうした観点からすると、現代においては会計を予算制度から独立させて捉えることに疑問が生じてくるのであり、結果として広義の会計（公会計）概念が重要になると思われる。そこで、予算・決算を含めた公会計全般について、政治的統制のあり方が問題とされるべきことになる[200]。

[78] ⑤　以上が、財政上の規範における政治的要素、ないしその政治的観点の重要性であるが、それに関連して、財政に関する学説の一般的展開について、ごく簡単に述べておこう[201]。右にみたような財政の政治的問題は、フランスでは「財政論（finances publiques）」の複合的要素のひとつとして論じられてきたところである。ジェズが政治的

観点からの財政研究を重視したのも、まさにこうした事情を考慮したためであり、彼はそれをもとにして総合科目としての財政研究の基礎を築いたのであった。(202) 結果的にみれば、かかる複合科目としての「財政論」を展開したフランスの方が、ドイツ公法学を継受したわが国よりも、財政研究が発展していることは否めないであろう。さらに、今日のフランスでは、財政に関する法規範や裁判的統制の拡充（第二節二（一）（1）①[56]および②[57]）によって、法学的研究の領域が拡大しており、政治的判断の枠付けを含めた考察がなされている。財政研究が発展途上にあるわが国でも、この種の規範を拡充することが法律学の課題とされるべきである。

(183) 会計検査院の法的地位についての本文中の記述は、木村・前掲註（2）自治研究七九巻三号五〇頁以下に述べたところの基本的部分を、本章の問題意識に即して再構成したものである。参考文献については、前掲論文に掲げたものをあわせて参照ねがいたい。
(184) C. const. 25 juillet 2001, DC2001-448, Rec. p. 99, considérant 107.
(185) 問題状況につき、木村・前掲註（122）四九九頁以下をも参照。
(186) 会計検査院の補助のもとで国会が財政統制をすることを重視する見解として、たとえば、A. Barilari, Le consentement de l'impôt, Presse de Science Po, 2000, p. 105.
(187) 会計検査と政策評価の概念区分の意義につき、木村・前掲註（105）会計検査研究二九号六三—六四頁を参照。
(188) フランスの地方会計院によるマネジメント統制に政治的障害があることにつき、木村・前掲註（122）五〇一頁以下。
(189) J. Vincent, G. Montagnier et al., Institutions judiciaires, Dalloz, 7 éd., 2003, n°474-4.
(190) 財政における政治的規律の重要性についての詳細は、木村・前掲（2）自治研究七九巻二号九七頁以下を参照。
(191) フランス法において先例とされる判決として、C.E. 28 mars 1924, Jaurou, DP, 1924. 3. 29. Cf. P. Amselek, 《Sur le particularisme de la légalité budgétaire》, Revue administrative, 1970, p. 653 et s.

ただし、判例上、公務員の俸給等が予算計上されて、役務の執行が開始されたときには、公務員の俸給請求権が肯定されるとした例もある（C.E. 24 janvier 1896, Ville de Narbonne, Rec. p. 65）。バルテルミによれば、この判例は公務員の《正当な期待権（légitime espérance）》を認めた例であり、予算が《客観法（droit objectif）》であるという原則の例外を構成する場面である。J. Barthélemy, Essai d'une théorie des droits subjectifs des administrés dans le droit administratif français, 1899, p. 173-175. Cf. Hauriou, DA 3, p. 695.

（192）Hauriou, DA 8, p. 905, note 1 ; Jèze, PG, 3 éd., tome 1, p. 81-82. Cf. Hauriou, DA 9, p. 970-971, note.

（193）P. Weil, 《La règle de la double juridiction en matière de responsabilité des comptables publics》, RSF, 1950, p. 574.

（194）Jèze, CESF, 1909, p. 308-310.

（195）ex. J. Magnet, La Cour des comptes, 5 éd., 2001, p. 165.

（196）学説の状況につき、塩野・前掲註（119）行政法Ⅲ三〇一頁を参照。

（197）住民訴訟四号請求の提起後に、地方議会の議決によって職員に対する賠償請求権が放棄されうるとした裁判例として、東京高判平成一八・七・二〇判例タイムズ一二一八号一九三頁がある。この判決も、減免制度との関係で評価されるべきである（参照、木村・判例評釈・会計と監査二〇〇七年一〇月号一九頁以下）。

（198）Y. Madiot et J.-L. Gousseau, Collectivités locales et développement économique, Dexia, 2002, p. 118 et s. 一般に、公的領域における契約のサンクションが政治的であることにつき、Gaudin, op. cit., p. 77.

さらに地方公共団体については、ＰＦＩ事業を含めた財務事項について、幅広く議決が求められていることにも、留意すべきであろう（自治法九六条一項、第二節二（二）（４）[63]および本節二（一）（２）[81]を参照）。

（199）大革命以降の決算制度につき、木村・財政法理論三〇五頁以下を参照。現行の決算制度の諸問題につき、木村「決算制度」日本財政法学会編『財政法の基本問題〔財政法講座1〕』（二〇〇五年・勁草書房）五七頁以下をも参照。

（200）広義の公会計概念につき、木村・前掲註（105）会計検査研究二九号六〇―六一頁のほか、同「行政の効率性について

――実定法分析を中心とした覚書」千葉大学法学論集二一巻四号（二〇〇六年）一八七頁をも参照。

(201) フランスの財政研究史についての詳細は、木村・前掲（9）日仏法学二三号五九頁以下を参照。

(202) Cf. Bouvier, op. cit., Mél. Amselek, p. 142. さらに、木村・前掲註（9）日仏法学二三号七九頁以下をも参照。

二　政治的要素と経済的要素の統合のための技術的手法

[79] 現代国家の財政に関しては、伝統的な政治的観点に代わって、次第に経済的観点が重要になりつつあるが、後者については、しばしば専門技術的な知見と分析が要求されるから、政治過程においては直接的な議論の対象にはなりにくい。そこで、政治的要素と経済的要素の関係が問題になり、両者の調整を図るためにも法学的な分析が求められる。また歴史的にみると、経済的観点の重要性が高まるのと並行して、政治的統制が法的統制に置き換えられる傾向が生じており、そのために法規範を具体化する努力も求められる。そこで以下では、かかる問題意識をもとに、議会の役割をはじめとした組織的な観点を中心にして、政治的要素と経済的要素を統合させるための法的技術について論ずることにしよう。

（一）　財政に関する議会の役割

[80] はじめに、国会や地方議会の役割について、基本的な原理を述べたうえで、右のような経済的観点との関わりから、いくつかの具体的な問題点を検討することにしたい。

(1)　基本的な原理

財政の経済的要素に関しては、ジェズの述べるように、《技術者》の役割が重要になる（第一節二（二）（1）①

[41]）。ジェズのいう《技術者》は政治家ないし統治者との対比で用いられた概念であり、現代行政においては技術者集団として行政組織（官僚機構）を含めることができるから、この問題は国会と政府の関係をいかに構成するかという問題に関わってくる。

伝統的な考え方によれば、議会の中心的役割は、予算に関する《決定（décision）》であり、原則的には各年度に一回なされるにすぎないものであった。これに対して、私見によれば、議会の中心的な役割は、財政作用の継続的な《統制（contrôle）》にある。つまり、予算上の決定（オーリウのいう執行的決定）については、議会に対して必ずしも多くの権限を付与する必要はないのに対して、財政作用（同じく執行的決定の執行）に関しては、議会が継続的に統制する必要が生ずる。さらに、こうした継続的な統制を担保するために、会計検査院をはじめとした関係機関を通じて、必要な情報の提供やその分析を議会に享受させることが重要になる。言いかえれば、《情報による統制》が、財政民主主義（憲法八三条）の本質になるのである[203]。

フランスの二〇〇一年組織法律は、まさにこうした考え方を基礎にしている。すなわち同組織法律は、国会に対して《決定》の権限（具体的には、予算案の増額修正権や、年度途中の予算修正の承認に関する権限など）を多く与えているわけではないが、その反面で、国会は、予算の執行に関する情報提供（予算の流用に関する報告・説明など）を十分にうけられるように配慮されている（五〇条以下）。政策別予算の採用によって予算の縛りを弱めたこと（第二節一（一）[46]）も、国会両院の財政委員会に広範な調査権が認められたこと（五七条）とあわせて理解される必要がある。

ここで古典的学説と関係について述べておくと、右の考え方の起源は、議会の役割は《決定》ではなく《統制》であるとした、ジェズの学説に見出すことが可能であり（第一節二（二）（1）②[42]）、オーリウにも同趣旨の考え方がみられる[204]。また、このような実質的な財政民主主義のためには、オーリウやジェズの述べるように、議会と政府のあいだの《協働》ないし《協調》が不可欠となる（第一節一（二）⑤[29]および後出（二）（2）①[87]参照）。さらに、財政に関する議会の役割を考察するにあたっては、オーリウのいう《執行的決定（décision exécutoire）》とその《執行（exécution）》の区分が重要な視点を提供している。オーリウの執行的決定の概念は、一方的行政行為と同視されがちであるが、予算許容費の配賦が執行的決定のひとつとされていることに注目すべきであり、実際、彼の予算論は執行的決定の理論のモデルになっていたのである。[205]

かくして、行政機関や会計検査院などを通じてえられた経済的分析を、政治的な正統性を有する議会が継続的に統制していくことが重要になる。このことは、今日のフランスの学説が次のように記していることと、基本的には同一である。すなわち、「予算決定のプロセスを、経済的な論理のなかに統合することが重要である。前者の予算決定プロセスを枠付けることは、財政法の基本的な役割とされてきたところであり、財政法は、民主主義の伝統に含まれるという意味で、本質的に政治的な法である。これに対して、後者の経済的な論理は、第一義的には経営的な論理である。[206]」かくして、政治的な論理と経済的な論理を統合させるために、財政の法理論を再構築し、その実定法化を図ることが求められるのである。[207]

（2）議決の実際的な意義

右のような理解を前提としたうえで、国会や地方議会の議決の意義に関して、いくつかの試論を提示しておくことにしよう。ほんらい、それぞれの論点については詳しい論述を要するところであるが、以下ではごく一般的な考え方を示すにとどめる。[208]

① 租税法律主義について、概して従来の憲法学は憲法八四条の射程を広げることに積極的であったが、筆者の立場によれば、議決が本質的な要素ではなく、金銭徴収を広く国会の有効な統制のもとに置くことが重要となる。結果として、租税法律主義の妥当する範囲が狭くなる可能性もあるが、議決の範囲を拡張することよりも、真実性の原則（第一章第二節二（二）（2）[61]を参照）などによって、国会や地方議会に対する情報提供の実質を確保するこ

とが重要であり、憲法第七章も後者の方向性を許容していると解される。この点で参照されるべきは、国民健康保険の保険料に関する最大判平成一八・三・一民集六〇巻二号五八七頁である。同判決は、条例で保険料に関する詳細を定めていなくても、「予算及び決算の審議を通じて議会による民主的統制が及ぶ」ことをも考慮して合憲判断を下しているが、これは筆者のような財政民主主義の理解に親和的であるともいえる。

② 財政投融資計画については、長期財政融資資金の運用等に対して国会の議決が求められるのと異なり、国会への提出のみで足りるとされていること（財政融資資金の長期運用に対する特別措置に関する法律五条参照）に対して批判がありうるが、これも国会への情報提供や財務諸表等を充実させることで代えられる場面が多いであろう。

③ 補助金については、法律の留保の範囲を拡大して根拠規範を求めるべきであるという見解が有力に主張されているが、法律の根拠を不要とする実務を前提にするならば、国会への情報提供を充実させること、あるいは議会の内外の専門委員会等における審理によって統制を図るという方途も考えられる。また現代においては、補助金の有効性等の評価が重視されており、社会的な受容を高める観点からすれば、かかる実質的な評価の方が形式的な根拠法令以上に重要であるといえるので、それに関して十分な情報提供がなされているかどうかを補助金交付の適法性の要件にするという考え方もありうるであろう。

④ 社会保障の財政再計算は、現行法上、公表の対象とされており、情報開示の実質は確保されているが（国民年金法四条の三、厚生年金保険法二条の四など）、理論的には、社会保障財政の重要な情報として、国会への提出を義務づけ、必要な追加情報の提供が求められるべきであろう。

⑤ さらに、憲法八三条の基本的な趣旨が《情報による統制》であるとすれば、議会ないし議員の《情報徴収権(droit à l'information)》が重要になる。このことは、国の財政のみならず、地方財政においても変わりはない。この点、フランスの一般地方公共団体法典は、「市町村議会のすべての構成員は、議会の権能の範囲で、議決（délibération）の対象となる市町村の事務について情報提供をうける権利を有する」と定めている（L二一二一の一三条）。この規定は、議員の《情報徴収権》を認めたものと解されており、かかる概念を用いた判例が蓄積されている。[209]この問題は、日本の地方財政に置き換えると、地方自治法九六条の議決の範囲等に関する議論にほぼ対応する。いずれにしても日仏両国では、国の財政については、この種の問題を拾い上げる争訟制度が整備されていないので、以下では、おもに地方財政を素材にして、日本法の解釈論をやや詳しく述べることにしたい。

地方自治法は、公有財産を低廉な譲渡や貸付の対象とする場合に、議会の議決を求めている（九六条一項六号、二三七条二項）。かかる規定の趣旨について、最高裁は、「適正な対価によらずに普通地方公共団体の財産の譲渡等を行うことを無制限に許すとすると、当該普通地方公共団体に多大の損失が生ずるおそれがあるのみならず、特定の者の利益のために財政の運営がゆがめられるおそれもある」と述べている。そのうえで最高裁は、議決の方式について、やや厳格な態度をとっており、「地方自治法二三七条二項の議会の議決があったというためには、当該譲渡等が適正な対価によらないものであることを前提として審議された上当該譲渡等を行うことを認める趣旨の議決がされたことを要求するというべきであ」るとしている（最判平成一七・一一・一七判例時報一九一七号二五頁）。

低廉譲渡などの場合に議決を求める趣旨として、最高裁の述べるように、地方公共団体の損失の発生防止と、特定の者との癒着禁止という、二つの要素があることは自然な理解であるが、[210]私見によれば、究極的には《情報による統制》の理念に基づく制度である。したがって、実質的に議会に情報提供がなされる必要があるから、議会の構成員が対価によらない取引であることについて認識をもつ必要がある。これは、フランス法にいう《真実性の原則》からも導かれるところであり（第二節二（二）（2）[61]参照）、右の判決の後半部分には基本的に賛成できる。議決にあたって必要な資料の提出が拒否された場合や、虚偽の情報が提示された場合（後者の事情を考慮した例として、大阪高判平成一〇・七・二八判例タイムズ九九八号一三五頁）など、実質的に議会の情報徴収権が害された場合にも、同様に違法と評価されよう。その一方で、かかる実質がみたされているかぎり、議決の形式については特に限定する必要はない。したがって、たとえば予算の議決のなかで低廉譲渡の承認がなされたときにも、議決の要件をみたすというべきであろう。最高裁も、特に議決の手続等について形式的な限定を付していないことからすると、同じ立場をとっているようにみえる。

また、こうした観点からすると、最高裁のいう制度趣旨のうち、損失発生の有無（低廉譲渡に該当するか否か）については、実質的に判断する余地がある[211]。地方自治法九六条一項六号にいう「適正な対価」は、基本的には、当該取引における具体的な諸事情を考慮して、相手方に不当な利益を生ぜしめないような客観的に公正な価格を意味するが（東京地判平成七・一一・三〇判例地方自治一四八号三三頁）、裁判例において首長に一定の裁量が認められていることも（東京地判昭和五七・七・一四行裁集三三巻七号一五〇二頁）、右の観点から肯定できる。さらに、将来的な費用支出との関連も考慮しうるであろう。たとえば、県が民間事業者に対して普通財産を低廉貸付けし、マリーナの行政サービスを提供させるような場合に、県みずからが事業を行うよりも財政支出が少なくてすむことが立証されるならば、議決を不要とすることも許されよう（かかる趣旨を含む規定の例として、自治法九六条六項をうけて定められた、千葉県有財産及び議会の議決に付すべき契約に関する条例八条三項を参照）。これも、公金支出と財産管理の総合的な配慮が求められる場面である（第二節二（二）（4）[63]参照）。

以上に述べたところからすると、議決に関する制度設計としては、単にその範囲を拡張するのでなく、効率性を高める方向で機能的に検討することが求められる。実際、地方公営企業法は、財産処分等について地方自治法二三七条二項・三項による条例・議決を不要としているが（四〇条）、これも効率性の観点から、議会などへの情報提供で代替させる趣旨であると解される（同法二五条、四〇条の二などを参照）[212]。普通会計については、かかる例外規定は存在しないが、両者のガバナンスの類似性に鑑みると、公営企業の原理を拡張させて、議決の範囲を限定してもよ

［82］

いように思われる。現行法に即していえば、議会の情報徴収権が害されないかぎり、条例で議決を不要とする範囲（自治法九六条六項参照）が柔軟に認められるべきであろう。[213] いずれにしても、この問題は、原理的には予算区分の概括化（第二節一（一）［46］）と同質的な問題であり、予算改革との類推を交えて考察する必要がある。

（3）公的管理の特殊性

先に示した、公的管理と私的管理の接近という傾向（第二節二（三）（5）［69］）も、議会による政治的統制のあり方と絡めて論じられる必要がある。問題状況や論点は多岐にわたるが、たとえば、予算単年度主義や会計年度独立の原則は、議会による政治的統制を担保するものである。[214] したがって、民間事業者に対する補助金等について、効率性の観点から予算執行の柔軟性を高めることは好ましいにしても、当然に繰越を認めるべきであるという帰結にはつながらない。少なくとも、複数年度の補助金執行に合理性が認められることが、評価作業などを通じて説明されるのが好ましいところであり、その枠組みとして、補助金交付契約などの契約的手法が有用になると考えられる。同様に、複数年度にわたる計画的な予算管理が期待できるという意味では、繰越よりも債務負担行為による構成が優先されるべきであろう。[215] 念のために述べると、実際の訴訟において会計年度独立の原則などに内部法性が認められるかどうかは、関係当事者の信頼等をも考慮して個別的に判断されるのであるから（一（二）①［74］および後出二（三）（2）［92］参照）、右の原理的な問題とは一応別個の問題である。このほか、補助金行政などにおいては、官公庁の現金主義会計と、民間企業や政府関係法人の発生主義会計との不整合が問題になるが、現金主義会計の存在意義として、納税者の地位に照らした政治的規律があることを考えると、[216] 安易に現金主義会計の論理を後退させるべきでなく、必要な調整が図られるべきであろう。このように、公的な財政管理の本質のひとつが政治的統制にあると解したうえで、私的管理とのガバナンス的な共通性を考慮しながら、具体的な問題を検討していく必要があると思われる。

[83]
(二)　行財政における組織的な諸問題

次に、現代的な行政組織のあり方に関して、財政統制の基本原理を考慮しながら、実際的な観点からいくつかの方向性を示すことにしたい。以下に述べるところは、おもに財政的観点を基礎にしているが、行政組織の一般論につながる諸要素である。

(1)　集中と分散

現代のガバナンスにおいては、自律と責任の理念のもとで《個別的規律》がなされる一方で(第二節二(三)(1)[65]および(3)[67])、さまざまな場面で権限や機能等の《集中(concentration)》が求められている。この点は、つとにジェズが問題にしていたところであるが(第一節二(二)(1)③[43])、今日の問題状況を大別すると、議会における問題と行政機関における問題の二つに分けることができる。

①　まず議会においては、予算のみならず決算を含めて、財政作用を総合的に監視する機関の創設が求められる。わが国では、国会においても予算委員会と決算委員会が分立しており、地方議会においては、予算審議の権限さえも行政分野ごとの委員会に分散されていることが多い。これに対してフランスの国会では、予算・決算を含めた財政上の監督権限がすべて、両院それぞれにひとつだけ設置される財政委員会(commissions des finances)に委ねられている。財政全体の状況を掌握したうえで、継続的かつ効率的な財政統制を行うためには、後者が好ましいと思われる。そのうえで、権限のあり方としては、二〇〇一年組織法律が、明文上、両院の財政委員会に一定の機能を与え、継続的な財政統制のための情報収集の窓口になっていることも、参考に値するであろう(一二条の三、一三条、五七条一項などを参照)。

[84]
②　他方、行政組織においては、二〇〇一年組織法律のもとでの予算管理として、各省庁の権限が実際の管理運

営を行う機関に《分散（déconcentration）》される傾向にあり、国有財産の改革においても同様である。[217] しかも、かかる分散化は、ごく最近の現象というわけではなく、伝統的な中央集権に対する修正原理として、一九世紀以降、段階的にすすめられてきたものである。[218] このようにフランスでは、継続的に分散化がなされている一方で、近時の予算管理においては、プログラム責任者との協議に基づく統制が重視されており、国有財産の管理を含めて、財務省の監督権限も明確化されている（後出（2）③[89]参照）。

さらに、フランスの官公庁契約については、契約締結の効率を高めるために、調整官（coordinateur）の制度が重視されている。調整官は、同一行政主体の複数部局あるいは複数の行政主体にかかる発注をとりまとめ、業者と包括交渉（consultation collective）を行い、契約の相手方を選定する。そのうえで、個々の契約の署名は契約担当官が行う。この制度は、旧官公庁契約法典では地方行政にのみ認められており、特に教育行政の場面で活用されていたが、二〇〇四年の改正以降、官公庁契約一般に拡張されている（現行官公庁契約法典七条）。また、一定の競争原理に服するという条件のもとで、独立した法人格を有する購買実施機構（centrale d'achats）の創設も可能とされている（同法典九条、三一条以下）。[219] これは、あとに述べる出納権限の集中とともに（後出（2）④[90]）、ジェズの示唆した集権化の方向に沿う法改正であり、わが国でも近時の地方税業務の共同化などに、類似の発想が読み取れる。[220]

[85] ③ フランスでは伝統的に、行政組織の集権制を緩和する原理として、右のような《分散》とともに、《分権（décentralisation）》が掲げられてきた。近時の現象としては、二〇〇一年組織法律に基づく予算改革をはじめとして、行政の効率性を確保するために、管理の《分散》が推進されているのと並行して、地方公共団体に対する《分権》が推進されている。そうした状況のもとで、《分権》と《分散》を効率的に組み合わせることが課題とされている。[221]

[86] ④ ガバナンスの改善という観点からすると、フランスの地方公共団体は、効率的なガバナンスに向けた先導的

ないし実験的な存在であったという評価がある。[222] 実際、企業会計的な決算書を導入する試みは、地方公共団体が先んじていた。ここでは、オーリウが《公的性格の段階性》を論じ、地方公共団体や政府周辺法人については、国の場合よりも企業的な要素を認めていたことが想起される（第一節一（二）①[25]）。同時にオーリウは、財務会計の規範については、一定の集権化が求められると述べている。[223] 現にフランスでは、地方公共団体の発生主義的財務諸表の会計基準は、内務省の通達のもとで統一されており、わが国でも今後、地方公共団体における会計基準の統一化が課題とされるべきであろう。

[87]
（2）自律と協調

以上にみた権限の集中と分散は、行政組織の構成原理であるが、実際の運用にあたっては、行政機関の《自律》とそれに基づく《責任》の原理を確立する一方で、行政機関相互の《協調》ないし《監督》という要素が重要になる。右の（1）に述べた諸原理と重なり合うところはあるが、典型的な問題状況をいくつか掲げておこう。

①　行政に関しては、さまざまなレベルで、複数の機関の《協働（collaboration）》ないし《協調（concertation）》が求められる。統治者と技術者の協働が重要であることは、ジェズが指摘していたところであり（第一節二（二）（1）①[41]）、現代国家においても、政治家と行政官の協働が求められることは勿論であるが、さらに議会における財政関係の委員会は、専門技術的な情報を分析するために、財政の専門家の協力を必要とするであろう。他方、行政機関においても、審議会や公聴会等を通じて専門家や社会の各団体の意見を聴取することが求められる。これらを通じて《社会の諸利益の均衡（équilibre）》が確保され、ガバナンスの基礎が形成される。[224] この点では、オーリウが、国家機関相互について、あるいは行政主体と関係団体について、協働の理念を掲げていたことに、先駆的意義が認められるべきであろう（第一節一（二）⑤[29]）。

[88]
②　このように諸機関や諸集団の《協働》が重要になる一方で、それぞれの機関の《独立性（indépendance）》

ないし《自律性（autonomie）》も求められる。そこで、独立性ないし自律性と協働・協調という、相対立する二つの要素の《均衡》を図ることが求められる。

具体的にいえば、まず会計検査院については、国会や内閣に対する補助の機能を認める必要があるが、その一方で、分析や評価の客観性を確保するためにも、国会等の政治的な影響力から開放されていなければならない。同時に、会計検査院は、国会と内閣とのあいだの《均衡》を図るように活動することが求められる。この点、フランスの憲法院は、二〇〇一年組織法律の違憲審査に際して、次のような解釈留保を付している。すなわち、「二〇〇一年組織法律五八条二項以下は、会計検査院が国会の補助をするにあたって、さまざまな義務、とりわけ調査実施と報告書提出の義務を課している。これらの義務は、『会計検査院は、予算法律の執行の統制に関して国会および政府を補助する』と定めた憲法四七条六項に照らして解釈されなければならない。つまり、この憲法上の規定によると、憲法制定権者の予定する両権力間の均衡が、一方の権力を害さないようにすることは、会計検査院の諸機関の義務である。とりわけ、同組織法律の第五八条二号に定める期間制限も、同じ趣旨であると解される［傍点木村］」[225]と述べられている。

かかる解釈留保は、まさに、右に述べたような独立性と協働が要請される会計検査院の微妙な立場を表現したものである。それにゆえに、会計検査院の法的地位に関して国会補助機関説を採る場合にも、こうした均衡的な配慮が求められる。したがって、筆者の立場（一（一）（2）[73]）からしても、会計検査院が国会に従属することが帰結されるわけではないし、国会の関与には一定の限界が課せられることになる。また筆者は、日本法の解釈論としても、会計検査院による会計検査に関しては、裁判機関に準じた地位が与えられるべきであると考えており、たとえば出納官吏等の個人責任の検定（会計検査院法三二条、予算執行職員等の責任に関する法律四条・五条など）については、会計検査院の事実認定に実質的証拠法則が適用される余地があると解している[226]。かくして、会計検査院の法的地位

[89]

としては、国会補助機関たる要素と独立機関たる要素とが、同時に認められることになる。

また、地方財政についても、会計検査機関に対して一定の独立性を与えつつ、地方議会から調査の要請がなしうるようにすることが好ましい。日本では、一九九七（平成九）年の地方自治法によって導入された外部監査人を、地方議会のイニシアティブによって活用することが可能とされているが（二五二条の三四、同条の四〇など）、フランスでは、地方議員から地方会計院に対して検査を要請することは認められておらず、この点では、わが国の制度に長所があると思われる。その反面、わが国では、地方公共団体における原則的な会計検査機関は監査委員であるが、任命権者たる首長らから政治的な影響をうける可能性があることを考えると、政治権力から独立した会計検査機関として、フランスの地方会計院に類する制度を創設する意義があると思われる[227]。

③　行政組織の相互関係においては、財務を総括・監督する機関の重要性が重要になる。国全体でいえば財務省であり、各省庁においては官房の会計担当部局である。フランスの会計検査院も二〇〇六年の報告書において、二〇〇一年組織法律に基づく政策別予算の執行に当たっては、各省の官房機関が裁断的ないし調整的な機能を果たすことが重要であると説いている[228]。また、同組織法律に基づく発生主義的財務諸表の作成・活用に際しても、財務省職員と他の省庁の職員の連携が必要であると記している[229]。政策評価に関しても、同様の配慮が求められるところであり、そのためにも契約的手法の積極的な活用が検討されるべきである（第二節二（三）（1）[65]参照）。

また、フランスで新たに創設された財務統制担当官は、財務大臣に任命される機関として独立性を有しており、各省庁の財政計画等に対して《統制（contrôler）》をすることが求められるが、同時に、各省庁の財政的均衡等を確保するための《補助（assister）》の役割をも与えられている（二〇〇五年一月二七日デクレ一条三項・四項参照）。また、統制の方法等については、関係大臣との協議に基づいて定められることとされており、財務省職員と各省職員の協調が理念とされている（第二節二（二）（3）[62]をも参照）。

さらに、国有財産管理に関しては、わが国では二〇〇六（平成一八）年の国有財産法の改正により、国有財産の管理および処分について、効率的な運用を含めた原則が新たに規定されるとともに（九条の五）、総括機関たる財務大臣が、各省各庁の長に対して同原則に沿って効率的な運用を求めうることが明確に規定された（一〇条）。また、国の庁舎等の使用調整等に関する特別措置法は、昭和三二年の制定当初から「国有財産の適正かつ効率的な活用」を目的として掲げており（一条）、同じく平成一八年の改正により、「財務大臣は、庁舎等の適正かつ効率的な使用を図るため必要があると認めるときは、各省各庁の長に対し、その所管に属する第二条第二項第二号に掲げる庁舎等［国の事務若しくは事業又は企業の用に供するために国が借り受けている建物及びその附帯施設並びにこれらの敷地（＝筆者注）］について、その状況に関する資料若しくは報告を求め、又は部下の職員に実地監査を行わせることができる」という規定が加えられた（三条の二）。フランスでも、国有財産管理に関する財務省の監督規定が明記されており、その拡張が議論されているところである(230)。これらの制度を通じて、それぞれの行政機関の自律的・裁量的な管理を前提としながら、監督機関による情報収集と統制が可能になり、ひいては政治的統制の理念が具体化される。

④　最近の法改正の対象となった問題として、出納機関の位置づけがある。一般論としては、オーリウの示唆するように、出納機関を命令機関（支出負担行為担当官など）から分離して《独立性》を与えるとともに、両者のあいだで《協調》がなされることが望ましいと考えられるから、これら二つの対立する要素の《均衡》を図ることが求められる(231)。この点、フランスの会計官は、伝統的には、命令官の会計作用に対して一種の《判定（juger）》を行う統制機関としての性格が強調されてきたが、近時では、民間企業における監査役等を参考にしながら、命令官らに対するアドヴァイザー的な機能をもたせることが提唱されており、これら二つの方向性のバランスをとることが課題とされている(232)。

これに対して、わが国では、出納機関の存在が効率性を害するものとして、否定的に考えられる傾向が強く、法制度上も、平成一八（二〇〇六）年の地方自治法の改正によって、出納機関である出納長と収入役が廃止されて会計管理者に改編され、出納作用が首長の責任のもとでなされることになった（一六八条以下）。筆者は、出納機関の分離原則は公務員の個人責任という財政規律の基礎になるものであり、右の改正には必ずしも賛成できないが、改正法のもとでも、できるかぎり会計管理者の独立性を確保するとともに、会計管理者に発生主義的財務諸表の作成権限を与えるなど、その機能を拡張して、命令系統の機関とのあいだで適度な協調関係をもたせることが好ましいと考えている[233]。

同時に、複数の市町村の出納権限をひとつの機関に集中させることも検討されてよい。かかる権限の集中は、フランスでは伝統的に、郡のレベルで会計官を設置することによって具体化されているが[234]、日本の現行法上も、類似の仕組みは一部事務組合などの手法によって採用しうるのであり、こうした一定の権限集中を前提として、行政機関相互の連携を図ることが望ましいといえる。

いずれにしても、伝統的には、こうした会計的な統制が議会統制の実質化を図る手段として考えられてきたところであり、出納官吏などのあり方も政治的統制に関連して捉えられるべきであろう。とはいえ、単に規律を強化することが自己目的とされるべきではなく、効率的な方向に改善することが求められる。そこで、効率性の法規範化が課題となるわけであり、本章の最後のテーマもこの点にある。

[91]

（三）　行財政における効率性の法規範化

行政の効率性に関しては、これまで行政法学の観点から、その法規範性が問題にされることは少なからずあったが、複数の論点を多面的に考察する必要がある。以下に、基本的な視点を掲げておくことにしよう。

(1)　効率性原則の法的根拠

従来、効率性に関しては、地方自治法二条一四項、地方財政法四条一項・八条をはじめとして、さまざまな実定法規定が断片的にあげられてきた観があるが、[235] 筆者は、国の行財政全般に通ずる効率性の根拠条文としては財政法九条二項があり、効率性に関する最も基本的な規定であると考えている。また、この規定の趣旨が会計検査を通じて担保されることを確認した規定として、会計検査院法二〇条三項が位置づけられる。さらに、憲法上の根拠としては、公金濫用防止の趣旨を含む憲法八九条があげられる[236]。

このうち、財政法九条二項は、「国の財産は良好の状態においてこれを管理し、その所有の目的に応じて、最も効率的に、これを運用しなければならない」という規定であり、文言上は「財産」の管理に限定されているが、明治二二年会計法のモデルとなったフランス一八六二年五月三一日デクレ（第二節二（一）（2）②[59]）を起源として、財政全般に関して《良好な管理》の趣旨が受け継がれていること、ガバナンスの観点からは、公金管理と財産管理および人的管理の連続性が求められること（第二節二（二）（4）[63]をも参照）、かかる解釈論を通じて、会計検査院の広範な政策評価機能に実体法的な基礎が与えられるという利点があること、などに鑑みると、行財政に関する効率性を一般的に求めた規定であると解するのが適当である[237]。また、物品管理法一条や国有財産法九条の五は、財政法九条二項をうけて、それぞれの財産管理における効率性を確認したものとして位置づけられる。他方、地方行政については、地方財政法八条が国の場合の財政法九条二項に相当する規定であるが、この趣旨が地方財政法四条一項や地方自治法二条一四項によって確認されていると解することになる。

最近では、これらの一般的な規定のほかに、個別法において効率性や効用分析を求める例が増えている（社会資本整備重点計画法一条、都市計画法一三条一項一号、特定多目的ダム法七条一項、簡素で効率的な政府を実現するための行政改革の推進に関する法律一条など）[238]。また裁判例のなかには、実定法や立法事実を離れて、一般論として効率性の原理を認めているようにみえるものもある（東京地判平成一三・二・一五税務訴訟資料二五〇号八八三六頁）[239]。こうした立法や

[92] 判例の動向からすれば、かりに財政法九条二項などに一般的規範としての性格が認められないにしても、行財政上の《法の一般原則》[240]として、効率性の原則を認めることは、実際的にも可能であると思われる。もとより、効率性が手続的正義の原則[241]や、効率性以外の公益性[242]と対立する場面もあり、具体的な行財政の運営については微妙な判断が求められる。

（2）効率性原則の実際的な意義

ついで、こうして規範化された効率性に対して、先に述べた財政法の内部法的性質（一（二）①[74]）との関係で外部効果を認めるか否かが論点となる[243]。具体的には、著しく効率性を害する官公庁契約などの効力を否定しうるかといった問題がある。筆者は、財政法の内部法性の理由のひとつとして、関係人（官公庁契約の相手方など）の信頼保護のほか、財政の政治的統制の重要性（ないし政治的職員の賠償責任の可能性）があると考えている[244]。したがって、あくまで理論的にいえば、財政の政治的統制の重要性が相対的に後退すると、内部法性の根拠も後退することになる。また、関係人の地位に関しては、財政に関する情報開示等を充実させることによって、外部の者が違法性を認識できる可能性が高められると、信頼保護の要請も後退する。結局は、当事者の信頼保護の必要性などをもとにして、個別的に判断することになろうが、効率性の法規範性を認める裁判例の傾向と、財政法規範に対して例外的ながら外部法性を認めている最高裁の判例（最判昭和六二・五・一九民集四一巻四号六八七頁）[245]とを結合させると、効率性の外部法性が認められる場合もあると考えられる。

このように、外部法化を通じて、通常の裁判官が効率性の統制に乗り出すことも重要であるが、それ以前に、財政関係法令の立法論や解釈論を通じて、効率性の原理を規範化し、その具体化のための制度設計をすることが求められる。政策別予算の導入も、そのためのひとつの手段といえるし、会計検査院の事後的統制のあり方についての考察も求められる[246]。さらに、会計検査院が財政作用に対して事前統制を行うことについても、肯定的に解するべきであろう。(247) また、政策評価や財務情報に関して透明性を高め、納税者に対して十分な説明責任を果たすことも、とりわけ右の文脈において重要な課題となろう。(248) まさに本章の目的は、こうした諸制度の位置づけを明確にしたうえで、その制度的な改善のための方途を示し、同時にこれらを公法基礎理論に組み入れることにあった。

さらに、効率的なガバナンスの観点からすると、効率性原則の外部効果として処分の効力等を問題にするよりも、むしろ公務員の個人責任の認定に際して、効率性が高められたという事情をいかに考慮するかが問題とされるべきであり、それをもとにした解釈論ないし立法論を通じて、効率性を向上させるためのインセンティブを設計することが求められる(第二節二(三)(3)[67]をも参照)。この点に直接言及した判例は見当たらないが、公務員の損害賠償責任に関する住民訴訟においては、財務会計上の違法行為による損害額の算定に際して、地方公共団体が取得した利得との損益相殺が認められている(最判平成六・一二・二〇民集四八巻八号一六七六頁)。(249) この判例を前提とするならば、たとえば財務会計上の手続違背によって効率性が高められた場合には、それを「利得」として損害の発生が否定され、当該公務員が賠償責任を免れる可能性もありうると思われる。(250)

*

[93]

さまざまな諸利益が複雑に変動し、その微妙な調整が求められる現代社会においては、総じて、《事物の均衡》を重視したオーリウの考え方が示唆に富むところである。そのため本章では、彼の学説の今日的な意義を中心に考察したが、ジェズの財政法理論を含めた古典的学説は、現代的な諸問題を考察するうえで、大いに参考に値するであろう。さらに、ジェズが財政研究と行政法研究を並行させたことからすれば、当然ながら、彼の財政法理論は行政全般に応用しうる場面が多分にあるといえる。(251) 本章において、財政に関する憲法的論点などとともに、公物管理、行政契約、行政組織、公私協働をはじめとして、行政法と財政法の双方に関わる諸問題を積極的に取り上げた所以である。

もとより本章では、古典と現代の連関を示すにとどめたところがあり、また現代的問題については、いくつかの論点をあげて試論を提示したにすぎない。こうした歴史的な遺産を活用しながら、最近の研究成果を再考し、さらなる論理の展開を図ることは、筆者の今後の課題としなければならない。

さて、次章以下では、本章における考察の結果をふまえて、現代のガバナンスに関する諸問題を検討していくことにしよう。

（203）財政民主主義の意義につき、木村・前掲註（2）自治研究七九巻二号九九―一〇一頁、同・前掲（105）会計検査研究二九号五二頁以下のほか、第二節二（二）（2）[61]をも参照。

これに関連して、憲法学の高橋和之教授は、《執行―決定》のモデルと《統治―コントロール》のモデルを対置しており、本章の記述と共通する要素がある（高橋和之『立憲主義の制度的構想』（二〇〇五年・有斐閣、初出一九九七年）四五頁以下）。本文の記述は、高橋教授の論説を参考にしながら、初出論文の表現方法等を再考したものである。

ただ、付言しておきたいのは、筆者の発想の原点は、筆者がフランスのストラスブール大学で在外研究中（一九九七年九月から二年間）に、受入れ教官であるエルツゾク教授から示された財政規律論である。すなわち同教授は、大学院博士課程の「財政論」の講義中に、現代における議会の役割が《決定》から《統制》に変容しているという図式を提示し、それをもとに財政上の諸問題を講じた（cf. R. Hertzog, 《L'avenir du pouvoir financier du Parlement》, in : L. Philip (dir.), L'exercice du pouvoir financier du Parlement, Economica, 1996, p. 121 et s. De même, Hertzog, 《Le pouvoir dépensier》, RFFP, n°41, 1993, p. 100 et s.; 《La mutation des finances publiques : manifeste pour une discipline rajeunie》, RFFP, n°79, 2002, p. 267 et s.)。さらにこれと並行して、筆者はオーリウ研究を行い、オーリウが財政に関して《統制モデル》に立脚していることを明らかにした（この点は、筆者が在外研究中に脱稿した、木村「課税根拠論としての交換的租税観（三）」自治研究七九巻三号（二〇〇〇年）八四頁などにおいて示したところであるが、さらに木村・財政法理論二九三頁以下をも参照）。

いずれにしても、筆者の立場は高橋説と近似しているが、必ずしも同一の趣旨ではない。なぜなら、筆者が《統制モデル》を掲げることの実質的な意義としては、国会が財政に関して継続的な統制をするという視点が重要であること、国会の決定に関する規律を柔軟化する余地があることであり、高橋論文にはそのような含意はないように見受けられる。もとより、筆者の立場からすれば、これらの考え方は、政治的統制の原理が強く存在している財政の領域に典型的に当てはまるのであって、他の行政領域には当然には妥当しないというべきであろう（ただし、成果主義の観点から、行政全般について法規範を緩和するという立法論的な選択がありうること、それが憲法上の要請であると解される場合があることにつき、第二節**二**（二）（1）[60]および第三節**二**（三）（1）[91]を参照）。

ちなみに、高橋教授が依拠しているデュヴェルジェは、憲法学のみならず財政法についても重要な業績を残しており（木村・前掲註（9）日仏法学九七―九八頁）、古典的な財政原則を緩和させる方向性を示していることからしても（木村・前掲自治研究七五巻一二号七四―七五頁）、財政法が《統制モデル》の基礎を提供していることは否定しえないところであろう。Cf. M. Duverger, Finances publiques, 10 éd., 1984, p. 21 et s.

(204) オーリウの財政統制論につき、木村・財政法理論二九二頁以下。

(205) オーリウの執行的決定の概念と予算論との関係につき、木村・財政法理論二八四頁。Cf. Hauriou, DA 8, p. 905.

(206) Bouvier, op. cit., RFFP, n°86, 2004, p. 211. 二〇〇一年組織法律によるガバナンス改革について、著者は続けて次のようにいう。「今後の国家の質は、この挑戦［政治的論理と経済的論理の融合＝筆者注］にどのように応えていくかに依存している。より正確にいえば、現代社会における管理技術の魅惑にさらされながら、民主主義の展開の姿が決まってくるのである。もし二〇〇一年組織法律は、技術的な面で予算プロセスの改善を図ったにすぎないと考えるならば、それは誤りであるというべきである。実際には、真の政治的・行政的な論理の革命が、ひとつの法形式によって確立したのである。」De même, Barilari et Bouvier, op. cit., p. 18.

(207)　フランスの実務でも、類似の指摘がなされている。すなわち、会計検査院長であるフィリップ・セガンは、二〇〇一年組織法律の施行にあたって、同組織法律は公的管理を改善するための有効な手段であるが、政治的な意思に置き換えられる魔法の道具ではなく、真に財政運営を改善するためには政治的な動機づけが必要である、という趣旨の発言を繰り返している（ex. Travaux de la commission des finances du Sénat, Mercredi 5 avril 2006, audition de M. Philippe Séguin）。ここでも、財政上の法規範を通じて、政治的過程に経済的論理を組み入れることの必要性が指摘されている。

(208)　以下の①〜④の記述については、参考文献を含めて、木村・前掲註（2）自治研究七九巻二号一〇一頁以下、同・前掲註（129）岩波講座一六八頁以下を参照。

(209)　代表的な判決として、C.E. ass. 9 novembre 1973, Compagnie de Pointe-à-Pitre, Rec. p. 631 ; C.E. 29 juin 1990, Compagnie de Guitrancourt c. Mallet et autres, Rec. p. 608. 情報徴収権に関する判例の詳細については、木村・前掲註（129）岩波講座一七〇—一七二頁を参照。

なお、フランスの市町村行政においては、納税者の資格での訴訟が広く認められている（一般地方公共団体法典二一三二条の一以下）。右の訴訟も、市町村議会の議員が納税者の資格で提起したものである。この種の納税者訴訟の沿革につき、木村・財政法理論三三五頁以下。

(210)　地方自治法二三七条二項の趣旨につき、松本英昭『新版逐条地方自治法〔第三次改訂版〕』（二〇〇四年・学陽書房）八五四頁などを参照。

(211)　かりに《損失発生の防止》の観点が後退すると、いまひとつの趣旨である、《特定の者との癒着防止》という観点が相対的に重要になるともいえる（後者を重視する立場として、藤原淳一郎・判例評釈・判例評論四一九号（判例時報一四七三号）（一九九三年）二四頁など）。しかし、地方公共団体の財産譲渡等がもっぱら特定の者の利益のためになされた場合には、公益原則（後出註（236））に反するとして、別途違法と評価される可能性があるから、後者の趣旨は必ずしも決定的でないという見方も可能であろう。こうした面からしても、地方自治法が一定の財産譲渡に際して議会の議決を求めていることには、端的に《議会に対する情報提供》という趣旨を認めることが好ましく、これによって、フランスの学説

・判例にみるように、議論の展開が活性化されると思われる。

(212) 地方公営企業法四〇条の趣旨につき、細谷芳郎『地方公営企業法』(二〇〇四年・第一法規)二〇三—二〇四頁。

(213) 実務の解説書においては、私見とは対照的に、条例による例外は必要最小限度に限られるべきであるという趣旨の記述がみられる(松本・前掲註(210)八五四頁)。なお、同書の改訂版では、この記述は削除されている(同『新版逐条地方自治法〔第四次改訂版〕』(二〇〇七年・学陽書房)八七二頁)。

(214) 会計法三〇条や地方自治法二三六条の時効も、沿革的には、会計年度独立の原則を実質的に担保するための制度であり、議会統制(リキダシオン専権)の一環として位置づけられる。参照、木村「フランスにおける行政上の金銭債務」日本財政法学会編『福祉と財政の法理』(一九九五年・龍星書房)一三一頁以下。これらの規定の解釈論につき、同・判例評釈・判例評論五七七号(判例時報一九五三号)(二〇〇七年)一九四頁以下。

(215) 木村・前掲註(76)三五頁以下。

(216) 現金主義会計の重要性につき、木村・前掲註(2)自治研究七九巻二号九三—九四頁。

(217) 二〇〇一年組織法律における分散化につき、木村・前掲註(2)行政管理研究一〇六号二一頁などを参照。国有財産管理の分散化につき、同・前掲註(106)千葉論集二一巻三号一八頁。Cf. A. Barilari, Animer une organisation déconcentrée, Editions d'Organisation, 2002, p. 34 et s.

(218) 一九七〇年代以降の分散化につき、木村・前掲註(145)千葉論集二一巻一号一四六頁、同「港湾法令の体系化の試み」港湾二〇〇五年一月号四二頁以下をも参照。

なお、オーリウが、機能的な観点からの分権(役務分権)や、分権に代わる手段としての分散を論じていたことにつき、木村・財政法理論八二頁以下。Cf. Hauriou, DA 10, p. 210, en particulier, p. 211, note.

(219) フランスにおける行政契約の動向につき、木村・前掲註(113)行政管理研究一一〇号五六頁以下、同・立法紹介・日仏法学二三号(二〇〇四年)二三八頁以下。

(220) 近時のわが国では、市町村の税務行政の効率化を図るために、徴収等の事務を複数市町村のあいだで共同化することが模索されているが（たとえば、平成一九年三月二九日・総務省自治税務企画課長通知「地方税の徴収対策の一層の推進に係る留意事項等について」総税企五五号、とりわけ2(2)を参照）、これもジェズの問題意識によれば、権限の《集中》の問題である。

(221) 木村・前掲註（2）千葉論集二〇巻四号一〇六頁以下。さらに、オーリウが効率性の観点を交えて分権を論じたことにつき、本書第四章第二節一[265]を参照。

(222) 地方公共団体は、国の主導のもとで、ガバナンス的手法の《実験の場（lieu d'expérimentation）》ないし《実験室（laboratoire）》として位置づけられていたといわれる。Bouvier, op. cit., RFFP, n°86, p. 195, note 3.

(223) 公会計における集権につき、木村・財政法理論二〇九頁を参照。

(224) ガバナンスにおいて、《公》と《私》の均衡や、社会的諸利益の均衡が求められ、さらにその裁断に際して技術的な能力や独立機関の介在が求められることにつき、J. Chevallier, 《La gouvernance, un nouveau paradigme étatique ?》, RFAP, n°105-106, p. 216. これに対応するオーリウ学説につき、第一節一（二）④[28]を参照。

(225) C. const. 25 juillet 2001, op. cit., considérant 108. 同判決の詳細な分析として、木村・前掲註（135）掲載予定論文をも参照。

(226) 木村・前掲註（105）会計検査研究二九号六四―六五頁。会計検査院の判断が裁判所を拘束する場面について、司法裁判所の判例をもとに分析した論考として、R. Chapus, 《La Cour des comptes et le juge judiciaire》, in : La Cour des comptes d'hier à demain, LGDJ, 1979, p. 119 et s.

(227) 木村・前掲註（122）五〇九頁以下。なお、包括外部監査契約の締結に際して議会の議決が求められていること（地方自治法二五二の三六第一項）は、本文に述べた懸念を緩和する要素にはなりうるが、地方公共団体においては、フランスの例をみるように、議会が財政支出の拡張を求めがちであるとすれば、必ずしも政治的な影響が排除される結果にはならない。もとより財政の改善は、究極的には、地方議会の意識に依存することはいうまでもない（木村・前掲註（2）自治研究八一巻一号一二一―一二二頁を参照）。

(228) Cour des comptes, Rapport sur la géstion budgétaire de 2005, op. cit., p. 41-42.

(229) Cour des comptes, Rapport sur les comptes de l'Etat de 2005, op. cit., p. 187 et s.

(230) 国有財産管理に関する財務省の監督権につき、木村・前掲（106）千葉論集二一巻三号二三頁以下。さらに、木村・前掲註（200）千葉論集二一巻四号一九三頁をも参照。

(231) オーリウが出納機関による命令機関の統制を重視したことにつき、たとえば、木村・財政法理論二八八頁。ただし、適当性の原理との関係では、一定の留保をおいていることに留意が必要であり（同・二七五頁）、これが財政法の内部法性の考え方につながっている（I（二）①[74]参照）。

(232) L. Saïdi, 《La loi organique du 1er août 2001 sur les lois de finances : quels enseignements pour les collectivités locales ?》, RFFP, n°85, 2004, p. 44-45.

(233) 国の場合の支出負担行為認証官（会計法一三条の三）についても、政策評価的な機能が期待できるであろう。国における支出負担行為担当官と支出官の分立原則に対する評価とあわせて、木村・前掲註（2）自治研究七九巻一一号八一頁以下、同・前掲註（105）会計検査研究二九号六一頁。

(234) フランスでは二〇〇〇年以降、租税収入と租税外収入の納付について、地域ごとに共通窓口（accueil commun）を創設するために、《地域的連携（concertation locale）》の政策がとられている。これも権限集中の一態様であるが、本文で述べたところと異なり、私人の便宜のための措置である。類似の動向として、第三章第二節三（四）①[240]をも参照。

(235) たとえば、大橋・前掲註（5）行政法四七頁、宇賀・前掲註（5）行政法I五三—五四頁。これらの文献では、効率性原則の根拠として地方自治法二条一四項と地方財政法四条があげられている。これに対して、実務の解説書においては、それらの法規範性は乏しいものと考えられてきた。たとえば、松本・前掲註（210）五〇頁は、地方自治法二条一四項が「準拠すべき指針」であるというにとどまっている（裁判例につき、木村・前掲註（200）一七七頁以下）。

なお、行政上の契約に関しては、最判平成一八・一〇・二六判例時報一九五三号一二二頁が、一般競争入札の原則を掲げた地方自治法二三四条などは経済性（価格の有利性）などを確保する趣旨をもつ、と述べていることが注目される（同判決については、木村・判例解説・民商法雑誌一三六巻三号（二〇〇七年）三八八頁以下を参照）。

(236)　詳しくは、木村・前掲註(129)岩波講座一七七頁以下、同・前掲註(200)千葉論集二一巻四号一五五頁以下を参照。さらに関連して、同・前掲註（2）自治研究七九巻一一号九三頁、同・前掲註（2）千葉論集二〇巻四号一〇〇頁をも参照。

本文に述べたように、筆者は、効率性に関する法律レベルの根拠として財政法九条二項を重視しているが、同様に財政法九条一項からは、地方自治法二三二条の二に表現されている《公益原則》が、国の行財政全般について導かれると考えている。

(237)　筆者の立場に対しては、財政作用は財政以外の行政作用とは独立していることから、財政上の原則が当然に行政上の原則にはなりえないこと、財政作用に関する規範は内部法にすぎないこと、という批判が予想される。これに対する筆者の回答としては、まず前者については、財政作用は警察作用等と並列されるべき要素でなく、ひろく行政手段に関する作用であるから、両者は重層的な関係に立っており、警察作用などにおいても財政的要素が伴われる、という理解を示しておきたい。また、後者の内部法的な性質に関しては、かりに外部法性が認められなくても、会計検査院法二〇条三項などによる内部的統制が用意されていること、しかも裁判例においては、効率性をはじめとした諸原則に外部法性が認められる場合があり、関係人の信頼保護などを考慮して個別的な判断がなされていること（後出（三）（2）[92]参照）が指摘できる。

(238)　関係法令の概観として、通産省政策評価研究会『政策評価の現状と課題』（一九九九年・木鐸社）三四条以下、中川・前掲註（5）一〇四頁、木村・前掲註(200)千葉論集二一巻四号一九八頁以下。

(239)　裁判例の一部については、本書第三章註(83)を参照。さらに、木村・前掲註(200)千葉論集二一巻四号一八六頁以下をも参照。

(240)　社会通念などの《不文の法原則》や《法の一般原則》が住民訴訟における財務会計法規にあたることにつき、芝池義一「住民訴訟における違法性（上）」法曹時報五一巻六号（一九九九年）一四二八頁以下。

(241) 手続的な効率性に関しては、行政手続法七条が「速やかに」審査・応答を求めていることや、行政不服審査法一条の「迅速な救済」の文言が、一応の根拠になるようにもみえる。しかし、前者は「相当な期間」という留保をおいているし、後者は、訴訟に比較した意味での迅速性を意味しているにとどまる（田中二郎『新版行政法・上巻〔全訂第二版〕』二三三頁参照）。いずれにしても、もっぱら私人に対する意味での迅速性が念頭におかれているし、また私人との関係では、手続的な正義を犠牲にすることは認めにくいであろう。同様の趣旨を含む記述として、塩野宏『行政法Ⅰ〔第四版〕』（二〇〇六年・有斐閣）二六一頁。

(242) 公益性との関係では、地方公営企業について、地方公営企業法三条の「経済性」に基づく事業の効率的運営と、公共の福祉との対立関係を論じた裁判例がある（千葉地判平成一七・一〇・二五判例集未登載）。

(243) ドイツ法をもとにして、効率性の外部効果を論じた文献は多い。たとえば、石森久広「行政法上の法の一般原則としての経済性」北野弘久先生古稀記念論文集『納税者権利論の展開』（二〇〇一年・勁草書房）一九九頁以下、大脇成昭「財政法の外部効果論」熊本法学一〇三号（二〇〇三年）二一〇頁以下。さらに、福家俊朗『現代財政の公共性と法』（二〇〇一年・信山社）一〇八頁、村上武則「行政の監視と評価」公法研究六二号（二〇〇〇年）一〇九頁以下、E・シュミット・アスマン＝太田匡彦ほか訳『行政法理論の基礎と課題』（二〇〇六年・東大出版会）三一六頁以下をも参照。

(244) 財政法の内部法性につき、木村・前掲註（2）自治研究七九巻二号九八―九九頁。さらに、一（二）①[74]をも参照。

(245) 昭和六二年最高裁判決に対する批判的な評価として、芝池・前掲註（240）法曹時報五一巻七号一六四九頁以下。

(246) 会計検査院による効率性の審査につき、甲斐素直『予算・財政監督の法構造』（二〇〇一年・信山社、初出一九八七年）一七二頁以下、石森久広『会計検査院の研究』（一九九六年・有信堂高文社、初出一九九〇年）七三頁以下。

(247) 憲法九〇条は、会計検査院の事後的統制のみを意図しているわけではない。そこで、効率性の統制を実質化するためには、たとえば予算表示区分や政策評価の指標について、会計検査院が事前的な統制を行うことが考えられてよいであろう。これらはまさに、フランスの会計検査院が実践しているところであり（前出註（171）参照）、日本法の解釈論としても、憲法に反しないと思われる（二（2）②[88]参照）。実際、わが国でも、平成一七（二〇〇六）年の会計検査院法の改正により、会計検査院が随時、国会および内閣に報告できるようになったところであり（三〇条の二）、この規定の拡大適用を図る方途もありえよう。

(248)　フランスの二〇〇一年四月一二日法律（二〇〇〇・三二一号）は、行政運営全般について透明性を高めているが、とりわけ財政上の透明性に顕著な進歩をもたらしており、それが同法の主眼のひとつとされたことにつき、木村・前掲註（2）自治研究八〇巻九号八二頁以下。Cf. B. Delaunay, La loi du 12 avril 2000 relative aux droits des citoyens dans leurs relations avec les administrations, RDP 2000, n°4, p. 1217 et s.

(249)　筆者は、この事件（註（8）①参照）で最高裁が損益相殺を認めたことに対して、批判的なコメントをしたことがある（参照、木村・判例評釈・自治研究六八巻九号（一九九二年）一二五―一二七頁、同・判例解説・別冊ジュリスト『地方自治判例百選〔第三版〕』（二〇〇三年）一九一頁）。しかし、かりにこの判決が、通常の賃貸借によって土地を調達した場合との比較を含めて、他の手段との比較の観点から、効率的な行政手法の選択に関する公務員のインセンティブを高める方向で解釈されるのであれば、その意義を別途評価することも可能であろう。

ちなみに、この事件で違法と評価された行政側の措置（前出註（8）①参照）は、公的事業のために市有財産を安易に調達するのでなく、民有財産を有効に利用したという側面があり、公金管理（課税権限の不行使を含む）の観点と財産管理の観点を適切に組み合わせたものであるという見方が可能である。こうした機能的観点からすると、現行法の地方税法三四八条の解釈論としても、本件の措置を適法と解する余地があると考えられる（木村・財政法理論三七三頁を参照）。

(250)　フランスでは、公務員が行政主体にとって有益な行為を権限なく行った場合には、事務管理の法理によって賠償責任を否定することが認められており（木村「事実上の公務員の法理――フランス公法学における三変化」千葉大学法学論集一五巻一号（二〇〇〇年）七九頁以下、同・財政法理論二七五頁以下）、わが国でもこれを応用しうると思われる（前註の判例解説をも参照）。

(251)　磯部・前掲註（5）塩野古希五六頁以下は、公共性担保のシステムが相対化するとともに、行政資源の効率的活用が問題とされる状況のもとでは、行政法学として《行政システム設計の法理》を展開させるべきことを主張している。ここで同論文を網羅的に紹介することはできないが、本章の問題意識と重なり合うところがあるので、本章の目的を再確認するために、いくつかのコメントを付しておくことにしたい（ただし、磯部論文は、オーリウをはじめとした古典的文献に依拠しているわけではない）。

① 磯部論文にいう「行政資源」には、ヒト・モノ・カネのほか、建築基準法上の容積率など、「公共的価値」を有するものが広く含められている（五五頁、六七頁）。もとより公共財について、このような理解をすることは可能であり、オーリウも行政制度のもとで《財》の概念が拡張されることを述べている（参照、木村・財政法理論一一七頁以下）。しかしながら、拡張した行政資源の効率性を論ずる前段階として、ヒト・モノ・カネについての効率性を考察することが必要であると考えられ（前出註（6）参照）、後者の考察が前者の分析に応用しうると思われる。さらに、公共性担保システムとしての公私協働は、まさに財政的配慮をひとつの契機にしていることに留意すべきであろう（オーリウの公企業特許論に関する第一節**一**（二）⑤[29]および本書第二章第一節**二**（二）[112]をも参照）。それゆえに、本章は財政的観点に重点を置いているが、筆者の問題意識はこれに限定されるわけではない。

② 行政法の考察対象としては、裁判規範にかぎらず行為規範が重要であるが（磯部・同前五〇—五一頁）、オーリウがいみじくも述べるように、財政上の法規範は、行政の日常的な行為規範を構成する重要な要素となっているし（第二節**二**（三）（6）[70]参照）、だからこそ、フランス二〇〇一年組織法律による予算会計改革は、行政組織の改編を含めて、同国の行政実務に広範な影響をもたらしているのである（木村・前掲註（2）千葉論集一九巻二号一九五頁以下などを参照）。また、財政法規範は、多くの場合、行政内部の規範にとどまるようにみえるが、現代的な効率性の観点からすると、その基本的な論理は外部規範と連続性を有している（とりわけ第二節**二**（三）（1）[65]および（3）[67]を参照）。

③ 磯部教授が指摘するように、行政上の法的問題と政策的問題は、相互に重なり合うところが多いと考えられる（磯部・同前六一頁）。たしかに、伝統的な行政法学は、行政裁量論を典型として、両者を区分する傾向を有していたが（田中・前掲註（241）一一八頁など）、他方で、財政法の領域では、ジェズらにはじまるフランスの学説が、政治的ないし政策的問題や経済的問題との関係などを連綿として論じてきたことに注目すべきであろう。筆者はこの議論を現代の効率性

の問題に反映させることができると考えており、またその分析は、右の①および②の問題意識からすれば必要な準備作業であるというべきである。いずれにしても、ジェズやオーリウがみずから実践したごとく、理念的な制度設計論と並行して、実定法や判例に即した——泥臭いまでに地道な——考察を行うことが求められるであろうし、本章はそのような営みをも意図したものである。

補論　現代における財政規律の変容

[94] 第一章本論では、行財政全般におけるガバナンス論を通観したが、以下の補論では、もっぱら財政法的観点に立って、日本法とフランス法を比較対照しながら、現代において財政規律がいかに変容しているかを概観し、本論の内容を――あくまで部分的にはであるが――要約をする機能をもたせることにしたい。

日仏に共通する傾向としては、①議会の役割が《決定》から《統制》に変化していること、②《手段重視》の観点から《結果重視》の観点に移行していること、③《一般的規律》が《個別的規律》に置き換えられていること、という三つの現象が見出せる。

一　議会の役割――決定から統制へ

[95] 議会の役割が《決定》から《統制》に変容するという傾向は、財政民主主義の意義や会計検査院の位置づけについて再構成を求めるであろう。さらに、新たな財政統制の手法として、発生主義的財務諸表が重要になる。

(1) 財政民主主義の現代的意義

① 市民革命以降の西欧諸国では、国民の租税負担である歳入、および租税の使途である歳出について、議会が

議決を行うという原理が採用されてきた。これが、財政民主主義の古典的な姿である。図式的にいえば、歳出歳入予算の《議決》＝《決定》があってはじめて、租税徴収がなされ、支出を伴う行政作用の《執行》が開始される、というフィクションに依拠している。これは、現金主義的な予算書・決算書の基礎となる考え方であり、《決定・執行モデル》と呼ぶことができる。

② ところが、現代国家において、行政作用や財政作用の多様化が生じている状況のもとでは、議会の《議決》＝《決定》がすべての財政作用に及ぶと考えるのは現実的でない。しかも、国や公共団体ついても企業活動と同様に継続的な行政活動が存続しており、あるいは存続させる必要がある。そこで、最近のフランスにおいては、議会の本質的な役割は、議決を通じて財政上の《決定》をすることではなく、継続して存在する財政作用に対して有効な《統制》を図ることにある、と考えられている。これを、先に述べた《決定・執行モデル》に対置して、《継続的統制モデル》と呼ぶことができる。(1)

概念上、《統制》には、歳出歳入の議決をはじめとした《決定》が含まれるが、《決定》以外に多種多様な《統制》の方法が含まれ、なおかつ継続性も伴われる。より具体的にいえば、国会が行政機関や会計検査院から財務情報を収集することを通じて、国政の方針を定立し、必要な監視・監督を適宜の時点で行うことにある。このように、財政民主主義の実質的な意義は、国会が《情報による統制》を図ることであると考えられる。さらに、行政機関が国会に情報提供することのほかに、行政機関が国民に対して分かりやすい財務情報を直接的に提供し、《説明責任(accountability)》を果たすことも、重要な課題となる。

そのように考えると、たとえば財政資金の運用や社会保障関係の財務については、国会の《議決》は必ずしも求められず、国会に対して適切な《情報提供》ないし《報告》がなされれば足りる、といった結論も、理論的には取りうることになろう。さらに、右のような国会の役割の変化との関係で、会計検査院の法的地位についても新たな見方が提示できる。そこで次にこの問題を論ずることにしよう。

(2) 会計検査院の機能の変化

フランスの会計検査院は、沿革的には国家元首の附属機関であった。すなわち、大革命以前に国王の附属機関として存在していた会計検査機関を、一八〇四年に皇帝ナポレオン一世が復活させたという経緯がある。こうして誕生したフランスの会計検査院が、日本の会計検査院の創設にも影響を与えている。また、日本国憲法九〇条一項において、会計検査院の検査報告は内閣を通じて国会に提出されることとされているが、この手続も、第二次大戦前の旧憲法下において会計検査院が天皇直属の機関であったという沿革に由来する。この点では、英米の会計検査院が、国会附属機関として誕生したのと相違する。

ところが、最近では、会計検査機関が国会の補助機関として活動することが重視されている。すなわち、国会には財政情報を収集・分析する能力が十分に備わっていないために、国会が財務の専門機関である会計検査院に助力を求め、特に会計検査院の政策評価的な活動の成果を活用することが重要になっている。実際、フランスの二〇〇一年法律においては、国会が会計検査院に対して具体的な調査を要請することが条文上で認められており、会計検査院はそれに対して八ヶ月以内に報告する義務を課せられている。その反面で、国会が会計検査院の検査計画に関与することは認められないなど、会計検査院の独立性からして一定の制約が存在することが、憲法院の判例によって明らかにされている。

これに対して日本では、一九九七(平成九)年の法改正によって、国会から会計検査院に対する検査要請が認められたが(国会法一〇五条、会計検査院法三〇条の二)、会計検査院の報告義務はないと解されている。フランスと比較すると、日本では国会の補助機関的性格が緩和されており、実際の検査要請も少ないのが現実である。

フランスの考え方は、会計検査院を通じて国会の《情報による統制》を充実させるというものであり、わが国でも、かかる財政民主主義の実質化（一（1）②[95]）を図るために、国会と会計検査院の連携を強化することが期待される。

[97]
（3）　発生主義的財務諸表の導入

発生主義的財務諸表を整備する動きは、世界的な傾向である。伝統的な予算制度は、現金主義を基礎にしているが、企業会計に準じた発生主義的財務諸表では、減価償却費や退職金引当金など、将来の《支出》の原因となる《費用》が認識されるとともに、フローの会計処理とストック的な財産管理を連動させることができる。先述の《継続的統制モデル》によれば、企業会計と同様に、予算の議決とは別の観点から、継続的な行政活動を描写するための会計的統制が求められるのであり、そのための手法として発生主義的財務諸表が有用になる。

フランスの二〇〇一年法律では、決算法律の要素として、発生主義的財務諸表（貸借対照表、損益計算書、キャッシュフロー計算書）が掲げられているが、日本では、これらの財務諸表が法定の予算書・決算書には含まれておらず、特別会計などの例外を除いて、国民に対する説明責任を果たすために、あくまで事実上の措置として作成されている。今後は、一般会計を含めた発生主義的財務諸表の法制化が課題とされるべきであろう。

（1）　これら二つのモデルについては、本論第三節註（203）を参照。

[98]
二　手段重視から結果重視へ

従来の財政統制においては、《手段》ないし《手続》が重視されていたが、近時では、《結果》ないし《成果》が重視されている。民間企業において求められる《成果主義》が、官公庁においても重視される傾向にあり、あわせて結果の実現に際しての効率性が求められている。この傾向は、予算、決算、政策評価という、三つの制度において認識できる。

[99]

(1) 予算制度の改革

まず、予算については、《手段としての予算》から、《成果実現のための予算》に変容しつつある。やや誇張していえば、従来は、それぞれの行政機関にとって予算の獲得が自己目的になりがちであり、つまり、はじめに財政的な《手段》を調達して、具体的な政策を実施するという発想がみられた。これに対して、最近では、政策目標という《結果》ないし《成果》から出発して、目標の達成に資する予算配分、さらには成果の実現に応じた予算配分がなされる傾向にある。

その具体的手法として、まず第一に、予算表示科目が、従来の性質別予算ないし組織別予算から《政策別予算》に変容しつつあり、予算の費目特定の単位も大括りにされつつある。これは、議会にとってみれば、予算の判読を容易にし、議会統制の実質を高める意義をもつ。第二に、会計年度内に生じた状況の変化に対応しながら政策を柔軟に実施するために、流用・移用の制限も緩和されている。第三に、予算単年度主義ないし会計年度独立の原則の弊害を避け、複数年度にわたる政策を実施できるようにするために、国庫債務負担行為や繰越の制度の活用が求められている。

これらの点は、フランスでは二〇〇一年法律の眼目として既に採用されているが、日本では試験的に一部の領域で実施されている段階である。このような予算規律の緩和は、決算重視の傾向と表裏一体になっている。

(2) 決算重視の傾向

最近では、予算を中心とした事前統制から、決算統制をはじめとした事後統制に重点が移行しつつある。この傾向は、《結果重視》ないし《成果主義》の観点からも導かれるし、《決定・執行モデル》に代わる《継続的統制モデル》にも調和的である。行政機関にしてみれば、予算執行に関する裁量が広がる反面で、結果に対する責任が加重される。決算の効果については、学説上の争いがあるが、少なくとも翌々年度の予算編成に事実上の影響を与えうることは疑いない。そこで、決算の審議を行う国会両院の財政担当委員会の役割が重要になるとともに、決算の検査を行う会計検査院の役割も重要になってくる。さらに、国会審議や会計検査を充実するためにも、政策評価の必要性が高まってくる。

[100]

(3) 政策評価の拡充

政策評価については、法学的観点からみると、予算・決算との関係をいかに考えるか、会計検査との関係をいかに考えるか、という二つの問題が検討されなければならない。

① フランスの二〇〇一年法律では、予算・決算と政策評価が制度的（ないし形式的）に結合している。すなわち、国会が政策評価の主体であるという理念のもとで、予算法律や決算法律に政策評価の情報を盛り込むことが求められている。もっとも、実際上、政策評価の結果がどのように後年度の予算に反映されるかは、今後の政治的な判断に依存するところが多いといわれる。これに対して日本では、いわゆる政策評価法（平成一三年法律八六号）をはじめとして、政策評価の法体系が予算・決算とは制度的に分離しているが、評価結果を予算に反映させる試みもある。実態的にみれば、両国に大きな差異はなく、今後の課題とされるところが大きいが、フランスでは、個別の行政分野における成果契約などの形で、予算と政策評価を結びつける試みがある点が注目される（三（1）[101]参照）。

② 次に、会計検査院の役割としては、伝統的な会計検査に加えて、政策評価の機能が重視されつつある。フランスでは、現在、会計検査院の三分の二の人員が政策評価的な活動に向けられているといわれる。日本でも、先の会計検査院法の改正によって、会計検査の基準として、「正確性・合規性」とともに「経済性・有効性・効率性」が掲げられるようになった（二〇条三項）。今後は、この規定の趣旨をより実質化する方向での検査が求められよう。

三　一般的規律から個別的規律へ

[101] 以上にみた《結果重視》の行政運営は、財政に関して一般的・画一的な規範や規律が緩和される、という現象をもたらす。より具体的には、予算執行に関して契約的手法が用いられる傾向、財政上の権限が分散化されるという傾向、の二つがある。

(1) 契約的手法の活用

前者の契約的手法は、フランスにおいて部分的に採用されている。すなわち、同国では、財務省予算局と他の行政機関とのあいだで《成果契約 (contrat de performance)》が締結される例がある。これは、当該部局に対して、複数年度にわたる予算配賦と裁量的な予算執行を認める代わりに、一定の目標達成義務を盛り込む契約である。具体的には、財務省租税総局の予算について、租税徴収率の目標設定などが課される例がある。

こうした《契約による規律》は、①法令の画一的な規範を柔軟化するとともに、②政策評価の要素を取り込んで《結果重視》の理念に資する機能をもち、③さらには、複数年度の予算管理も可能にするという利点がある。ただし、これらの契約は、事実上の措置にとどまるから、紳士協定にすぎず、法的な意味での権利義務関係は観念しえないと解されている。また、日本では、翌年度以降の予算配分額を事前に掲げることは、予算の硬直化を招くために、原則として否定されている。たしかに、これらの難点（ないし実務の前提）は否定しがたいところであるが、成果重視の観点からすると、積極的な対応が求められる。いずれにしても、複数年度にわたる契約を締結する際には、将来の支出予定額を含めた契約内容が、議会に適切に情報提供される必要がある。

[102] (2) 集権・集中から分権・分散へ

他方、集中・分散については、伝統的な会計制度においては、会計上の権限が各省庁の官房系の部局（大臣官房）に集中している。国全体をみても、財務省が各省庁の予算編成や予算執行について広範な権限を有している。ところが、最近では、これらの財政権限が分散化される傾向がみられる。この結果、総じて、従来の画一的な財政処理が修正されることになる。予算執行の場面についていえば、予算特定の単位が弾力化されることを通じて各行政機関の裁量が広げられるほか、支出負担行為などについて事前手続が緩和される傾向がみられる。その反面で、これらの官房系の機関や財務省の統制のあり方（評価結果の二次評価など）が重要な検討課題となる。

＊

以上の小論は、主として財政規律の変容に関する《現象》や《傾向》を描写することを通じて、基本的な問題の整理を試みたにすぎないが、最後に、こうした状況のもとでの財政法学の課題について一言しておこう。

今後、《成果主義的な行政》ないし《結果重視の行政》の理念が浸透するに伴って、予算の制約をはじめとした、伝統的な法規範が緩和されていく可能性がある。そこで、新たに有効な財政統制の方法を確立することが、財政法学に期待されるであろう。その際、隣接科目の知見を活用していくことが求められるが、とりわけ、政策評価等に関する行政学・経済学の分析手法、発生主義的財務諸表に関する会計学の理論が、有用になると思われる。(2)

ところで、成果や効率性を重視するという傾向は、すでに本論で述べたように、財政法のみならず行政法においても問題になる。実務上も、行政の効率性を確保するための手段のひとつとして、近時では特に行政上の事務を民間委託する可能性が模索されている。そこで、第二章では、民間委託をめぐる法的問題を考察することにしよう。

（2）　財政法学のあり方につき、本論第三節一（二）⑤[78]をも参照。

第二章　行政における民間委託の可能性
――オーリウにおける《公》と《私》

［細目次］

序説　問題状況の概観

近時では、効率的な行政運営を確保するために、行政上の事務の民間委託が推進されている。その際、そもそも民間に任せることが禁じられる行政活動があるのではないか、言い換えれば、どこまでのことを行政機関が直接担うべきか、という問題が議論されており、しばしば民間委託の限界として論じられている。(1)

もともと市民が行政に期待するものはさまざまであり、すべての要求に応えることは不可能である。そこで行政としては、民間の企業や市民団体の力を借りることが考えられてよい。民間に任せたほうが、市場競争の原理が働いたり、民間のノウハウが活用されたりすることによって、よりよい行政サービスが提供されることもありうる。また、行政が関与するのでなく、市民が自己責任でやるべきことがあるかもしれない。その一方で、民間に任せるとサービスの質が低下してしまう場面もありえよう。あるいは、そもそも民間に任せてはいけない行政活動があるのではないか。そこで、どこまでのことを行政が担うべきか、つまり行政の守備範囲はどこまでなのか、ということが問題となってくるのである。(2)

逆の問題として、行政が担ってもよいのはどの範囲か、という論点もある。これは、一九世紀の終わりから二〇世紀の初頭にかけて、消極国家（夜警国家）から積極国家（福祉国家）に移行するにあたって、行政の範囲が拡大する現象と並行して議論された問題である。この問いに対して一般的に答えるならば、《公益原則》がその限界を画する基準であり、行政は公益に関することだけをなしうる。かかる公益原則を示した条文としては、地方自治法二三二条の二があるが[3]、いずれにしても、どこまでが《公益》に含まれるのかは、それほど明らかなものではなく[4]、最近でもさまざまな限界事例が法的な議論の対象になっている[5]。とはいえ、最近論じられているのは、前者の問題、つまり行政が直接行う事務を狭める方向での議論なので、後者のように行政の外延を画する問題については、本章では多くを論じないことにする[6]。そこで以下では、行政が民間委託しうる範囲を中心に考察するが、この点について学説上は、いまだ支配的な考え方が形成されているとは言いがたい状況にある。

わが国で行政の民間委託の問題を考察するにあたっては、この分野で先進的な地位をしめる英米系の諸国が参考にされることが多いが、フランス法の紹介は乏しいのが現状である。もともとフランスは、公権力を中央国家に集中させるという、近代革命の理念を強力に推し進めた国であるため、今日でも民間委託に関しては後進的な地位をしめるというべきであろう。したがって、もっぱら民間委託を推進するという目的論的な見地からすれば、取り立てて注目する要素は多くないともいえるが、この問題について慎重な検討をするうえでは、大いに参考に値すると思われる[7]。

関連するフランスの文献は多岐にわたっているが、本章では特にオーリウの学説に着目し、それとの関係で現代の学説と判例を分析するという手法をとる[8]。もともと民間委託は、《公》と《私》の関係という本質的問題に関わるテーマであり、前章までに考察したガバナンス論の一環として位置づけられる。それゆえに、かかる問題の所在を意識したオーリウの公役務論ないし公私区分論が参照されるべきことになる。オーリウ自身は民間委託の諸問題に対して直接的な回答を示していないところもあるが、彼の基本的な視点は現代においても極めて示唆に富む。

叙述の順序としては、オーリウの学説を検討したのちに（第一節）、現代のフランスの学説・判例を概観し（第二節）、最後に、日本法の解釈論・立法論に向けた若干の総括を行うことにしたい（第三節）。

（1） 初学者向けの記述ながら、問題状況を概観したものとして、宇賀克也編『ブリッジブック行政法』（二〇〇七年・信山社）二七五頁以下［木村執筆］を参照。

なお、民間委託の概念については、民営化や民間開放などとの関係で微妙な問題がある。本章では、基本的には、行政主体と民間企業のあいだに締結される委託契約を用いた行政手法という、形式的な理解を示しておくが、次註に掲げる指定確認検査機関など、法令に基づく指定法人に対して実質的な委託がなされる場面をも念頭において考察する。関連する概念の整理としては、野田由美子編『民営化の戦略と手法』（二〇〇四年・日本経済新聞社）三二頁以下などを参照。

（2） 最近、民間委託の対象となって議論を呼んでいるものとして、道路上の駐車違反の確認を行う事務や、建築基準が遵守されているか否かの確認・検査を行う業務、刑務所の施設整備や監視の業務などがある。また、租税に関する事務についても、滞納された税金の納付を催促する業務をはじめとして、民間委託が部分的に採用されはじめている（本章補論を参照）。

（3） 筆者は、公益原則の憲法レベルの根拠として憲法八九条を、法律上の根拠として財政法九条一項を、それぞれあげることができると考えている。本書第一章第三節**二**（三）（1）[91]および同註(236)、木村「財政の現代的課題と憲法」長谷部恭男ほか編『岩波講座・憲法4』（二〇〇七年・岩波書店）一七八頁を参照。なお、ドイツにおける補助金の公益原則につき、高橋滋『現代型訴訟と行政裁量』（一九九〇年・弘文堂）一八七頁以下。

（4） たとえば、地方公共団体が行う観光推進事業は、特定の事業者に多くの収入や便益をもたらす可能性があるから、はたして行政が担うべきものなのか、という疑問をもつ読者もいることだろう。この場合に事業者の利益が増えれば、住民税などを通じて、最終的には自治体の税収は増えるが、税収が増加するだけで当然に公共性があるといえるだろうか（これに関連して、本書序論**二**（六）[19]および次註①の事例も参照）。また、ヨットなどのプレジャーボートを係留するマリーナについても、行政の仕事としてなされるとなると、意見が分かれるところであろう。もっとも、不法係留しているヨットをなくすために、安価な料金の公共マリーナを設置・運営することは、行政の任務として比較的受け入れやすいと思われるし、実際にもそのような事業を手がける自治体は多い。

（5）　公益原則に関する最近の判決を、いくつかあげておこう。いずれの事件も、補助金の交付が地方自治法二三二条の二にいう「公益上の必要」がない違法な支出であるか否かが論点となった住民訴訟（地方自治法二四二条の二）であり、住民が代位して首長らに対して損害賠償を請求した事件（平成一四年改正前の旧四号請求）である。

①　A町が設立した社団は、同町からの委託により、農林漁業の体験実習施設や食堂等の施設の管理・運営を行い、その運営収支の赤字を補填するためにA町から毎年補助金の交付をうけていた。さらにA町長は、食堂の評判を高めるために、高度な調理技術をもつ和食職人を雇用したが、これによってかえって同社団の赤字が増加した。そこで、同社団の赤字補填のためにA町長は同社団に対する補助金の交付を追加的に決定したが、その補助金交付が違法であるか否かが訴訟で争われた。最高裁は、右の施設を存続させるために必要な補助金を交付したことは、地方自治法二三二条の二に定める「公益上の必要」を欠くとはいえないと判断した（最判平成一七・一〇・二八民集五九巻八号二二九六頁）。

②　B市およびC県、民間企業等の出資によって第三セクターの高速船会社が創設されたが、のちに同社が運行を休止したことに伴って、傭船契約の解約金などが発生したために、市が同会社に対して補助金を支出した。最高裁は、本件事業の目的、B市と本件事業との関わりの程度、右補助金の趣旨、市の財政状況、市議会における審議の経緯などに照らして、右補助金の支出は違法でないと判断した（最判平成一七・一一・一〇判例時報一九二一号三六頁）。

（6）　ただし、オーリウの学説に示されるように、これら二つの論点には実質的な関連性が認められる（第一節二（一）[111]などを参照）。

（7）　わが国では、総じて行政上の契約について憲法的観点からの考察が乏しい。これに対してフランスでは、行政契約に関する憲法判例の研究がなされており、日本法にも示唆を与えると思われる。筆者の試論として、木村・前掲註（3）岩波講座一八〇―一八二頁を参照。

他方、民間委託を含めた広義の民営化については、民法学からも問題提起がなされており、とりわけ内田教授の基礎理論的な考察が注目される（内田貴「民営化と契約（一）～（六・完）」ジュリスト一三〇五号（二〇〇六年）一一八頁以下、一三〇六号七〇頁以下、一三〇七号一三二頁以下、一三〇八号九〇頁以下、一三〇九号四六頁以下、一三一一号一四二頁以下）。同教授は、《制度的契約》の概念を提唱し、民間委託を含めた公的サービスの契約をここに含めるべきことを主張する。その際、オーリウらの制度理論を参照しつつも、その法概念としての有用性には否定的な理解を示している（同論文一三〇八号九〇—九二頁）。

ここで内田教授は、米谷隆三『約款法の理論』（一九五四年・有斐閣）などの邦語紹介に依拠しており、制度理論が約款の拘束力を正当化するという文脈のみで用いられてきたこと、それが権力的・権威的な要素を伴っているであること、を問題視している。たしかに、これまでのわが国では、オーリウらの制度理論については、全般的な紹介がなされたほかは、とりわけ実定法学者によって、附合契約などの限られた問題意識のもとで読まれがちであったために（木村・財政法理論一三頁に掲げた諸文献を参照）、その応用範囲が狭く感じられることは否めない。また、オーリウ自身が制度理論を掲げる場面では、不予見理論（théorie de l'imprévision）のように、行政契約に特殊な法理を説明することに重点が置かれているようにみえるので（ex. Hauriou, SD, p. 129 et s., 170 et s.）、行政に固有な権力性が強調されているという印象が与えられがちである。

しかし、オーリウの制度理論は民事法と行政法の区別を超えて、契約法理全般を修正する原理であり、非営利団体（association）や家族関係などのほか、国家間の条約に基づく関係を含むものである。また、公法・私法を問わず協同的関係に広く妥当するとされており、個人の意思に基づく主観的な理論構成を修正する意義をもつ。すなわち、オーリウにおける協同的制度（institution corporative）は、①社会的集団が実現すべき仕事の理念（idée de l'œuvre）、②仕事の理念を実現するために編成された権力（pouvoir organisé）、③仕事の理念とその実現のために社会的集団に生じた一体的表明（manifestation de communion）を、その構成要素としているが、ここにいう権力は、①の仕事の理念から、活動の計画（plan d'action）とともに導かれるもので、社会のあらゆる協同に普遍的に存在する要素である。そこで問題にされているのは、組織（organisation）そのものではなく、《編成された権力》であり、会社の経営における決定と執行の区分にも当てはまる権力分立原理や代表制度などであって、精神的財物（choses spirituelles）ないし物的制度（institutions-choses）として性格づけられている（ibid., p. 96-98）。これは、本章での鍵概念となる《組織編成権》につながっており、そのため行政上の民間委託の場合にも、国家という制度に本質的に帰属する組織編成権の位置づけが問題になるわけである。その一方で、オーリウは行政における政治的性質を重視して、行政に固有な法理の存在を認めており（本書第一章第一節一（一）[24]および（二）③[27]を参照）、この点は、内田教授が制度的契約の公的性格として、政治的要素に基づく《外部性》をあげることと共通している。また、具体的な契約の例としても、内田教授が制度的契約として考察の対象にしている要素の多くは、本文で述べるように、フランスでは公役務特許として性格づけられ、オーリウが制度理論を当てはめる対象になっている（さらに、社会保障が制度理論の典型的な適用の場とされていることにつき、木村・財政法理論二六二頁を参照）。

このように、オーリウの制度理論には、実質的には内田教授の提唱する制度的契約の発想に類似する考え方が含まれている。その意味で、同教授の主張される制度的契約の考え方を発展させるには、オーリウ学説が少なからぬ意義をもつと考えられる（ただし、オーリウは《外部性》ないし第三者への対抗可能性などの法理を表現するために、契約という債権的構成を避けて、物権的な構成を図っている点で、内田教授と相違がみられる）。付言すると、もともとオーリウにいう制度は、予算や計画に関する分析から導出された概念であり、契約が《過去の同意》に立脚するのと異なり、《未来への関心》に基づいたものである。それゆえ、制度には協同に必要な継続性の要請などが取り込まれ（木村・財政法理論一六五頁以下）、内田教授のいう《関係的契約》の一面もあわせもつなど、複合的な性格を有している

なお、本章の叙述は、オーリウの制度理論に関する筆者なりの理解をもとに、制度的性質を有する契約（公役務特許契約など）の本質として、一般利用者による擬制的な同意ないし社会通念、未来への関心に基づく継続性、委託者に専属する役務編成権、そこから導かれる委託者ないし一般利用者に対する説明責任、などがあることを前提としている。しかしながら、契約法理と制度理論との関係について本格的な検討をすることは別の機会に譲ることにしたい（関連して、後出註（102）をも参照）。

（8）　本章は、この問題に関するオーリウ学説や現代フランスの学説・判例を網羅的に分析するものではなく、オーリウ学説を含めたフランス法の一段面を描出することを通じて、日本の民間委託に関する基本的な論点を考察するにとどまる。

なお、本章のテーマについて、オーリウ研究の先行業績が乏しいことについては、後出註（11）を参照。

第一節　オーリウの公役務論

行政と民間企業との関係について、オーリウは公役務（services publics）の範囲の問題として継続的に論じている。そして晩年の行政法概説書（第九版）においては、問題状況を二つに分けている。すなわち、①民間企業の活動を行政が奪い上げて、それを公役務に組み入れてよいかどうかという問題、②ある事業が公役務として構成された場合に、行政によって直接運営されるべきか、それとも特許として民間企業に委ねるべきかという問題の二つである。(9) ここにいう《公役務の特許（concession de service public）》は、今日では《公役務委託（délégation des services publics）》と呼ばれるもののひとつであり、民間委託の一形態であるといえるので、これらはまさに本章の冒頭に述べた二つの問題と重なり合う。(10)

このうち、オーリウ自身は、おもに①の問題を論じているが、(11) これは彼が活躍した当時、公役務が拡張されるという現象のもとでの問題状況を反映したものである。その一方で、オーリウは、②については多くを語っておらず、その延長上に位置する、公役務特許ないし民間委託が可能となる範囲という問題については、明確な回答を与えていない。実際、彼はいくつかの判例評釈のなかで、この問題を付随的に論じている程度である。その意味で、彼の学説には、時代的な制約があったことは否めない。それでも、オーリウの思考のなかには、今日の民間委託の可能性に関する問題意識が存在しており、①の論点を含めた記述のなかに、彼の基本的な思考方法が垣間見られる。その枠組みを分析するだけでも、今後の議論に資するところは少なくないと思われる。

そこで以下では、右の①と②の論点、および関連する諸問題に関するオーリウの学説を概観するが、本章の問題関心から、おもに②に重点をおいて、判例評釈をやや詳しく引用しながら時系列的に考察する（一）。これに対して、②以外の論点については、晩年の行政法概説書を概略的に取り上げるにとどめるが（二）、これらの問題に関する記述は、実質的に関連していることが明らかになろう（三）。

一　判例評釈における公役務論

本章の問題意識から取り上げられるべき判例評釈は、次の五つである。いずれにおいても、オーリウは公役務ないし公役務特許の特質という観点から幅広い論述をしており、以下で分析するのは、それぞれの評釈の一部分にすぎないが、彼の思考の大枠に留意しながら、読み進めていくことにしよう。

（一）　ミディ鉄道事件の判例評釈（一八九三年）

初期オーリウの判例評釈のなかでは、一八九一年のミディ鉄道事件の判例評釈(12)が、本章の問題に直接関係している。ミディ鉄道事件とは、郵便物の遅延によって発生した損害について、鉄道事業者の賠償責任が問題になった事件であり、コンセイユ・デタは、本件について県参事会（現在の地方行政裁判所）は裁判管轄を有しないという判断を下した。

オーリウは評釈において、判旨に賛成する立場を示す。彼によれば、鉄道事業者は国の郵便業務を代行（se substituer）している。ところが国は、われわれの便益のために、より多くの役務を担うようになっている。郵便役務はその証である。そのすべてに公権力的特権を認めるとしたら、不幸な結果になるであろう、と述べている。

そのうえでオーリウは、公役務の類型として、《国家に独占される役務（services monopolisés par l'Etat）》と《国家に独占されない役務》を区分すべきであるという。すなわち、国家に独占される役務の場合には、国家が公権力の主体として役務を管理している。軍事役務、裁判役務、外交役務などが、この類型に属する。これに対して、国家に独占されない役務の場合には、国家が私法人として役務を管理している。この区分は、訴訟手続上、裁判管轄の振り分けにおいて意味をもつ。前者の場合には、損害賠償責任は行政裁判所のもとで審理されるのに対して、後者の場合には、司法裁判所において審理される。多くの郵便事業は国家に独占されているが、例外もみられる。もっとも、郵便事業は、国際条約などの存在から外交的協約に依拠していると考えられるので、公権力的国家を前提としているが、行政と私人の関係という観点からすると、このことは郵便役務の本質的性質に対して影響を与えることはない、という。

以上に示した初期オーリウの見解は、国家によって独占される公役務か否か（言い換えれば、国家によって直接担われる公役務かどうか）という観点から、公役務を分類することができるというものであり、今日的な民間委託の許容性に関する論点に直結する内容を含んでいる。とはいえ、ここでのオーリウの直接的な問題意識としては、公役務の範囲が拡大するという現象に対して、裁判管轄の分配などの観点から一定の基準を示すことにあった。しかも、当時のオーリウは、まだ公役務特許の概念を用いておらず、必ずしも論理的に精緻な構成をしていないという印象をうける。実際に、その後の判例評釈等において、ここでの論理が修正されることになる。ただし、後期オーリウにおいても、国家によって独占される役務のうち、統治権を構成する要素については、国家に留保されるという立場が維持される（二（二）⑤[118]参照）。

こうした初期のオーリウの考え方に近い立場をとっているようにみえる体系書として、彼とほぼ同世代に属する、ベルテルミ（H. Berthélemy）の行政法概説書をあげることができよう。ベルテルミは、国家の本質的役務（services essentiels de l'Etat）として、警察、軍事、国有財産管理（公物・私産の管理のほか、公土木のための収用や公用制限を含む）を掲げている。これに対して、国家の任意的役務（services facultatifs de l'Etat）としては、経済介入や教育、公的扶助などがあげられている。(13) もっとも、ベルテルミの記述は、国家役務の体系的な分類をすることを意図したものであり、民間委託の可能性などについて直接意味を持つわけではないように思われる。たとえば、国家の本質的役務である公土木との関連で、公土木の特許（concession de travaux publics）が論じられており、このことは、国家の本質的任務ないし不可譲渡性と公土木特許とが矛盾しないことを意味している。(14) この点は、次にみる後期オーリウの判例評釈と関連している（とりわけ（三）[108]を参照）。

[107]

（二）　ブランルイ事件の判例評釈（一九〇四年）

オーリウは、一九〇二年のブランルイ事件の判例評釈において、公役務特許の一般論を提示し、(15) ついで一九〇三年の北経済鉄道会社事件の判例評釈(16)のなかで、公役務特許契約の効力について詳細な検討を行っている。いずれの評釈も、一九〇四年のほぼ同時期に公表されており、内容的にも連続している。本章で注目すべきはとりわけ後者であるが、前者は公役務特許に関する基本的な考え方を含んでいるので、ここで最小限のコメントを付しておくことにしたい。

ブランルイ事件とは、原告であるブランルイらがアングレーム市とのあいだで、市街電車の公役務特許の契約を締結する旨を約束し、調査・検討などのために出費をしたところ、同市議会は、契約相手方の選定を競争に付して、別の事業者と特許契約を締結することを宣言したために、原告が同市に対して損害賠償請求をしたものである。この事件をうけたコンセイユ・デタは、原告の請求を認容した。

この事件の評釈において、オーリウは《公役務特許》という概念を正面から用いて、その特質を論じている。すなわち、公役務特許は、公土木特許や公物特許（concession de domaine public）と異なり、権限（compétence）にのみ関心をもつ特許契約である。公物や公土木の存在を要しないことは、海上交通の特許を考えれば明らかである。公役務特許の直接的な目的は、公役務の編成（organisation d'un service public）にあり、法令等によって公権力の介入が求められる、という。

さらに、いわく。公役務特許は、重層的な二つの契約によって構成されている。ひとつは、特許行為（acte de concession）であり、これによって特許の公益的性質が宣言され、特許が完成する。いまひとつは、特許の財政的協約（traité financier）である。いずれも行政と特許事業者のあいだで締結されるが、第一の契約は第二の契約の目的を提供する。つまり、特許行為によって、特許される公役務の状況が形成され、これによって特許事業者に対し、役務を編成し執行する権利（droit d'organiser et d'exécuter le service）、収用および公土木の権利、公衆から料金を徴収する権利について、委託（délégation）がなされる。同時に、組合的状態（état de société）が形成される。この組合的状態は、役務の良好な管理を目指すもので、行政と特許事業者のあいだの協働（collaboration）が含意される。ところが、この組合的状態は、公役務の管理のために、とりわけ財政的協力（concours financier）の観点から、詳細な条項によって規律されることを要求する。これが第二の契約であり、協約と呼ぶべきものである。この協約には、特許事業者の義務や行政の財政的協力を掲げた条件明細書（cahier des charges）が伴われる。こうした公役務の特許契約は、家庭における婚姻契約（contrat de mariage）と類似した性質をもつ。すなわち、婚姻契約も、婚姻状態（état de mariage）の創設に関する契約と、婚姻状態の金銭的関係に関する契約によって構成される。ただし、婚姻契約と婚姻の関係は、財政的協約と特許契約の場合のように、手続的な規律が存在しない点で相違する、という。

ここでは、公役務特許の本質が《権限の特許》であり、公権力によって《公役務の編成》がなされることが明らかにされたうえで、公役務特許契約の性質が論じられている。あとに述べるように、後期オーリウの学説において、これらは公企業特許に関する基礎概念とされるようになる。

(三)　北経済鉄道会社事件の判例評釈（一九〇四年）

他方、北経済鉄道会社事件では、鉄道事業の特許権を付与した知事が、特許事業者に対して、条件明細書が定める以上の列車本数を確保することを命ずる決定を発した。これに不服な特許事業者の訴訟提起をうけて、コンセイユ・デタは、この知事の決定に起因する損害について、行政側の賠償責任を認めた。オーリウは、判決の結論に賛成しているが、その理由づけのなかで、公役務特許や国家権限の本質に言及しているばかりでなく、初期の自説を大幅に修正しているので、やや詳しく引用しておくことにしよう。

オーリウ評釈の基礎になっているのは、同事件におけるテシエ（Teissier）の論告である。同論告によれば、警察権（droits de police）には二種類の要素がある。ひとつは、本来的に国家に与えられた命令的な警察権限（pouvoirs de police impératifs）であり、公的安全のために行使される警察権である。いまひとつは、公衆の利益の管理者たる委任者ないし事務管理者（negotiorum gastor）としての国家の性質から導かれる警察権である。前者は、主権的権限ないし国家の本質的権限に基づくものであり、譲渡がなしえないので、特許契約によって制限されることはない。これに対して、後者は主権的権限に基づかないものであり、譲渡することができるから、特許契約によって制約される。本件で問題になっているのは、一定の場面における鉄道の運行本数であるから、後者の問題である。(17)

オーリウは、テシエの二分法に対して、基本的に賛同する立場を示している。オーリウによれば、テシエのいう二つの概念は、警察には二つの要素があることに基づいている。ひとつは《公序的警察（police de l'ordre public）》であり、いまひとつは《公役務管理の警察（police de la gestion des services publics）》である。これによって、特許契約において行政立法的地位（situation réglementaire）が存在することを含めて、特許事業者の契約的な地位が解明できる、という。

さらにオーリウによると、公序的警察権は、公的安全に関するもので、現在のところ国家によって独占されている。もとより公序は、私的警察（polices particulières）とは無関係であるが、例外として、私的警備員（gardes particuliers）の制度があり、行政の承認をうけなければならない。いまひとつの例外として、パリの劇場経営者に対して義務づけられる私的消防団（pompiers civils）がある。これに対して公役務管理警察権（ないし役務管理警察権）は、役務の質に関するもので、国家によって独占されない。前者の公序的警察は、古代から国家によって独占されているという意味で、《レガリア的（régalienne）》という形容をすることができる。他方、後者の公役務管理警察は、国家に固有な要素ではなく、譲渡可能である。

その一方でオーリウは、法的カテゴリーは特定の法的効果に向けられたものであるから、次の三つの点からみて、両者の区分を誇張するべきではないという。すなわち、まず第一に、この警察概念の区分は、役務の区分とは関係がない。数年前に、国家に独占される役務と独占されない役務とを区別し、後者における国家の事務は単なる管理（gérance）と同視しうる、という考え方を提唱したが、この見解は否定されるべきである。なぜなら、公役務の概念はあまりにも複雑で、これに法的にみて権利の効果を結びつけるのは適当でない。公役務は法的概念というより経済的概念であり、役務の執行だけが法的な事実となるが、すべての公役務の執行ないし不執行に対して、同一の責任という帰結が法によって結び付けられるのである。しかも、行政はいたるところで、公衆の利益の事務管理者になっている[18]。

第二に、公役務を作用させるために行政が行使するための警察権と、それ以外の権利との関係である。警察権とその他の権利は、法的取引（commerce juridique）との関係からみれば、すなわち譲渡が可能であるかどうかを考えるにあたっては、相互に区分されるべきである。ここで想起されるのは、公物の不可譲渡性（inaliénabilité des dépendances du domaine public）であり、これと同様に、《公的作用の不可譲渡性（inaliénabilité des fonctions publiques）》という概念を設定することができる。ところが、不可譲渡性の修正原理として、公物の特許をすることは可能であり、これと同様に公的作用の特許も観念しうる。また、私産は公物と異なり、譲渡が完全に可能である。類似の問題として、教会が独占している死者埋葬役務を譲渡できるか否かについて、司法裁判所は否定し、行政裁判所は肯定している。他方、不可譲渡性とは別に、権利行使の放棄（renonciation）に関する《不可放棄性》の問題がある。たしかに、公権力の手のもとにあり、譲渡も特許もすることができない権利は存在するが、これに対して不可放棄性とは、一定の作用（opération）について、公権力が《権利を行使しないという同意》をすることに関する原理である。不可放棄性は譲渡できない権利について、とりわけ警察的権利について問題になるが、両者は概念的には区別されるべきである。テシエ氏のいう公序的警察と役務管理警察の区分をもとにすると、前者は行政が放棄することができないのに対して、後者は放棄できることになる。その意味で、同氏の区分は意味をもつように思われる。

第三に、右の権利の区分は、裁判管轄（compétences）の問題とは区別される。裁判管轄は、権利の性質ではなく、権利が行使された状況によって決まってくる。同じ権利であっても、公務員によって直接管理されれば公権力的行為になるのに対し、特許事業者によって管理されれば管理的行為になる。先の二種類の警察のうち、ひとつは公序的警察、すなわち主権的な警察であり、いまひとつは管理的な警察、すなわち公役務の執行に関する警察であるが、これらは放棄可能性を考えるうえでのみ意味があるのであって、裁判管轄には直接的な影響を及ぼさない、という。

かかる留保をおきながらも、オーリウは、二つの警察概念を区分する意義として、次のように説く。たとえば、

①公序的警察は、法律または法律によって確認された慣習に基づいており、これによって行政の規範制定権限（pouvoir réglementaire）が導かれ、特許の取り決めの基礎が与えられる。かかる規範制定権限は、特許事業者に対して譲渡や放棄をすることができない。特許事業者の利益になるとすれば、それは行政立法の適用の結果にすぎない。他方、市の当局は、規範制定権限の行使を放棄することはできないし、既存の行政立法も変更できない。行政立法の変更がなされた場合には、それが契約の解約事由になるにすぎない[19]。②公序的警察の規範制定権限は、契約によって制限されない。かかる権限を行使して特許事業者に損害を与えたときには、金銭的に補償をすることが求められる。これが、判例において確立している《王の行為（fait du prince）》の法理である[20]。③これに対して、公役務警察の権利については、行政は契約条項において放棄することができる。

オーリウによれば、本件の解決方法として、コンセイユ・デタは③の考え方を用いている。すなわち、本件特許契約の条件明細書を通じて、法令によって与えられた役務警察権の行使を、行政側が明示的ないし黙示的に放棄したのである[21]。したがって、もし安全などの公序的な理由によって列車本数の増加が求められたとすれば、別途の解決がなされたことになろう。

そのうえでオーリウは、次の三つの原理が導かれるという。すなわち、「第一に、公序的警察に関しては、行政は条件明細書のなかで、特許事業者に規範制定権限を行使する権利に関する定めをおくことはできない。これに対して、役務管理警察に関しては、この種の条項をおくことができる。第二に、公序的警察に関しては、条件明細書に記載された義務を超えて、特許事業者に新たな義務を課したとしても、かかる規制的措置は取り消されえない。ただし、これは《王の行為》を構成するので、行政が金銭的に補償する義務を生ぜしめる。これに対して、役務管理警察に関しては、新たな義務を課する規制的措置は取消しの対象となる。第三に、行政は条件明細書において公序的警察の権利を放棄することはできないのに対して、役務管理警察の権利を放棄することは可能である。さらに補足的な原理として、第四に、公序的警察の権利の制限を含む条項は、厳格に解釈されなければならない。行政は金銭的にしか拘束されないのであって、それを超える場合には、正式に表明された内容に対してのみ拘束されるとみなされなければならない。これに対して、役務管理警察に関しては、行政に留保された権利を契約条項に即して評価し、特許事業者に有利に解釈すべきである」。そして結語として、いわく。「もちろん、以上の規範は、すべての場面を想定したものではないが、公序的警察と役務管理警察の区分はきわめて重要であり、これらの規範によってかかる区分が基礎づけられる。さらには、右の諸規範によって、ほとんど知られていない法的領域が埋められ、構築される端緒となるのである。」

このようにオーリウは、公序的警察と役務管理警察の区分の重要性を強調するのであるが、これが《王の行為》などの行政契約論を基礎づけることにはなるものの、公役務特許の許容範囲などの理論として大きく展開されることはなかったというべきであろう。こうした思考の中断は、右の区分論が行政法概説書に取り入れられなかったことにも表れており、その原因としては、次にみるフランス市街電車事件における判例変更をあげることができる。現代からみると悔やまれるところであるが、それでも、オーリウの立場には、次の意義が認められるであろう。

まず第一に、国家によって独占されるのは、特定の《公役務》ではなく、公役務のための一定の《権利》ないし《作用》であるという考え方である。第二に、国家によって独占される権利に関して、《譲渡可能性》と《放棄可能性》を区別していることである。後者は今日でいえば拘束可能性であるが、特許可能性（今日にいう委託可能性）と一体的に論じられているところもある。(22) すなわち、《王の行為》で直接問題になっているのは拘束可能性であるが、冒頭の概念説明にみられるように、公的安全に関する公序警察が伝統的に国家によって独占されてきたという説明には、特許可能性が含意されていると考えられ、それゆえにこそ、類似の概念である譲渡可能性との相違が強調されている、という理解が可能である。包含関係としては、譲渡不能な権利のなかに特許不能な権利があるうともに、放棄可能なものがあるという説明をしており、後述の叙述をみても、これら三つの基準には相互に重なりあうところが多い。ただし、このうち放棄可能性については、次にみるフランス市街鉄道事件評釈で修正されることになる。第三に、公役務特許の許容性を考察するにあたって公物法（とりわけ、公物の不可譲渡性）との類推がなされ、公的作用の不可譲渡性を修正する原理として特許を観念していることである。[23] これらは、今日の民間委託の考察にあたって、少なからぬ示唆を与えるであろう。

(四) フランス市街電車事件の判例評釈（一九一一年）

つづく一九一〇年のフランス市街電車事件において、北経済鉄道事件の判例が早くも変更される。この事件では、知事が特許事業者に対して、条件明細書の取り決めを超えて、市街電車の運行本数の増加を命ずることができる、という判断が示された。

オーリウは、この判決に賛成する。[24] 判例が変化した理由として、鉄道に関する特許の規範が統一化される傾向にあったこと、公土木大臣が電車運行本数の増加に賛成していたことなどの外在的理由があるが、それとは別に、公役務特許作用の本質的な変化が生じたことが根拠となっている。すなわち、かつての公役務特許は、未開拓の公役務の領域に取り組む手段として考えられてきたために、特許事業者の利益の確保に重点がおかれてきたが、数年来の社会状況の変化として、公役務を改善することに対する関心が高まり、直営の場合と同じように役務が運営されることが期待されるようになった、という。

このほかの理由として、オーリウは、行政が一方的変更権を行使して特許事業者の信頼を裏切ると、特許事業者から損害賠償が請求されるおそれがあるから、実際上は一方的変更権の行使は制約されるはずであること、本件の根拠法令を客観的に解釈すると（つまり、当事者の意思から離れて解釈すると）、安全上の事情があるときのみならず、公益のために公役務の正常な運営を確保するという目的のために、列車本数の増加が要求できること、をあげている。さらに一般的な傾向として、公土木の特許から公役務の特許に移行し、役務の恒常的な改良に対する関心が強まっているために、契約の形式の傍らで、役務の規律（réglementation du service）が高められつつある、という現象も指摘している。(25)

もっとも、この評釈は、実際的な観点から判例変更を理由づけることに重点がおかれており、理論的には必ずしも十分な整理をしていないという評価も可能である。特に、ここでは、北経済鉄道事件評釈で用いた《放棄可能性》や《特許可能性》という概念が使われていないことに留意するべきであろう。つまりオーリウは、社会状況の変化によって、直営事業と同等の役務水準が求められるようになったとしても、契約によって特許可能な範囲が縮小したとは述べていないのである。言い換えれば、放棄可能性（拘束可能性）を縮減させたにとどまり、特許可能性（委託可能性）については立場を変えていないという理解も可能である。このうち後者の立場が、公役務編成権の特許可能性が否定されるという考え方につながっていると解される。いずれにしても、オーリウが判例変更に賛成しているからといって、北経済鉄道事件評釈における自説が全面的に撤回されたとは断定できない。

同時に、このオーリウ評釈では、契約的規律の対象になりえない要素が、その時代の社会通念によって変動することが示唆されている。さらに、このような立場の変更を踏まえて、後の行政法概説書では、公的安全以外の理由に基づく契約外の義務を含めて、《警察的な規律》に基づく義務として表現されるようになる（二(四)②[122]参照）。

[110]

(五)　バセ市事件の判例評釈（一九一〇年）

最後に参照されるべきは、一九〇九年のバセ市事件の判例評釈である。(26)この事件では、市町村が消防役務を創設する代わりに、私的団体に補助金を交付することができるか否かが争われた。すなわち、同市議会は、救助会社

(société de sauvateurs)に対する補助金と、消防機材の購入・管理に関する予算を計上したが、ノール県知事は、かかる予算計上が、消防職団(corps de sapeurs-pompiers)の編成方法について定めた一九〇三年一〇月三日デクレに違反していることを理由として、当該予算計上を取り消す決定をした。これに対して、バセ市側が知事決定の取消しを求めたのが本件である。

コンセイユ・デタは、次の理由により、知事決定は取り消されるべきであるとして、原告の請求を認容する判決を下した。すなわち、①一八八四年四月五日法律六一条は、「市町村の事務について市町村議会は、議決によって決定(régler)する」と定めており、また同法律九七条六項は、市町村警察(police minicipale)が火災の予防や救助等を定めていることから、市町村議会は、消防職団の創設のみならず、火災予防事務について、自由に決定することができる。②本件において、議会は公役務の創設を意図しておらず、単に民間企業に対する補助金や機材購入等の予算議決をしたものである。

オーリウによると、ここで問題になっている消防職団は、専門的な消防職員によって構成されるもので、古代の都市国家以来、軍隊的な組織として、職業軍人や司法官と並んで王権的な作用(fonction royale)を担う要素とされてきた。ところが、一九世紀末ごろから財政負担が増加したことや、消防行政に対する政治的介入が顕在化したために、一九〇三年一〇月三日デクレは消防役務を県の指揮監督のもとにおいて、市町村が費用負担するという方向性を示したが、実際には市町村の抵抗にあって、その移行が順調になされなかった。そこで、一部の市町村は消防役務を削減したり、また一部の市町村では、消防職団という専門職団ではなく、臨時職員(employés)によって消防職団を編成するなどの措置を講じたが、後者の措置は、コンセイユ・デタによって違法であるという判断が示された。そこで、市町村が民間企業に補助金を支給して消防役務を担わせるという手法が考え出され、本判決によって、かかる補助金の手法が承認されたわけである。(27)

オーリウによれば、判旨②は、行政によって創設された公役務と、行政の補助金交付によって事業が可能になる私的役務とを、峻別したものである。これによって、《補助金による私的役務》という、新しい行政手法が創設されたことになる。市町村としては、公役務の手法と、補助事業たる私的役務の手法とのあいだで、自由に選択をすることができるようになる。これは、市町村にとって、きわめて有利な結果をもたらす、という。

オーリウは、本判決によって、この分野での分権が勝利したという評価ができるとしながらも、その射程には二つの限定が付せられるという。すなわち、ひとつには、役務の性質による制限がある。すなわち、市町村が私的組織に補助金を交付する自由は、任意的な公役務（services publics facultatifs）に関する場合でなければ認められず、義務的な公役務（services publics obligatoires）に対しては許容されない。たとえば、判例上、義務的役務である公立学校の教育と競合させる形で、私立学校に対して補助金を交付することはできないと解されている。また、宗教役務に対する補助金は、法律上禁止されている。さらに、任意的な公役務であっても、公的実力（force publique）に関する補助金の交付は認められない。たとえば、農村警備（gardes champêtres）の役務は任意的役務であるが、公的実力を伴う役務であり、私人たる警備員に補助金を交付して警備させることは許されない。一般的にいえば、現行法のもとでは、私的警察の職団を用いることは観念しえないのである。

いまひとつは、補助金という手法に基づく限定であり、企業の私的性格を尊重するという制約を逸脱することはできない。この制約を厳格に解するならば、民間企業の事業は、ひとつの公役務に変容することになるであろう。したがって、条件明細書とともに正式な協約（traité formel）が補助金に添付されるならば、この結合によって、民間企業が公役務の企業になってしまう。そこで、本件の場合にも、救助会社は毎年度の補助金が交付されることに甘んじなければならず、一定期間を通じて補助金が継続的に交付されるという確定的な約定（engagement ferme）を取り交わすことは、避けられなければならない。これによって事業の執行が不可能な場合には、消防機材の提供を市町村に求めることになるが、この場合の機材は補助金の一部にすぎないと解されることになる。これが、本判決のリベラルな解釈であるというべきであろう、と記している。

ここでは、救助役務が公序的警察役務に相当するから、かかる役務のために私人に補助金を交付することはできないのではないか、という問題が意識されており、それゆえにオーリウは、補助金の契約的な構成を排している。さらにオーリウは、こうした一般論を示しながら、補助金による消防行政を協働行政のモデルとして位置づけ、その後の行政法概説書において重要な地位を与えていくようになる（二（六）①[125]参照）(28)。

もっともオーリウは、右の二つの制約原理のうち、役務の性質に基づく制約については、「もしかりに市町村公役務の伝統を廃して、民間の救護会社に頼ることになるとすれば、一九〇三年デクレの適用範囲を超えることになろうが、コンセイユ・デタは、かかる構成に法律侵犯を認めることはないであろう」と記していることが注目される。つまり、この種の制約は、あくまで《公役務の伝統》に基づくものであり、社会状況によって修正される余地を残しているようにみえる。

（9） Hauriou, DA 9, p. 48, note 1. この記述のうち②は、同書最終版では削除されており（DA 11, p. 18, note 1）、もっぱら①の問題が論じられている。

フランスの公役務特許の法理については、わが国でもふるくから紹介されてきた。たとえば、山田幸男『公企業法』（一九五七年・有斐閣）五五頁以下、同『行政法の展開と市民法』（一九六一年・有斐閣）二八五頁以下、原田尚彦「国の企業規制と特許事業（一）」立教法学七号（一九六五年）七一頁以下、浜川清「フランス行政契約一般理論の成立（一）」民商法雑誌六九巻六号（一九七四年）九八二頁以下、滝沢正「フランスにおける行政契約（一）」法学協会雑誌九五巻四号（一九七八年）六一三頁以下、J・リヴェロ＝兼子仁ほか訳『フランス行政法』（一九八二年・東大出版会）一一九頁以下、亘理格「フランスのPFI的手法」会計検査研究二五号（二〇〇二年）一一九頁以下、三好充『フランス行政契約論』（一九九五年・成文堂）一頁以下、國井義郎「フランスにおける行政契約と官公庁契約」阪大法学五二巻二号（二〇〇二年）一一四頁以下、P・ウェイルほか＝兼子仁ほか訳『フランス行政法』（二〇〇七年・三省堂）三八頁以下。最近の動向については、木村「フランスにおけるPFI型行政の動向――公私協働契約を中心に」季刊行政管理研究一一〇号（二〇〇五年）五六頁以下を参照。

しかしながら、公役務特許の実際的な機能に着目した研究は、これまで十分になされてきたとは言いがたい。これに対して、港湾管理を取り上げながら、理論と実務の双方を意識した考察を試みたものとして、木村「国有財産の管理委託に関する一考察――港湾管理を素材としたガバナンス研究」千葉大学法学論集二〇巻四号（二〇〇六年）一二七頁以下がある。

なお、公役務特許に関する代表的な仏語文献としては、本書冒頭に掲げたオーリウとジェズの概説書のほかに、次のものがある。F.-J. Benoit, Le droit administratif français, 1968 ; J. Dufau, Les concessions de service public, 1979 ; A. de Laubadère et al., Traité des contrats administratifs, 2 vol., LGDJ, 1983-1984 ; R. Chapus, Droit administratif général, 2 vol., Montchrestien, 15 éd., 2001 ; E. Delacour et al., La loi Sapin et les délégations de service public, éd. Litec, 2003 ; L. Richer, Droit des contrats administratifs, LGDJ, 5 éd., 2006 ; Ch. Guettier, Droit des contrats administratifs, PUF, 1 éd., 2004. 公役務特許を公私協働の一種とみて、公土木関係を中心に、その歴史を概観するものとして、X. Besançon, 2000 ans d'histoire du partenariat public-privé, pour la réalisation des équipements et services collectifs, éd. Ponts et chaussées, 2004.

（10）フランスでは、民間委託に関する複数の手法が形成されている。まず、公役務の特許（concession）では、利用者からの料金収入が事業者の収益に連動しており、事業者の危険と責任のもとで事業が行われる。これに対して、委託管理（régie intéressée）においては、一部の収益のみが料金から充当されており、事業者は公法人のために行動し、自らはリスクを負わないので、基本的には委任（mandat）に近い性質をもつ。他方、代行管理（gérance）においては、事業者はもっぱら公法人からの請負報酬によって収益をえる。このほか、施設特許（affermage）は、事業者が自己の責任のもとで運営する工作物が存在している点で、特許と区分される。これらは、公役務委託の基本的な類型となっている。

他方で、建物などの土木の設計・建設等を契約の内容とする土木特許（concession de travaux）があるが、これは土木を要素とする意味で公役務特許よりも狭い概念であるが、必ずしも公役務を目的としない点で公役務特許よりも広い。Cf. F. Lichère, Droit des contrats publics, Dalloz, 2005, p. 37.

このほか、二〇〇四年の法改正によって登場した公私協働契約も、行政の外部化（externalisation）の可能性を高めているといわれる。参照、木村・前掲註（9）行政管理研究一一〇号五六頁以下。

（11）オーリウに①の問題意識があることについては、磯部力が「行政の守備範囲」の問題として指摘している（兼子仁ほか『フランス行政法学史』（一九九〇年・岩波書店）二八四頁［磯部執筆］）。この点に関する筆者の分析として、木村・財政法理論一二二頁以下、一五九頁以下。これに対して、②については、磯部は別の論文で問題の所在を示しているが、特にオーリウ学説には触れられていない（磯部力「行政システムの構造変化と行政法学の手法」塩野宏先生古希記念論文集『行政法の発展と変革・上巻』（二〇〇一年・有斐閣）六六頁）。総じて、後者の観点からのオーリウ研究は、まったく手つかずの状態にあるというべきであろう。

（12）Hauriou, note sous C.E. 20 février 1891, Chemin de fer du Midi, S. 1893. 3. 17, JA 3, p. 488.

（13）H. Bertélemy, Traité élémentaire de droit administratif, 10 éd., 1923, p. 234 et s. なお、ここでの警察は、公序維持的な警察であり、オーリウの用いる広義の警察概念とは異なる。

（14）Cf. ibid., en particulier, p. 631-632. フランス市街鉄道事件に関連して、公土木特許における役務の施工主（maîtresse du service concédé）は行政であると述べられている。

（15）Hauriou, note sous C.E. 14 février 1902, Blanleuil et Vernaudon, S. 1904. 3. 81, JA 3, p. 437.

（16）Hauriou, note sous C.E. 23 janvier 1903, Compagnie des chemins de fer économiques du Nord, S. 1904. 3. 49, JA 3, p. 458.

（17）　Concl. Teissier, sous l'affaire Compagnie des chemins de fer économiques du Nord, Rec. p. 62 et s. 鉄道の特許事業については、当時、類似の見解が存在しており、テシエ論告はそれを参考にしたものである。Cf. J. Rothschild et A. Pocard, Traité des chemins de fer, tome 3, 1887, p. 361.

（18）　Cf. Hauriou, DA 5, p. 244. さらに、事務管理者としての行政につき、木村・財政法理論一八七頁以下、二七五頁以下。

（19）　実際には、公序的警察の行政立法が、厳密な意味で特許契約の基礎にならないで、役務が執行されることもある。その例として、死体埋葬（inhumation）の役務がある。ただし、この場合には、市長は、法令上、特許事業者以外の者の事業執行を禁じうる、という。

（20）　《王の行為》をはじめとした行政契約の法理については、リヴェロ・前掲註（9）一三七頁以下を参照。

（21）　あとに取り上げる行政法概説書の記述に則していえば、①は公役務編成権に、②は公序的警察に、それぞれ関わる原理である。

（22）　これらの概念の区分につき、第二節三⑤[160]を参照。

（23）　Cf. Hauriou, DA 1, p. 645.

（24）　Hauriou, note sous C.E. 11 mars 1910, Compagnie générale française de tramways, S. 1911. 1. 3, JA 3, p. 470. この判決は、行政契約の一方的変更権に関する古典的な判例として、オーリウ評釈を含めて、わが国でも繰り返し紹介されているが（阿部泰隆・判例解説・フランス判例百選（一九六九年）五五―五六頁、リヴェロ・前掲註（9）一三四頁、橋本博之『行政法学と行政判例』（一九九八年・有斐閣）一三七頁以下などを参照）、オーリウ評釈の理論的な広がりは示されていない。

　なお、同判決のオーリウ評釈は、次にみるバセ事件評釈よりも時期的に先行しているが、北経済鉄道事件評釈との関連で、順序を入れ替えて紹介する。

（25）　この判例法理は、のちに公役務の質的改善に関する判例に発展しており、現代的なガバナンス論の基礎を提供している。公役務特許論の今日的意義とあわせて、木村・前掲註（9）千葉論集二〇巻四号一〇八頁を参照。

（26） Hauriou, note sous C.E. 24 décembre 1909, Commune de la Bassée, S. 1910. 3. 49. JA 1, p. 326.

（27） Cf. Hauriou, DA 9, p. 353-354, note 1.

（28） さらに、後のオーリウは補助事業と公役務の相対性を主張するに至る（二（一）[111]参照）。

[111]

二　行政法概説書における公役務論

以下では、おもに晩年の行政法概説書[29]を取り上げながら、公役務の範囲や公役務特許に関するオーリウの考え方を整理しておくことにしたい。内容的には、先にみた判例評釈の叙述の一部を総括するものが多く、民間委託に直結する記述は必ずしも多くないが、オーリウ学説の特徴として、多くの理論的要素が複雑に連動しているので、関連する叙述は多岐にわたっている。全体として、民間委託の基礎理論的な考察をするうえで示唆を与える記述が、断片的に見出せるであろう。

（一）　公役務が創設できる範囲

公役務が拡張できる範囲について、オーリウは晩年の行政法概説書において、一定の回答を示すに至る。彼の基本的な答えは、《富（richesse）》に対置された《財（bien）》の創設のみが行政によって担われうる、というものであり[30]、この区分が、オーリウに固有な概念である《行政制度（régime administratif）》の基礎になっている。かかる概念的整理を経て、行政法概説書の最終版では、国と地方公共団体を通じた一般原理として、第一に、立法者といえども、《都市の規律（police de cité）》のための緊急性がなければ、新たな公役務を創設できない、第二に、集団的な富の創設のみを目的として、商工業的な公役務は創設されえない、と述べられている(31)。

オーリウが公役務の許容範囲について詳細に論じているのは、市町村の役務に関する問題である。これは、彼が活躍した当時、とりわけ市町村における公役務の拡大が、実務上大きな問題として議論されており、多くの訴訟が提起されていたという背景があったためである。そうした問題関心をうけてオーリウは、市町村役務の範囲に関する一般的な基準として、次のように述べている。すなわち、市町村は、住民にとって有益な地域的公役務であれば、あらゆるものが創設できるが(32)、次の留保が必要である。①法令の制限を遵守しなければならない。たとえば、宗教役務に対する補助金は禁じられる。②国によって独占される役務を尊重しなければならない。たとえば、初等教育は創設できない。③予算的観点からすると、上級行政庁の承認をうけなければならない場合がある。④商工業的な運営を市町村役務として構成する場合には、法律よって予定されているか、緊急の警察的利益があることが必要である。⑤役務の創設の問題と直営（régie）の問題とを分ける必要がある。ある市町村役務が創設できるとしても、必ずしも直営が可能ではなく、特許の対象とされなければならない場合もある。これは、公役務の厳格な手続によることが可能であり、また有利であるか否かという問題に依存する、というのである(33)。なお、ここにいう警察には、公的な安全や保障のみならず、個人や集団の富に含まれない社会的利益や国家の発展等も含まれる(34)（(三)②[115]参照）。

現代的な観点からすると、このうち重要なのは④と⑤の考え方であり、それぞれ本節冒頭に掲げた二つの問題に対応している。とりわけ④において、公役務が創設されうる範囲について、オーリウが柔軟な振り分けを志向していることが注目される(35)。このことは、⑤の主張とも共通しているが、彼が④の基準の注記として、次のように述べていることに象徴的に示されている。

すなわち、公役務の創設範囲に関する問題は複雑である。かりに補助金を継続的に交付すれば、その役務が実質的に変容し、市町村役務になる可能性がある。共同パン事業に対する補助金が、その好例である。(36) さらに、次の二つの事情からすれば、問題はいっそう複雑である。まず第一に、事業の公役務化は明確な形で生ずるとはかぎらず、公土木の特許や補助金によって覆い隠される場合がある。第二に、ある事業が公役務として構成されるか否かの問題に対しては、積極または消極の回答を明確に示すことはできない。これは、公的領域と私的領域の均衡の問題に帰着する。基本的には、当該商工業的役務が緊急の警察目的に応えたものであるかという基準が設定できるが、個別に判断しなければならないし、判例上、集団的な富を目的とする地権者組合 (associations syndicales de propriétaires) が公施設法人として認められているという現実がある。また、財政的利益がもたらされるかどうかは副次的な考慮要素にすぎず、富と財の区分、ないし警察目的と経済的目的の区分が基本になる、という。(37)

この点は、行政制度の本質論との関係で理解されるべきであるが、このうち第一点は、公役務の範囲の問題と公役務特許の範囲の問題が、実質的に絡み合うことを意味している。そもそも、オーリウの認識によれば、当時の市町村公役務の拡張という現象は、新たな公役務の創設によるものでなく、従来特許に近い形で行われていた役務が直営に転換されたものがほとんどである。(38) その意味で、この時代に問題とされていた公役務の範囲の問題と、公役務特許の範囲の問題とは、実際的にも重なり合っていた。それでもオーリウは、理論的な整理として、二つの問題を区別すべきことを主張しているのである。第二点は、行政制度の一般論を反映させたものであり、行政制度の外延が均衡的に画されることに基づいている。(39) このように、公役務の範囲について、オーリウは一定の基準を設定しているものの、柔軟な発想を取り入れている。(40) こうした考え方の基礎には、公的領域と私的領域の区分を相対化し、両者の相互補完を重視するという思考がある（(六) ③[127]参照）。

[112]

(二)　公役務特許と直営事業の区分

他方、右の⑤について、オーリウは、公役務の許容範囲と直営の範囲とが、しばしば混同して論じられているという問題点を指摘したうえで、直営の方式には、財政的観点と政治的観点の二つの観点から弊害が認められるという。すなわち、財政的観点としては、商工業的事業の運営はリスクを伴うことが多いこと、政治的観点としては、公務員の数が増大し、公務員の集団が有権者として政治的権力をもちうることに、それぞれ難点があるとしている。そこでオーリウ自身は、委託管理（régie intéressée）の形式が好ましいと述べている。このように、直営の範囲は経済的・政治的な観点から決まってくるのであり、法的には決まらないことが示唆されている。実際、ブランルイ判決評釈では、直営と特許の選択は行政の政策的判断（une sorte de politique administrative）によると記されている(41)。

その委託管理について、オーリウは多くを論じていないが、公土木の執行方法として、直営、特許、企業による管理に分けたうえで(42)、直営の変種である委託管理は、公役務特許に比べると新しい手法であり、事前の契約上の取り決めによって、行政と委託事業者のあいだで利益分配（partage des bénéfices）が明確化されるという点で望ましい」、と述べている(43)。また、別の箇所でオーリウは、特許は古典的な請負（ferme）を継承した制度であり、将来的には直営と委託管理に解消される、とも述べている。すなわち、公役務は公的組織によって確保される、という原則論を示したうえで、いわく。「共同体的組織（organisations communautaires）としては、国や地方公共団体のほか、公施設法人（établissements publics）がある。これに対して、民間企業の役務が公行政の概念と無縁であることは明らかであるが、特許の制度により、行政は利益を享受するために私的団体と連携する。この特許の手法は、請負の手法を継承するものであり、直営ないし委託管理のもとで消滅させることが要請される(44)。」

[113]

（三）　警察の概念

さきに、一八九三年のミディ鉄道事件評釈と一九〇四年の北経済鉄道会社事件評釈とのあいだで、オーリウの立場が変化していることが示されたが、この改説は、彼が警察権の位置づけについて、大幅な修正をした時期に一致している。すなわち、初期においては、公的安寧（tranquillité publique）・公的安全（sécurité publique）・公衆衛生（salubrité publique）という公序的警察と、公的実力（force publique）の行使を中心に、警察概念が構成されていた。これに対して、一九〇一年の行政法概説書第四版以降は、広義の警察概念を採用し、《都市の規律》のための強制（contrainte）ないし規制（réglementation）と、公役務編成（organisation des services publics）の二つが、その中核的要素とされるようになった。それらが、拡張された意味での《レガリア的権利（droits régaliens）》の概念に対応するというのである。(45) したがって、改説後のオーリウの叙述は、彼の警察法の一般理論、さらには行政法理論の体系を下敷きにして読むべきであろう。

[114]

そこで晩年のオーリウの行政法理論の体系をみると、強制や徴用（réquisition）の要素を含むか否かによって、公権力的権利（droits de puissance publique）と《私法的権利（droit de personne privée）》に分けられる。さらに、公権力的権利は、《公役務の編成権（droits en vertu desquels sont organisés et opérés les services publics）》と、その《管理手法（moyens de gestion des services publics）》に区分される。(46) それぞれの権利の意義について、以下にまとめておこう。

①　ここにいう公役務編成権は、法令の執行のために、公役務を編成し、それを作用させるための権利である。たとえば、軍事的権利に基づいて、軍隊役務が編成される。また、裁判的権利や警察的権利によって、それぞれ裁判役務や警察役務が編成される。さらに、教育権に基づいて公教育役務が創設される。

オーリウによると、公役務編成権は、レガリア的権利の名のもとの《支配権（droits de domination）》として、歴史上常に、国家にとって必要なものであると考えられてきた。支配権の本質的要素として、国家の責務（devoirs）を実現する権力があり、これが公役務編成権である。公役務編成権は、法律の執行を予防的に確保するという、警察的な目的をもつ。これらの第一次的権利は、さまざまな役務に結合している、という[47]。ここでは、ブランルイ事件評釈で示唆されたところと同様に、支配権の概念を介して、公役務編成権が国家の専権に属するという前提が読み取れるであろう。

続いて、公役務は警察を確保する手段であるという命題は、次の理由から導かれる、という。「警察とは、法の予防的適用による秩序と平和の維持である。警察は、法令の規定による規制、すなわち法律や行政立法の規定によって得ることができるが、これらの規定がおかれるだけでは不十分であり、それらの執行の確保をする必要がある。執行の確保は、裁判的手法と行政的手法によってなされるが、このうち裁判的執行は、裁判官に抑圧的制裁（sanctions répressives）を適用させることにある。これに対する行政的手法は、直接的な強制（coercition directe）によって市民を強制することのほか、役務の予防的組織（organisation préventive de services）によって私人の自発的執行を容易にすることにある。これら直接的強制と役務の創設・編成とは、法律の執行を確保するという同一の目的、つまり警察の目的をもつ二つの手段であり、二つの警察的手法なのである。たとえば、近代国家の警察は初等教育の発展を求め、立法が初等教育を義務づけているが、法律の執行のためには裁判的制裁があるだけでは不十分で、全国の市町村に学校が設置されることが必要となる。公立学校の設置が、初等教育についての法律の執行を確保するという警察の手段なのである。同様に、退職労働者に関する法律の執行を確保するために、今日では、年金・恩給の役務が創設されている。……警察権と公役務編成権との類似性からすれば、本書において、公序維持警察や規制の項目に続いて、生活保障的役務（services d'assistance et de prévoyance）の項目を掲げて、両者をまとめて論

ずることは、驚くには当たらないであろう。本書において扱うことができる公役務は、生活保障的役務だけである。」(48)

[115] かくしてオーリウは、かかる公役務編成権によって創設された役務の具体的要素として、公序的警察と公的扶助役務をあげている。警察とは、法の予防的適用による秩序の維持であるから、これらは、公役務の目的として掲げられた《都市の規律》に包摂される（（一）[111] 参照）(49)。

② オーリウによれば、高次の意味での《国家の警察》は、右にみた公役務の編成とは別に、国家による確認（constatation）・公証（authentication）・証明（certification）によっても得られる。これらは社会的な保障を提供し、高次の警察の役務を構成する、という。その例としては、民事上の公証・登記、通貨の創造・管理、専門職の免許のほか、裁判官付属吏（officiers ministériels）を創設する権利、学位授与（collation des grades）の権利などがあげられているが(50)、その際、国家の公証権の副次的役務の概念によって、どこまでの説明がなしうるか、という問題を設定しており、その外延は議論の対象になりうることが認識されている。

[116] ③ さらにオーリウは、公役務に強制と独占（monopole）が伴われることについて、次のように述べる。「公役務の編成においては、常に強制が伴われる。かかる強制は支配権に属する。たとえば、公的扶助の役務においては、強制の要素が後退するものの、物乞いの禁止が前提とされており、公的扶助（扶助機関への登録）を強制しているのである。また、一九一〇年四月五日法律によって労働者・農業従事者の生活保障的役務が創設されたが、ここでも加入が義務づけられている。このほか初等教育にも強制があるし、軍役・裁判・警察の諸役務に強制の要素が伴われることは言うまでもない。

また支配権の帰結として、あらゆる公役務には独占の傾向が生ずる。もちろん、多くの場合には、民間企業の競争を認めた方が有利であるが、相当数の公役務は、とりわけ経済的理由に基づき、独占によって私的事業を排除することが必要となる。街の照明を設置することは、独占の手法を用いることなくしては、実現がきわめて困難である。独占は住民に対して強要されるし、住民の金銭的負担に依拠するという意味で、一種の強制の形式であるが、市町村は、他の方法によって役務がなされえないことが明らかになった場合には、役務を創設するに際して、《排他的特権（privilège exclusif）》を創設する権利を有している［傍点木村］。」[51]

一般に公役務の独占は、当該公役務が特許事業としてなされる場合のみならず、行政が直営事業として行う場合にも生ずるが、右の記述は双方を念頭においていると解される。かかる独占についても、法的な帰結ではなく、経済的な考慮に基づくという考え方が示されると同時に、競争を排除する合理的理由があることが証明されれば、独占的地位を創設することができる、という柔軟な考え方が提示されている。

[117] ④　ここで、公役務編成権の実際的な意義が問題になる。繰り返し述べるならば、公役務編成権は、法令の執行のために、公役務を編成し作用させるための権利である。つまり、それぞれの行政事務の内容や執行方法を決定する権限であり、いわば行政上の基本決定に関する権限行使である。概念的には、行政立法権のほか、公役務に必要となる行政組織の編成も含まれる。[52] オーリウによれば、公役務の執行や規律（réglementation）ないし原理的決定（décision de principe）に関わるかぎりにおいて、行政は私法人と区別される。[53] ここにいう原理的決定は、議会における議決（délibération）などであり、通常の執行的決定（décision exécutoire）とは区別された意味での基本決定である。[54] さらに、公役務特許をうけた特許事業者も、公役務を編成する権利の委任が認められているのであるから（ブランルイ事件評釈）、公役務の創設を含めた基本事項に関する決定のみが、公役務編成権に相当すると解される。いずれにしても、公役務編成権は、問題状況に応じて外延が異なる、相対的な概念であるというべきであろう。[55]

[118] ⑤　公役務編成権とレガリア的権利との関係については、別の箇所で次のように説かれている。「国家のレガリア的権利の問題と行政権（pouvoir administratif）の問題を混同してはならない。国家は、レガリア的権利として、警察権、裁判権、財政権、通貨発行権、軍事権などを有している。これらのレガリア的権利は、行政において重要

な役割を有している。すなわち、教育権が公教育役務の基礎になるように、さまざまな役務の基礎になる国家の権限を表象する。あるいは、公用収用権や課税権のように、あらゆる公役務の管理や資源供給のための国家の権限を表象する。しかし、レガリア的権利や公権力的権利は、法令によって確立されたにしても、それだけでは行政制度を構成するには十分でないし、まして公役務が編成されるという事態を導かない。行政制度を構成するのは、国家の公権力的権利が執行される手段に関する権限、および公役務が管理される手段に関する権限である。このように、行政権はもっぱら、国家のレガリア的権利の行使の方式、および役務の執行の方式に関わるのである。職権的行動の権限も、この延長に位置づけられる。(56)」このように、国家の究極的な権利としてレガリア的権利があり、公役務編成権や管理手段の権利の基礎になっている。

さらに、統治権との関係では、オーリウによれば、統治的権力は日常的な事務管理の範囲でのみ行政に譲与(abandonner)されるのであるから、(57)その当然の帰結として、統治的作用は民間委託の対象になりえないことになろう。(58)このことは、行政は定期的かつ継続的であることによって統治と区別される、という定式からも導かれると思われる。(59)逆に、統治と区別された行政について、オーリウは《事務管理(gestion d'affaires)》としての実質を認め、民法上の事務管理の法理を応用しているのであるから、(60)民間事業者における活動と本質的に同視されることになり、民間委託の許容性も高められるはずである。

他方、オーリウ学説には、財政は私人と共通する作用であるという前提があるので、(61)課税権以外の管理作用的な意味での財政権には、レガリア的要素は認められていないと解される。(62)むしろ、右の引用文にみられるように、課税権のなかにも、公用収用と同じように、管理手段として認められるかぎりで、民間委託として許容されるものがあると考えられているようにみえる(⑥参照)。

⑥　こうした公役務編成権の下位に位置するカテゴリーとして、公役務管理の手段に関する権利がある。この権

利は、統治作用でなく、行政作用にのみ関係する[63]。また、すべての技術的役務に共通しており、人的・物的・金銭的な資源を供給することが含まれる。たとえば、公物管理権、公用収用権、公土木権、課税権が、公役務管理の手段とされる。

また、公役務の実際的な管理手段の問題としては、公土木の記述のなかで、直営・特許・委託管理の区分が取り上げられている。これらは、オーリウにおいては、公役務の《執行（exécution）》の手段として論じられている[64]。つまり、執行を確保するための《決定（décision）》としての公役務編成権が、その具体的執行としての公役務特許と、明確に区別されるわけである[65]。かかる体系は、公役務編成権の特許は禁止されるという前提に立っていると考えられる。もっとも、警察的な実力行使に関する執行については、《都市の規律》に直接関わることから、もっぱら公務員に委ねられるという立場がとられているようにみえるが[66]、必ずしも明確な規範として掲げられているわけではない。この点は、次の⑦に述べるとおりである。

⑦　オーリウは、以上にみた《公権力（puissance publique）》とは別に、《特権（prérogative ou privilège）》という概念を用いている。後者は、行政主体がその活動に際して享受する普通法外的権利ないし例外的手続であり、とりわけ職権的行動の権限（pouvoir d'action d'office）であると説明される[67]。ここにいう職権的行動は、日本法でいえば自力執行力に相当するものであり、総じて行政の《特権》は、私人であれば裁判手続を通じてしか享受しえない手続的権利を意味している[68]。このことは、オーリウの《特権》の概念が、公会計上の特権を起源として形成されたことからも理解できる[69]。ここにいう《特権》は、行政主体のみが行使できると考えられているようにみえるが[70]、今日に議論されているような民間委託の範囲を画する概念としては有用性に乏しいであろう。

その一方で、オーリウによれば、強制執行の作用自体は、公務員以外によってなされる可能性が認められるように思われる[71]。たしかに、バセ市事件評釈においては、農村警備などの公的実力の行使は、一定の公務員にのみ認められているようにみえるが、(72)この論理はその後の行政法概説書において修正されたと解することもできる（(六)②[126]参照）。また、たとえば裁判官付属吏たる執行吏は、オーリウによれば公務員であるが、一般的な理解によれば公務員ではない（(七)①[129]参照）(73)。さらに、彼のいう国家制度（régime d'Etat）の本質は、市民社会と軍事的権限の分離にあり、軍事以外の強制権限は《市民的（civil）》な存在として位置づけられているのである(74)。以上の理由から、オーリウ学説においては、実力行使の国家独占も相対化されていると考えることもできよう。

[121]

(四) 公役務特許の一般論

オーリウは、公役務特許については、おもに判例評釈において継続的な考察を続けたが、行政法概説書において、公役務特許に関する一般論を包括的に述べることはなかった。ところが、いくつかの例外的な叙述もみられ、全体としてきわめて重要な内容を示唆している。

① まず、北経済鉄道会社事件評釈の直前に公刊された行政法概説書第四版においては、次のように記されている。「公権力的権利は、原則として、国や国の構成員たる行政主体のみによって行使されるが、公権力的権利の行使は、一時的に私的組織に特許されることがある。……したがって、以下の指摘ができる。第一に、公権力的権利の特許（concessions de droits de puissance publique）においては、特許事業者に公権力自体が与えられるわけでなく、その行使が認められるにとどまるのであり、すなわち特許事業者に公権力の仮の占有が認められるのである。その意味で、すべての公権力的権利は国の手のもとにあり、譲渡や時効の対象になりえない。公物に関する特殊な不可譲渡性は、その規範の例外ではなく、その適用にほかならない。第二に、それゆえに、公権力の特許は本質的に撤回可能であり、いかなる場合にも一時的である。第三に、この種の特許を含む契約に関しては、契約条項は制限的に解釈されなければならず、公権力は契約条項に明確に規定された範囲でのみ制限される、という解釈原理が

定立される［傍点木村］。(75)」

ここでは、北経済鉄道会社事件評釈と同じように、譲渡可能性と放棄可能性の区分が前提とされたうえで、特許契約においても公権力的権利が放棄不可能であるとされている。ここでの公権力的権利は、警察権と公役務の管理権であるが、公権力的権利が特許の対象にならないとは述べられておらず、公役務特許によってその《占有》が可能になると解されている。また、第三の原理も、同評釈において解釈原理として再掲されているところである。なお、この記述はその後の行政法概説書にはみられないが、一般的原理に関する記述として、その後も維持されていると考えられる。

② A・オーリウによって補訂された行政法概説書（第一二版）においては、公役務特許について、次のように記されている。「特許事業者は、特許された役務の組織的警察の規律（réglementation de la police organique sur le service concédé）を支えることが義務づけられる。ここにいう規律は、条件明細書に定められた範囲のみならず、法令の条文が定めた範囲を含んでいる。……かかる警察的規律と法令は、特許事業者に対して、条件明細書に定められたところを超えた義務を課すことができる。特許事業者はこの種の義務に服するが、契約上の財政的均衡を害することになる場合には、補償を求めることができる。これは、《王の行為》の当てはまる特殊な場面である［傍点木村］。(76)」ここでは、公序的警察権ないし公役務編成権と、その不可放棄性の考え方が前提とされている。

また同書では、特許契約においては契約的地位と行政立法的地位の二つが存在し、行政側は後者の側面の表れとして、契約締結当初の条件を修正することができる権利を有するという。これは、ブランルイ事件評釈をはじめとした判例評釈において示されていたところであり、オーリウはこうした二面的性格に着目して、特許契約に対し契約と制度（institution）の結合という性格を与えている。(77) オーリウによれば、《王の行為》をはじめとした一方的変更権は、制度の要素とされるのであり、(78) その根拠として警察権が位置づけられるわけである。

[123] ③　ここで当時の学説をみると、オーリウの所説は、少なくとも公役務特許において、行政の特権を維持するという側面に関しては、同時代の賛同をえた[79]。これは、公役務特許における法的地位の二分論とともに、今日の学説に受け継がれている[80]。

他方、公役務編成権が放棄できないことについては、当時の学界において、その重要性が必ずしも十分に認識されていたとは思われないが、オーリウと同時代の公法学者であるジェズが、公役務の修正は常に可能であると述べている。すなわち、ジェズによると、公役務の修正は、公務員には公役務をよりよく運営する義務が課せられることから導かれる。この理由として、《国家の主権的権利の不可譲渡性》があげられるが、これは古典的な説明方法であり、むしろ条理による説明（se justifier rationnellement）がなされるべきであるという。実質的には、オーリウと同じ趣旨の記述をしているといえよう[81]。

[124] （五）　公物占有者の法的地位論

オーリウは、北経済鉄道事件評釈において、公物が譲渡（céder）できなくても特許（concéder）できるのと同じように、公的作用が譲渡できない場合にも特許によって実質的な修正を図ることができる、と述べている。行政法概説書において、公役務の特許における《公権力の占有》という考え方が示されているのも、同じ発想に基づくものである（（四）①[121]参照）。オーリウには、全般的に、物権的な論理を他の領域にも拡張するという思考方式がみられるが[82]、ここでの論理もその例外ではない。

そこで公物の一般理論をみると、オーリウは、特許事業者らの公物占有者には《行政的物権（droit réel administratif）》が認められるという見解を提唱している。この物権は、行政に対しては対抗できず、占有の撤回などがなされる可能性は否定されないが、第三者たる私人に対しては対抗できる。また、かかる行政的物権は、公物の不可譲渡性には反しないという。なぜなら、公物は、私的領域（vie privée）における取引から乖離しているので、私的所有権の対象にはなりえないが、行政的領域（vie administrative）における固有な取引法理の論理として、特殊な物権を認めることは可能だからである、と説く。(83)

こうしたオーリウの公物理論は、民間委託との関連で参照されることはないが、公物に関する今日の法令や憲法判例とのあいだで、一定の関連性を有している（第二節一（二）③[152]参照）。(84) また、《行政的領域》ないし《公的領域》の論理としては、私的取引の場合と異なって、行政の監督権（公物占有許可の撤回権など）などが求められるのであり、この点も公物と民間委託の双方に共通する要素といえよう（第三節一⑩[172]参照）。さらに、ここにみられる公物の説明方法が公務員の地位論でも応用されている（（七）③[131]参照）。

[125]

（六）　公私協働の理論

オーリウは、公役務特許と関連して、《公私協働（collaboration entre public et privé）》の考え方を提示しており、これをさまざまな記述に反映させている。

①　公私協働の考え方自体は、一八九九年の行政管理理論において、行政管理を「公役務の執行のために行政と私人のあいだで確立された協力ないし協働、すなわち特殊な結合」と定義したことに示されていたが、(85) それが典型的に現れるのは、公役務特許と補助金の場面である。すなわち、オーリウによれば、補助金は行政と私人の《協働》の手法であり、公的領域と私的領域のあいだに柔軟な架橋をする。(86) また、公役務特許における行政と特許事業者のあいだにも《協働》の要素が認められ、家庭における夫婦的な関係が形成される、と説明している（ブランルイ事件評釈）。(87) そのうえで、消防行政を例にあげて、私人に委ねることによって財政負担が軽減されるなどの意義を認めている。さらには、行政による公役務と民間事業者の事業（補助事業など）が相対化することも指摘している

（一一）［111］参照）。

[126] ② バセ市事件評釈では、公序的警察の役務（同事件においては消防役務）について契約可能性を問題にしているようにもみえる。しかし、その後の行政法概説書では、補助金における契約的構成が一般的に排除されている。(88) つまり、警察権ゆえに契約が否定されるという理由づけとは別に、補助金であるから契約が排除されるという考え方を示したことになる。前者の理由が歴史的に基礎づけられていることからしても（三⑧［139］参照）、警察権であれば当然に委託ができない、という考え方が修正された（同事件についていえば、農村警備等について、補助的業務の委託可能性を認めた）とみることも不可能ではない。

[127] ③ かかる公私協働の原理は、公的領域と私的領域を相対化させるという考え方に根ざしている。(89) この考え方は、オーリウ学説の随所にみられるところであり、詳述は避けるが、たとえば、私的団体を行政に編入するという考え方、公的団体と私的団体の相対化という原理、(90) さらには公的性格には段階性が伴われるという考え方(91)をあげることができる。公的領域と私的領域の均衡を図るという思考も、基本的にはこれらと共通する考え方である。そもそも、公役務の前提となる国家制度や行政制度は、歴史的な変遷を示す概念であり、公的領域の範囲も時代に応じて変化するという認識が伴われている。(92)

[128] ④ さらに、公務員に関する論述においても、特許事業者らの場合と同じように、公務員が公役務のために行政主体と協働するという考え方がみられる。この点については、別に項目を立てて述べることにしよう。

[129]
（七） 公務員の法的地位論

行政機関が直接公役務の執行する場合の実施主体は公務員であるので、オーリウの民間委託に対する考え方を理解するうえでは、彼の公務員に関する論理を参照しておくのが有益であろう。全体として、オーリウの思考には、公務員と民間事業者の地位の相違は相対的であるという思考が見出される。

①　初期オーリウにおいては、直営の行政を担う公務員の雇用自体が特許であると説明されてきた。すなわち、公務員は公職（fonction publique）の特許を付与されて、公職を一時的に占有する、というのである。そのうえで、裁判所付属吏などは、官職株（finance d'office）に対する所有権を有することで、通常の公務員よりも相対的に確立した地位が与えられる。この点は、不可罷免性の特権をもつ司法官（magistrats）や大学教授についても同様である、という歴史的な説明をしている[93]。このうち、公証人（notaires）や執達士（huissiers）などの裁判官付属吏については、当時、彼らが公務員であるか否かという議論があったが、オーリウは積極に解している。その根拠として、近代社会では裁判官付属吏に対して依頼者から報酬が支払われるが、大革命以前の旧制度のもとでは公衆から報酬が与えられたという歴史的理由のほか、官職株に対する物権的構成が可能であることがあげられている。ここでも、公的領域と私的領域を融合させるという考え方（二（6）③）が下地となっている。

[130] ②　もっとも、後期オーリウにおいては、公務員の地位を特許的に構成するという説明方法は強調されなくなるが、これは、公務員の地位に関しては契約的な構成を極力排すべきである、という問題意識に基づくものである。その反面で、公務員の法律関係については、二つの側面が区別されるべきだという主張がなされるようになる。すなわち、法令によって規律される《地位の層（couche du statut）》と、損害賠償の論理によって規律される《役務管理の協働に関する層（couche de la collaboration à la gestion des services）》の二つである[95]。前者の規律については、階層的権限や懲戒権限の存在に着目して、《警察（police）》という表現も用いられており、公役務管理の手段として位置づけられている[96]。このように、《協働》や《警察》の論理を介して、公役務特許の法律関係と公務員の法律関係は、実質的に共通していることが示されている。

[131] ③　さらにオーリウは、公務員の地位について物権的構成を試みる。すなわち、まず、行政上の権限は公職とい

う物（chose）を構成し、公務員は公務に対して物権的地位を有しており、その権利が公務員の地位（statut）を構成する、という[97]。そのうえで、この公務が不可譲渡性や不可時効性を有すると説明してみせる[98]。ここでは、特許事業者が公物に対して物権的地位を有しながらも、特許付与権者から権限の譲渡をうけていないという考え方（五〔124〕）と類似の思考方法が示されている。

（29）本章では、オーリウの行政法概説書のうち、とりわけ、一九一九年に公刊された行政法概説書第九版を参照する（その意義につき、第一章第一節一註（40）を参照）。
（30）Hauriou, DA 9, p. 50.
（31）Hauriou, DA 11, p. 18.
（32）ここでオーリウは、前述のバセ市事件判決をあげている。
（33）Hauriou, DA 9, p. 333-335, texte.
（34）さらに、木村・財政法理論一四三頁以下をも参照。Cf. Hauriou, note sous C.E. 1er février 1901, Boulangers de Poitiers, S. 1901. 3. 41, JA 1, p. 144.
（35）公役務は、行政機関の決定や立法府の判断によって創設されるが、これらの機関は風習（mœurs）を解釈することを通じて決定する、と述べられている。また、立法府の判断に対する統制は、違憲審査制が採用されているか否かによって異なるという（DA 11, p. 14）。
（36）Cf. Hauriou, note sous C.E. 1er février 1901, Boulangers de Poitiers, op. cit.
（37）Hauriou, DA 9, p. 334-345, note.
（38）Hauriou, note sous l'affaire Blanleuil et Vernaudon, op. cit.
（39）地権者組合の位置づけを含めて、木村・財政法理論一二三頁以下をも参照。Cf. DP 2, p. 495.
（40）さらに、公役務の範囲は政治的意識（esprit politique）に依存する、という記述もみられる。Hauriou, note sous

C.E. 1er février 1901, Boulangers de Poitiers, op. cit.

（41）Hauriou, note sous l'affaire Blanleuil et Vernaudon, op. cit.

（42）Hauriou, DA 9, p. 856 et s. De même, DA 10, p. 744 et s. なお、晩年のオーリウは、行政と民間資本の関係についての記述を拡大させ、混合経済（économie mixte）などを論ずるに至る。参照、木村・財政法理論二四四頁以下。

（43）Hauriou, DA 9, p. 337-338, note.

（44）Ibid., p. 46-48. なお、行政法概説書の初版や、A・オーリウの改訂による同書第一二版では、公役務特許の財政的利点などを強調した記述がみられる。Cf. DA 1, p. 645 ; DA 12, p. 1017.

（45）参照、木村・財政法理論一四三頁以下。

（46）Hauriou, DA 9, p. 557.

（47）Ibid., p. 558-559. ここにいう支配権は、いわゆるインペリウム（imperium）に相当するが、オーリウ自身はインペリウムを、概念的には警察権に結びつけている（ex. DA 5, p. 502）。これは、初期オーリウにおける警察権と財産権の区分論に起源をもつと思われる（参照、木村・財政法理論一〇八頁以下）。

（48）Hauriou, DA 9, p. 559.

（49）先に述べた公役務の拡張に対する制約も、経済的役務であるか否かというよりも、究極的には警察の形態であるか否かによって画されることになる、という（ibid., p. 559, note 1）。

（50）Ibid., p. 560, texte et note 1.

（51）Ibid., p. 561. Cf. idem., p. 872 et s.

（52）Cf. Hauriou, note sous l'affaire Commune de la Bassée, op. cit.

（53）Hauriou, DA 9, p. 67.

（54）参照、木村・財政法理論三四二頁。

（55）実際、原理的決定である予算についても、執行的決定という性格が与えられている（DA 8, p. 905）。さらに参照、木村・財政法理論二八四頁。

(56) Hauriou, DA 9, p. 35. まず統治権によって、行政制度を構成する行政権が発生し、ついで行政権によって、公役務が統御されて法律の執行が確保されるとともに、個々の執行的決定がなされる、という（ibid., p. 24)。

(57) Cf. Hauriou, DA 9, p. 50.

(58) 管理手段は、行政作用のみが問題となることにつき、ibid., p. 558.

(59) Ibid., p. 35, note et p. 53.

(60) オーリウの事務管理の法理につき、前出註（18）を参照。

(61) たとえば、木村・財政法理論二〇九頁以下。

(62) もっとも、租税以外の財政のうち、会計の秩序維持も《警察》の一種であると説明されている（木村・財政法理論一五七頁註（26)、一五八頁註（30)、DA 8, p. 859)。この考え方は、公金管理を会計官（comptables）に独占させ、その違反に対しては《事実上の会計官（comptable de fait)》の法理によって厳格な制裁を課す、という立場につながっている（同前二七五頁参照)。ここから、公金管理の国家独占という、伝統的な考え方が導かれる。

(63) Cf. Hauriou, DA 9, p. 558

(64) Ibid., p. 856-857.

(65) 北経済鉄道事件評釈では、公役務特許の法的基礎として公序的警察権（規範制定権）があるとされるが、ここでの表現によれば、公役務編成権ということになろう。

(66) Hauriou, DA 5, p. 507 ; DA 8, p. 520. De même, DA 9, p. 564-565. 参照、木村・財政法理論二八四頁。

(67) Hauriou, DA 9, p. 6-7 et p. 35-36.

(68) ただし、公権力的権利としての公役務編成権と手続的特権とのあいだには、理論的な連関があるとされている。すなわち、行政が支配権に基づき役務を編成することは、その権利行使にあたって行政が《イニシアティブの特権（privilège d'initiative)》を有することに適合的である、と述べられており、かかる特権も究極的には支配権に基づくことが示されているのである（DA 9, p. 561）。さらに、公権力的権利の一部として普通法外的特権、とりわけ予先的特権（privilège du préalable）があるとする記述もみられる（DA 4, p. 530）。

（69）参照、木村・財政法理論六九―七〇頁。

（70）Cf. Hauriou, DA 11, p. 26.

（71）実際、公法概説書においては、国家の権利は、支配権限と強制権限であると定義され（DP 2, p. 501）、特に実力行使の要素は掲げられていない。また、警察は規律法（droit disciplinaire）であり、強制の要素によって、他の規律法が国家の法と区別されるとも記されている（ibid., p. 132-133）。他方、行政法概説書においても、初期の警察概念において重視されていた実力行使は、後期においては一般論としては掲げられていない。そもそも、オーリウの行政制度は、私人のイニシアティブによる執行に期待する制度であることも、考慮する必要がある。

（72）さらに、行政法概説書の記述として、前出註（66）を参照。

（73）なお、この問題に関するフランスの文献を紹介する余裕はないが、たとえば刑罰の執行と懲戒の相対性につき、Jèze, PG, 1 éd., p. 58.

（74）Hauriou, DA 9, p. 564-565 ; DP 2, p. 445 et 447. 公用収用においても、私人に強制権の行使が認められうる（DA 9, p. 807, note 2）。

（75）Hauriou, DA 4, p. 532. De même, DA 3, p. 565 ; DA 5, p. 504.

（76）Hauriou, DA 12, p. 1018-1019. なお、A・オーリウは、M・オーリウの判例評釈をまとめた行政判例集において、公土木特許と公役務特許に関する評釈をまとめて収録している（JA 3, p. 437 et s.）。

（77）Hauriou, DA 12, p. 1016

（78）木村・財政法理論一六四頁以下。

（79）Jèze, note sous C.E. 11 mars 1910, Compagnie générale française de tramways, RDP 1910, p. 270. De même, H. Ripert, Des rapports entre les pouvoirs de police et les pouvoirs de gestion dans les situations contractuelles, RDP

1905, p. 5 et s.

（80） A. de Laubadère et al. Traité de contrats administratifs, tome 1, LGDJ, 1983, p. 100 et s.

（81） Jèze, PG, 3 éd., tome 2, 1930, p. 6.

（82） 参照、木村・財政法理論一五九頁以下。

（83） Hauriou, DA 9, p. 721-722, texte et note 1. さらに、公物の特許は公物の譲渡ではなく、一時的な占有と用益権的な物権を認めるものである、という（ibid., p. 723）。

（84） ただし、オーリウ学説と現代のフランス法が完全に重なり合うものではないことにつき、本書第一章第一節一註（45）および註（46）を参照。

（85） Hauriou, GA, p. iii et 63.

（86） 木村・財政法理論二五九頁、Hauriou, DA 9, p. 410 ; DA 11, p. 276.

（87） Ibid. Cf. DA 9, p. 334, note 1.

（88） Hauriou, DA 11, p. 259-260.

（89） このように、公的領域と私的領域を相対化させるという意味でも、オーリウ学説には現代的なガバナンス論と共通する側面がある（本書第一章第一節一（二）[25]を参照）。

（90） 参照、木村・財政法理論二一一頁以下。

（91） 同前二四一頁以下を参照。

（92） 同前一三五頁以下。

（93） Hauriou, DA 2, p. 272 ; DA 3, p. 682. さらに、木村・財政法理論一一四頁をも参照。オーリウによれば、公職は、行政に参加（participer）する権限、すなわち行政主体の権利の行使に参加する権限であり、決定権（droit de décision）を含まない（DA 2, p. 270 et 424）。なお、公務員と臨時雇用員の相対性につき、DA 2, p. 221 ; DA 9, p. 681.
ちなみに、オーリウは、地方公共団体との関係についても、公権力は国に独占され、他の行政主体は国から特許を受けているにすぎないのか、という問題も設定している。彼自身は、微妙な問題であるとして明確な回答は避けながらも、集権的な制度のもとでは、地方行政はあたかも国の特許に近い性格を有しているという（DA 11, p. 297）。

（94） Hauriou, DA 9, p. 693-694, note.

（95） Ibid., p. 679. 公務員の俸給的権利が損害賠償請求権として構成されていることにつき、Ibid., p. 700. さらに、木村・財政法理論一九一頁。

（96） Hauriou, DA 2, p. 424 et s. ; DA 9, p. 684 et s.

（97） Hauriou, DP 2, p. 169.

（98） Hauriou, DA 3, p. 630. De même, DA 2, p. 425. 先に取り上げた北経済鉄道会社事件評釈でも、《公職（fonction publique）の不可譲渡性》が説かれているようにもみえる。
なお、裁判官付属吏についても、官職株は相続の対象になるが、官職の任用・廃止の権限は国家の手のもとにあり、譲渡されえないと記されている（DA 9, p. 694, note）。また、オーリウによれば、コンセイユ・デタおよび破毀院付き弁護士も、裁判所付属吏として、公務員の性格が認められる（DA 9, p. 693, note）。

［132］

三　オーリウ学説の今日的意義

オーリウは、行政が担う範囲がどこまで拡張されうるかという問題に関心をもっていたために、それに逆行する民間委託（ないし公役務特許）の許容範囲に関しては、必ずしも多くの記述を残していないが、基礎理論的な観点からすると、次の意義を認めることができよう。これまでの読解を確認する意味で、整理しておくことにしたい。

①　公役務特許の可否を判断する単位に関して、オーリウは、初期の考え方を修正しながら、《役務（service）》ではなく、《権利（droit）》ないし《権限（pouvoir）》、《作用（opération）》に注目すべきであるという立場を示して

いる。もっとも彼は、晩年まで初期の公権論の枠組み自体は維持しているが、権利に着目した記述もしているが、現代的にいえば、権限ないし行為の問題として整理できると思われ、総じて後期オーリウは前期よりもミクロな視点に移行している[99]。また、役務基準を放棄した結果として、その後の行政法概説書では、国の《義務的役務》の概念が否定されるようになり、この概念はもっぱら地方行政について用いられるようになる[100]。

[133] ② オーリウのいう《公権力的権利》は、強制と徴用の要素が認められる公役務の総体について観念されており、公役務の編成と、編成された公役務の管理・執行の双方に及んでいる。したがって、彼は公権力全体について特許が不可能であるという説明はしていない。

[134] ③ オーリウは、公役務特許の対象となりえない要素として、公役務編成権と公序的警察（規制・強制および公証）をあげている[101]。これに対して、公役務管理警察は、基本的に特許の対象になるとされている。ただし、その場合の公役務編成権は、公役務に関する基本的な決定に限られており、また公証などの外延は必ずしも明確にされていない。さらに、実質的に社会通念を考慮する余地も認めていると解される（⑧参照）。

[135] ④ その一方で、契約の拘束力については、北経済鉄道事件評釈において、《行政は金銭的にのみ拘束される》と述べられており、契約による損害賠償の規律などを肯定している。警察権を契約から保護しつつ、金銭的な調整を図る立場といえるであろう。

[136] ⑤ 後期オーリウの立場は、彼に特徴的な警察概念との関連で理解されるべきであろう。公役務編成権と公序的警察権は、いずれも《都市の規律》に包括される。その一方で、公役務編成権によって創設された公役務の執行については、広く特許が可能であるという立場をとっているようにみえる。

[137] ⑥ オーリウは、権利ないし権限の《譲渡可能性》と《放棄可能性》を区分し、さらには《特許可能性》とも区分しており、テシエが概念を混同していることを批判している。こうした概念区分が、今日の学説にも継承されて

いる。もっとも、用語法に関しては、今日では、《放棄可能性》は《拘束可能性》として、《特許可能性》は《委託可能性》として、それぞれ異なった形で表現されているが（第二節三⑤[160]参照）、オーリウの概念区分が無自覚的に踏襲されたものといえる。

オーリウの基本的な図式としては、譲渡不可能な権利のうち、特許までも不可能な権利と放棄不能な権利がある、という考え方を提示している。また、契約による規律の対象にならないことは、不可譲渡性ではなく、不可特許性ないし不可放棄性の問題であるとされる。もっとも、特許可能性と放棄可能性は一括して論じられているところもあり、まさに公役務編成権については両者が重なり合うとされている[102]。

[138] ⑦　このような概念的整理をしながらも、オーリウは、公役務特許が許容される範囲について、あえて明確な回答を示していない、という評価をすることもできる。特に判例評釈においては、おもに契約の拘束力の限界について、《王の行為》などの行政契約の特殊性を示すという問題意識から論じられている。そのためオーリウは、放棄可能性と区別された意味での特許可能性の問題を念頭において、警察権以外は当然に特許が可能であるとは明言していないし、契約条項の解釈の余地も残している。さらに、公役務特許とそれ以外の委託形態（委託管理など）とのあいだで、実際的な基準が相違するか否かについても、明示的な記述をしていない。その反面で、最小限、公役務編成権や公序的警察は、放棄可能性と特許可能性のいずれの意味でも、契約による規律の対象にはならない（現代的にいえば、拘束可能性と委託可能性が否定される）としている。また、《王の行為》における行政の特権を含めた意味での包括的な警察概念を用いながら、それが行政の専権に属することを認めていこうとする点では、民間委託の制限と共通する方向性を有するといえる。

[139] ⑧　さらに、公序的警察と公役務管理警察に関する契約の制限は、絶対的な論理ではないことも示唆されている。すなわちオーリウは、一定の場合に、譲渡可能性や放棄可能性が否定される場合があることは認めているが、不可

譲渡性があっても、特許による修正は可能であるとしている。もっとも、放棄可能性の禁止原則に対する例外は明示的には認めておらず、譲渡可能性よりも厳格な論理であるといえるが、その一方で特許可能性については、行政主体による公役務の独占を公役務の伝統によって説明している箇所もある（バセ市事件評釈）。また、公序的警察権は「現在のところ」国家に独占されているという表現もみられ（北経済鉄道事件評釈）、さらには、時代的な状況の変化によって契約の拘束力の及ぶ範囲が変動する可能性が示されている（フランス市街電車事件）。オーリウによれば、同事件における判例変更は公役務特許に対する社会的要請の変化によるものであり、委託可能な範囲が社会通念によって変化しうるという考え方が読み取れる(103)。

[140] ⑨ オーリウによれば、公役務特許の許容範囲は公役務の範囲と実質的な連続性をもっており、後者は社会的な妥当性や政治的・経済的な観点から定まってくるという。したがって、いずれも基本的には公的領域と私的領域の均衡によって決まることになろう。このような柔軟な考え方は、公役務特許に関する判例評釈にも表れており、特に、公役務は法的概念でなく経済的概念であるという叙述（北経済鉄道事件評釈）に、象徴的に示されている。

[141] ⑩ オーリウは、公私協働ないし制度理論につながる一連の考え方のもとで、公役務特許や補助金行政などの手法を好意的に位置づけている。この考え方は公務員の地位論などにも反映され、公務員によって直接担われる行政と委託行政が相対化されている。これらは初期の行政管理論に起源をもつものであり、オーリウ学説の基層をなしているといえよう(104)。

[142] ⑪ 晩年の行政法概説書に示されるように、オーリウは、公役務特許よりも直営や委託管理が好ましく、また直営よりも委託管理に相対的に多くの利点が認められると述べているが、これは、彼の歴史的認識を前提とした、政治的ないし財政的な観点からの解決方法であり、必ずしも法的な帰結ではないものとして位置づけられているようにみえる。これも、究極的には公的領域と私的領域の均衡によって判断されることになろう。

[143]

⑫　オーリウが公役務特許よりも委託管理を重視しているのは、利益配分が契約によって事前に定められているという理由によるものであり、現代でいえば、ＰＦＩ契約などにおいてリスク分配を明確化するという問題に関わっている。その意味でも、オーリウは今日的な視点を提供しているといえる。

いずれにしても、オーリウの生きた時代には、行政が直接担うべき事務が拡張しており、それが当時の社会通念を形成していたにもかかわらず、彼の理論のなかに、行政活動の縮小が求められる現代においても十分に通用する内容が含まれていることは、大いに注目されてしかるべきであろう。

(99)　実際、オーリウ学説のモデルとなった、北経済鉄道会社事件におけるテシエ論告は、《権限》の問題として、公序的警察の譲渡可能性を論じている。なお、オーリウは同事件の評釈において、放棄可能性については譲渡可能性や特許可能性とは異なり、権利ではなく作用に着目するという立場を示しているようにもみえる。

(100)　Hauriou, DA 9, p. 49, note ; DA 11, p. 19, note. ただし、既に述べたように（二（三）⑤[118]参照）、統治的作用は別異に解するべきであろう。

(101)　今日の学説上も、《公役務の編成（organiser un service public）》という用語は、公役務特許において契約事業者が行う事業（役務の給付）と区別された、特許付与権者としての役割について用いられており（ex. Y. Gaudemet, Droit administratif, 18 éd., LGDJ, 2005, p. 283）、そこでは、公役務編成権は特許付与権者に専属し、特許の対象になりえないことが前提とされているようにみえる。

(102)　たとえば行政法概説書の記述を参照（二（四）①[121]）。実際の委託契約の締結にあたっても、委託可能性と拘束可能性の双方が複合的に問題になることにつき、後出註（158）を参照。

(103)　本文に述べたところは、制度理論の本質から説明することも可能である。ここではごく概略的に述べるにとどめるが、そもそもオーリウにおける制度は、《公開》の原理に基づく公衆ないし関係人の黙示的な《行為への同意（adhésion au fait)》に依拠するのであり、契約において当事者の合意（consentement）が基礎になっているのと相違している。また、制度によって生ずる規約的地位は、契約の場合と異なり、万人に対して対抗できる。このように、社会通念に基づく合意によって、個々の契約に先行して、利用者全般に関する複合的な法的関係が構築されるのである。Cf. Hauriou,《L'institution et le droit statutaire》, RLT 1906, p. 134 et s.

また事務管理の法理が妥当する憲法制度のもとでは、人民の信用（confiance）に基づく管理と、それに対する人民の追認（ratification）という図式を提示している。したがって、オーリウが行政上の委託についても社会通念による立法論的限界を想定していたと考えることは、自然な理解といえよう。Cf. DP 2, p. 124 et s., p. 667-669.

（104）本書第一章第一節一（二）⑤[29]をも参照。

[144]

第二節　現代におけるフランス法

近時のフランスでは、民間委託の可能性に関して重要な判例があいついで出現しているが、ここでは、とりわけオーリウ学説との連続性に注目して、最小限の紹介にとどめることにしたい。

一　判例の展開

判例としては、憲法判例と行政判例の双方で、民間委託の許容性に関する判断が示されているが、表面的には、両者でややニュアンスを異にしており、またそれぞれの判例について解釈の余地が残されている。

コンセイユ・デタの行政判例において、行政的公役務は委託の対象になりうることは認められているが、それには一定の限界があるとされている。

（一）　行政判例

[145] ①　その最も基本的な先例として、一九三二年のカステルノダリ町判決があげられる[105]。農村の警察事務を、農村警察隊ではなく、所有者の非営利団体（association）が提供した私的警察に委託したことに対して、コンセイユ・デタは、「農村警察は、その性質上、行政直属の機関のもとでの公務員にしか委ねられない」と述べている。ここでの警察は、公序的警察の意味である。奇しくも、オーリウが直前のバセ市事件評釈で例としてあげた、農村警察に関する事例であり、本件におけるジョス（Josse）の論告も、オーリウの評釈を引用している。

近時では、市議会が、公道（voie publique）の有料駐車スペースの監視業務を民間会社に委託する議決をした事件がある。コンセイユ・デタは一九九四年の判決において、「駐車警察は、その性質上、市長直属の機関のもとでの公務員にしか委ねられない」という、カステルノダリ判決の定式を繰り返したうえで、「本件協約は、公道上の駐車警察の特権を民間会社に委託（confier）したものであるが、この特権は民間会社に対して適法に委託することはできない」と述べて、委託を認めた議決が違法であるという判断を下している[106]。

ついで、行政が市街地の夜間警備を民間に委託した事件について、公道の監視までも民間に委託することは許容されないとした判決がある[107]。ただし、この事例では、警察事務に関する契約であるから違法とされたのではなく、民間警備に関する一九八三年七月一二日法律（八三・六二九号）の解釈が根拠とされている[108]。

[146] ②　一般論として参照されるべきは、一九八六年のコンセイユ・デタ意見である。すなわち、初等教育における供食役務が民間企業に委託できるかどうかという論点について、コンセイユ・デタは、「公役務の行政的性質は、

権限ある地方公共団体がその執行を私人に委ねることを禁ずるものではないが、その性質上、または立法者の意思により、もっぱら地方公共団体自身によって担われるべき役務は除かれる」と述べている。そのうえで、初等教育における食事の提供と準備は、教育役務、とりわけ児童の監視を除いた業務にかぎって、私法人に委託できるという判断を示している(109)。

右の定式にいう《性質上委託が排除される役務》の例としては、一九三二年のカステルノダリ町判決にいう警察権の行使が含まれると考えられている。ただし、ふるい判例を通じて形成された法理であることに留意する必要があり、今日では当然には妥当しないという評価もなされている(110)。また、一九八六年のコンセイユ・デタ意見についても、経験則的な基準を示したにすぎず、その外延も示されていないという問題点が指摘されている(111)。さらに、実際の判決においては、性質上の制限か法令に基づく制限かが明確でないものがあり、必ずしも性質上の制限が強調されているわけではないようにみえる(112)。その一方で、判例上、法令の禁止領域は限定的に解釈されるという原則が示されている(113)。

[147] ③　警察権が契約の対象になりえないという一般法理に関連して、行政庁が裁量的な警察権限を行使する場合の措置の内容を、契約によって一義的に定めることも禁じられている。これは、権限行使の内容が違法である場合のみならず(114)、将来の適法な権限行使を契約によって確約した場合、つまり《将来的な決定に対する合意（pactes sur décisions futures）》についても、法的には拘束力は認められないとされる(115)。ただし、後者の場合には、行政が信義誠実（bonne foi）に反する行動をしたと評価されるときには、契約相手方が損害賠償請求をする可能性が認められている。

[148] ④　以上のように、警察権を伴う契約は違法であるが、損害賠償責任を免除する旨の合意は当事者間では有効である(116)。ただし、当該合意は、第三者に対しては効力を有しない、というのが判例である(117)。たとえば、特許事業者や

委託管理者が行政主体との契約によって警察事務を委託され、契約条項のなかで当該行政主体の責任を免除することを定めたとしても、当該条項は損害をうけた第三者に対しては効力を有しないとされる。したがって、この場合には、行政主体が被害者に対して損害賠償責任を負うことになる。

この点は、公役務特許に関する一般的な判例との関係で、微妙な問題がある。すなわち、通常の特許事業においては、第三者に損害が生じた場合には原則として特許事業者が責任を負い、例外的に特許事業者に資力がない場合などには、特許付与権者たる行政主体の責任が認められている[118]。そこで、通常の特許事業であれば、被害者は基本的には特許事業者に損害賠償請求をすることになる。これに対して、警察権を含む特許事業の場合には、契約の存在は第三者に対抗できないので、違法な特許を付与した行政主体が責任を負うことになる。管轄裁判所も、司法裁判所ではなく、行政裁判所となる。ただし、最終的な負担については、特許契約の当事者のあいだで、特許契約の内容に応じて決定されることになる。言い換えれば、特許付与権者たる行政と特許事業者とのあいだでは、金銭的調整に関するかぎり、警察権についても契約の効力が認められるのである。

なお、警察権に関する契約によって第三者が新たな不利益を被るおそれがあるときには、当該第三者は契約の取消しを求めることができるとされている[119]。これは、契約締結に対する取消訴訟を広く認めているフランスに固有の判例であるといえよう。

[149]
⑤　警察権以外についても、民間会社に行政上の権限行使を委託することが、違法とされた例がみられる。たとえば、県に与えられた公衆衛生上の権限を、非営利団体との協定によって委譲することは許されないとした判決がある[120]。これは、精神病者の予防と治療の活動を全面的に非営利団体に委託した事案である。また、県議会が非営利団体に包括的な補助金を交付して、県議会に代わって農業開発の事業を行わせたことに対して、コンセイユ・デタは「県議会が農業関係の権限を私法人に対して包括的に委ねる（se décharger globalement）ことや、私法的な枠組

みのもとで権限を行使することは違法である」という判決を下している。[121]

前者についてコンセイユ・デタは、「公衆衛生法典L三二六条の規定は、県が公法人ないし私法人によって管理される精神衛生施設との協約によって条件を定めて、当該施設が県の公衆衛生部局と協働することを認めているが、県における精神病予防の任務の執行を、協約によって私法人に委ねることを許容していない」という理由づけをしている。これに対して後者では、農業関連の法令を引用しつつ、権限の包括的委譲はなしえない、と述べるにとどまっている。いずれにしても、これらの違法事由が法令上の制限に基づくものであるか、一般法理によるものであるかは、必ずしも明らかでない。

[150]

(二)　憲法判例

近時の法改正に関連して、憲法院が委託可能性の問題に触れる例が出現している。日本法との比較において重要な意味をもつのは、次の二つの判決である。

①　まず、監獄役務の民間委託に関する二〇〇二年の憲法院判決において、指導管理事務、記録保存事務、監督事務以外の事務について委託を認めた法律（改正後の一九八七年六月二二日法律〔八七・四三二号〕二条）の規定は、「国家の主権的任務として行使されるべき本来的作業（tâches inhérentes à l'exercice par l'Etat de ses missions de souveraineté）」が排除されていることから、合憲であるであると判断されている。[122]

[151] ②　その後、《法の簡素化（simplifier le droit）》を図るために二〇〇三年七月二日法律（二〇〇三—五九一号）が制定され、同法律六条は政府に対して、オルドナンスの形式で公共調達に関する規範を創設することを授権した。憲法院は同条について合憲判断を示しているが、その際、「付託された法律の第六条は、国家の主権的任務の行使（exercice d'une mission de souveraineté）について、私法人に対する委託（déléguer）を認める趣旨であると解する

ことはできない」[123]という解釈留保を付している。ここで憲法院が《国家の主権的任務の行使》について民間委託を排除していることが、重要な先例となっている。もっとも、主権的任務の範囲が明確でないのみならず、委託の手法として、どの範囲が想定されているのか（公役務特許のみか、それ以外の委託方法を含むか）が明らかでないという問題が指摘されている[124]。

③　公物関係の判例は、民間委託の問題とは直接関係を有するものではないが、オーリウの類推の素材とされており、また実質的には民間委託の限界に関連しているので、ここで掲げておくことにしよう。

一九九四年七月二五日の国有財産法典の改正によって、公物占有者に物権の設定が認められるようになったが、憲法院は、「公物が供用される対象となる公役務の存立および継続性という憲法的要請に反しない限りで、立法者は公物に関する規定を改正することができる」とする一方で、「公物が、その供用される公役務の任務、および当該資産の真の価値に鑑みて、適切な代償なくして長期的に物権を奪われることは、一七八九年人権宣言一七条が禁ずるところである」という一般論を提示している。そのうえで、当該法律による物権設定は、公役務の継続性を害する占有許可を排除していること、期間制限の定めをおいていることなどから、違憲とは評価されないと判断した。また、公物上に一定の範囲で物権を認めることが《公物の不可譲渡性の原則》に反するのではないかという疑念に対しては、かかる物権の設定は公物の譲渡には当たらないという説示がなされている。他面、すでに最大七〇年の占有許可を得ている者に対して、単なる行政庁の判断によって再度許可を与えて更新を認めることは、公的所有権を著しく害することになるので許容されない、と判示されている[125]。

（105）　C.E. 17 juin 1932, Ville de Castelnaudary, Rec. p. 595, DP 1932. 3. 26, concl. Josse.

（106）　C.E. 1er avril 1994, Commune de Menton, note J.-B. Auby, RDP 1994, p. 1825. これは、施設特許に関する事例で

[152]

ある。

(107) C.E. 29 décembre 1997, Commune d'Ostricourt, Dr. Adm. 1988, n°44.

(108) 同法律一条二項（現行の一条一項）が、動産・不動産や人を警備するという規定になっていることが根拠とされている。なお、二〇〇五年の法改正によって、同項には「行政的公役務の機関によってなされる活動を除く」という文言が追加されている。

(109) C.E. avis du 7 octobre 1986, Section de l'intérieur, n°340. 609, cité par Circ. 13 avril 1988, JORF du 5 mai 1988, p. 6142. Cf. Y. Gaudemet et al., Grands avis du Conseil d'Etat, 1 éd., 1997, LGDJ, p. 245.

(110) L. Richer, Présence du contrat, AJDA du 20 juin 1997, p. 34-35. なお、同論文では、火災救助という警察役務に対して民間企業の協力を求めることを認めたバセ市事件判決が、伝統的な法理を逸脱する趣旨を含む先例として引用されているが、オーリウの評釈からしても、適切な評価であるとは思われない。ただし、補助事業と直轄事業のあいだに実質的な共通性があることにつき、第一節二（一）[111]を参照。

(111) T. Ferra, Obs. Grands avis du Conseil d'Etat, 2 éd, 2002, p. 334.

(112) たとえば、公道における警察役務についての判例（①参照）は、必ずしも一貫した説明を与えていない。類似の指摘を含む記述として、Cf. Richer, Droit des contrats publics, op. cit., n°949 et s., p. 563 et s.

(113) C.E. 18 mars 1998, Société Borg-Werner, Rec. p. 20. この点は、北経済鉄道事件に示されたオーリウの考え方と対立するといえる。

(114) C.E. 3 novembre 1934, Damme Breysse, Rec. p. 1002.

(115) 私人とのあいだで行政権の行使内容について合意がなされたあとで、行政庁が一方的に合意に反する行動をした場合、契約の相手方は保護されるか、という論点につき、C.E. 5 novembre 1943, Leneveu, Rec. p. 243. これは、ホテル業者が市の公共広場の敷地購入に協力し、その見返りとして、市長がホテルの来訪者に対する車両侵入規制や駐車規制を行わないことを約束したが、のちに市長が駐車規制をしたために、ホテル業者が規制の取消しと損害賠償請求をした事件である。コンセイユ・デタは、当事者の合意によって公益を目的とした市長の規制権限を奪うことはできないとして、市長の規制措置の適法性を認めた。その一方で、ホテル業者が正当に期待することができた利益を害したとして、損害賠償を認めている。

このほか、下級審の裁判例として、T.A. Paris, 22 novembre 1960, Société des établissements Lick Brevets Paramount, Rec. p. 834 ; T.A. Paris, 27 février 1963, Société des établissements Lick Brevets Paramount, Rec. p. 689. この事件では、行政機関が建築主とのあいだで合意をして、建築確認をすることを約束したが、実際には建築確認申請が拒否された。この措置に対して、建築主は拒否決定の取消訴訟と損害賠償請求訴訟を提起したが、裁判所は、前者については、合意は有効でないとして請求を退け、後者については、合意すべきでない事項について合意をした行政機関の行為に過失を認めて、請求を認容した。

（116）ex. C. E. 18 janvier 1907, Compagnie de la Sangha, Rec. p. 43.
（117）ex. C. E. 4 octobre 1961, Veuve Verneuil, Rec. p. 533.
（118）公土木の損害の法理との関係を含めて、木村・前掲註（9）千葉論集二〇巻四号一一八頁を参照。
（119）C. E. 10 décembre 1962, Association de pêche et de pisciculture d'Orléans, Rec. p. 675.
（120）C. E. 17 mars 1989, Syndicat des psychiatres français, Rec. p. 95.
（121）C. E. 27 mars 1995, Chambre d'agriculture des Alpes-maritimes, Rec. p. 142.
（122）C. C. 29 août 2002, DC2002-461, Rec. p. 204, cons. 2 et 8.
なお、二〇〇二年法律制定に先立って、コンセイユ・デタは、収監者の保護・収容（la garde et la détention des personnes incarcérées）の事務は、主権的作用（fonctions de souveraineté）に属することから禁止される、と述べている。C. E. avis du 13 novembre 1986, EDCE 1987, p. 138. このことは、憲法判例における主権的作用と、行政判例における警察作用は矛盾しないことを意味している。
（123）C. C. 26 juillet 2003, DC2003-473, Rec. p. 382, cons. 19.

(124) F. Lichère, 《Le Conseil constitutionnel, la commande publique et le partenariat public-privé》, RDP 2003, p. 1175. なお、伝統的には、委託管理においても、警察権を含めることは違法であると考えられている(Fournier et Combarnous, note sous C. E. 23 mai 1958, AJDA 1958. 2. 309)。施設特許についても同様である(前出註(106)を参照)。

(125) C. C. 21 juillet 1994, DC94-346, Rec. p. 96. 公物に関する憲法判例につき、木村・前掲註(3)岩波講座一八二―一八四頁をも参照。

二　法令の変容

[153] フランスでは、先の行政判例において警察権を内容とする契約が禁じられているために、これを認める法令は存在していなかったが、近時では、警察ないし公権力的な作用について、民間委託の可能性が認められる例が出現してきている。以下に、二つの例だけを掲げておこう。

① まず警察権の委託可能性を認めたものとして、山岳の発展と保護に関する法律(一九八五年一月九日法律八五・三〇号)をうけた一九八六年九月二一日内務省通達[126]があり、山岳の救助役務が市町村の事務とされる場合について、事故にあったスキーヤーの救助役務を民間委託することを認めている。

[154] ② 他方、租税行政については、従来から、電子申告のためのシステム設計の一部が民間企業に委託されているが、近時では二〇〇六年補正予算法律(二〇〇六年一二月三〇日法律二〇〇六・一七七一号)九九条の一に基づいて租税手続法典L一〇三条Aが改正され、調査研究や申告受付業務等の民間委託に関して概括的な規定がおかれるようになった。あわせて事務を委託された私人に対して、公務員の場合と同様に守秘義務が課せられている。すなわち、

「租税行政庁は、その任務の遂行にあたって特殊な知識および能力が求められる場合には、租税上の調査研究、統制、申告および申立てへの対応の任務遂行にとって有益な専門性を有するあらゆる者に対し、協力を求めることができる。租税行政庁は、その者に対し、守秘義務上の規範に反しないかぎりで、当該任務を達成するために必要な情報を提供することができる。協力を求められた者は、L一〇三条に規定された条件のもとで、守秘義務が課せられる」という規定が挿入されたわけである。この規定の適用方法については、いまだ明らかにされていないが、基本的には民間事業者等の専門知見を活用するための規定であるといわれる。

③　なお、フランスでは、民間委託をするかどうかは行政庁の裁量に属すると解されており[127]、法令の制約がないかぎり、公法人の《契約の自由（liberté contractuelle）》が認められている。法令上も、わが国の市場化テストのように、一定の範囲で官民競争をさせたり、民間委託を強制させたりする一般的な制度は存在しない。判例も、直営と委託の選択について、行政主体の裁量を認めている[128]。この点は、オーリウのブランルイ事件評釈（ないしバセ市事件評釈）の考え方が踏襲されているという評価が可能である。ただし、憲法院は、公法人の契約の自由に憲法的価値を認めておらず[129]、今後の法令の制定によっては別途の解決が示される可能性がある。

（126）　救助役務の費用負担を定めた同法律九七条七号に関する内務省通達である（INTE8700268C, JORF du 2 octobre 1987, p. 11497）。

（127）　Cf. R. Chapus, Droit administratif général, tome 1, 15 éd., Montchirestien, 2001, n°799 ; Lichère, Droit des contrats publics, op. cit., p. 24.

（128）　C. E. 2 février 1983, Union des transports publics urbains et régionaux, Rec. p. 33 ; C.E. 18 mars 1988, M. Loupias et autres, req. n°57893.

（129） C. C. 22 août 2002, DC2002-460, Rec. p. 198. Cf. Richer, Droit des contrats administratifs, op. cit., n°185, p. 135. なお、仲裁等に関する契約自由の制限につき、後出註（170）を参照。ちなみに、憲法院の判例によると、私人の契約の自由は、一七八九年人権宣言四条によって根拠づけられる。

三　学説の状況

[156] ①　今日の学説は、警察権は契約の対象にはならず、警察権の行使を内容とした契約は無効であると解している[130]。これは、オーリウの他界直後のカステルノダリ判決によって形成された、行政判例上の法理であるが、同事件のジョス論告を介してオーリウ学説が継承されたという評価も可能である。ただし、ここでの警察は公序的警察の意味であり、オーリウの警察概念の一部についてのみ、継承が認められていることになる。これに対して、憲法院の判例においては《主権的任務》という基準が設定されているが、オーリウの北経済鉄道会社事件評釈や、そのもとになっているテシエ論告が、公序的警察の権利が国家の主権的権限に基づくと述べていることからしても、オーリウの考え方と今日の憲法判例のあいだには、実質的な連続性が読み取れるであろう。

[157] ②　契約の許容性を判断するにあたって、《公役務》の種類でなく、《権限》や《行為》ないし《作用》に着目するという点でも、オーリウの発想が継承されている。この点、コンセイユ・デタの考え方には不明確なところがあるが[131]、憲法判例においては、権限の《行使（exercice）》ないし《作業（tâches）》に着目して、民間委託の可否が判断されている。つまり、主権的任務のうち本質的な要素のみが、委託の対象外とされる。学説上も、実際的な観点からして、警察役務のうち、資材の納品や標識の設置などは、当然に委託契約の対象になると主張されている[132]。

[158] ③　以上のように、フランスの現在の学説・判例には、オーリウ学説と実質的な連続性を有する側面が多くみら

れるが、学説上は、必ずしもオーリウ学説が意識されているわけではない。むしろ、オーリウの説明の仕方に対しては、概念上の混乱をたらしたという批判が向けられている。すなわち、この分野で先駆的な業績を残しているモロー（J. Moreau）は、オーリウが公役務警察という場合の警察は《規律（réglementation）》という一般的な意味であり、伝統的な公的安全・公衆衛生・公的安寧という三要素から切り離されて用いられている、と批判している[133]。しかし、オーリウの警察概念は、現代の感覚からすると彼に固有の用語法であるようにみえるが、《都市の規律》によって包括される警察という観念は、オーリウ以前から存在していたところである[134]。また彼は、かかる広義の警察概念を用いて、公役務編成権や公序的警察の不可放棄性などについて、統一的な帰結を導いていることを評価するべきであろう。

④　他方で、オーリウの学説を積極的に生かそうとする立場もある。リシェール（F. Lichère）の見解がそれであり、彼はオーリウの学説をもとに、《権限処分禁止原則（principe d'indisponibilité des compétences）》を掲げ、それが判例を基礎づけている、と述べている。この権限処分禁止原則は、公法人が第三者に権限の行使を委ねることは、原則として禁じられるというものである。この原則は、公施設法人の《事業特定原則（principe de spécialité）》にみられるように、公序的な原則（principe d'ordre public）、ないし行政内部の警察（police intérieure administrative）に関する原則である。この原則が妥当する範囲は、公法人相互間のみならず、同一公法人内部の機関相互間にも及び、また行政機関のみならず立法者にも当てはまるという[135]。

リシェールは、同原則が用いられた判決の例として、非営利団体との協定によって権限行使を委譲することを禁じた諸判決（一（二）⑤[149]参照）のほか、公物の境界の決定権限に関する行政判例をあげている[136]。他方、立法者に対して同原則が適用された例として、コルシカ島の自治体が例外的に立法権限を行使することを認めた二〇〇二年一月二二日法律（二〇〇二―九二号）に対する憲法院判決があるという。そこでの憲法院は、「立法者は憲法に予定されていない場合に、みずからの権限を委任（déléguer）することはできない」と判示している。[137] さらに、このように権限処分禁止原則が判例上確立していることからすると、公私協働契約（contrat de partenariat public-privé）のような包括的な委託においては、個々の事業にあたる施行業者（maître d'œuvre）の選定を民間に委ねることが許容されるかどうかが議論されるべきであるという。

リシェールがオーリウのどの記述を参照したかは不明であるが、おそらく、公施設法人の事業特定性原則が行政警察的な規範であるとした記述であると思われる。[138] しかし、公施設法人の事業特定原則に対しては、オーリウは批判的であることに留意が必要である。[139] また、事業特定性原則を含めた権限に着目するにしても、民間委託の可能性を考えるうえでは、憲法レベルの規範ないし一般法理として、いかなる範囲で権限処分が禁じられるかが問題にされざるをえないが、リシェールのあげる行政判例においては、法令上禁じられた権限処分が問題とされているのか、それとも一般法理として禁じられるのかが明らかでない。その問いに対するオーリウの答えは、少なくとも公序的警察や公役務編成権を含めた警察権については、契約による権限処分がなしえない、というものであり、結局は警察概念の外延に依存することになる。とはいえ、リシェールが、判例から権限処分禁止原則を抽出し、これを民間委託に応用していることは参照に値する。また、譲渡可能性と区別された《権限処分》という概念を用いて、実質的にはオーリウのいう放棄可能性を問題にしている点でも、興味ぶかい見解であるといえよう。

[160] ⑤ オーリウが譲渡可能性と放棄可能性を区分し、譲渡可能性に関して修正の余地を認めたことは、公物の不可譲渡性に関する憲法判例とのあいだで、実質的な連続性を有すると考えられる。すなわち憲法院は、公物上の物権の設定は公物の不可譲渡性に抵触しないとしながらも、行政主体の公物所有権を著しく害するような長期の占有等は不可譲渡性に反すると述べて、一定の制約を課している（一（二）③[152]参照）。

今日の学説としても、モローは、オーリウの思考枠組みを批判しつつも、実質的には彼の流れを汲んでいるとい

〔161〕

える。すなわち、伝統的には、契約は相互の権利を譲渡するところ、警察権は譲渡不可能であるから、契約の対象にならないと考えられてきたのに対して、(140) モロー自身は、警察権の不可譲渡性は警察権行使に関する契約を全面的に排除する理由にならない、と批判している。そこで、警察権が契約の対象になりえないことは、公序を契約で規律することができないという、民法典六条の一般原理を根拠にすべきであると述べている(141)。

これに関連して、オービイ（J.-B. Auby）は、契約の限界について、権限を譲渡（aliéner）できるかという問題、委託（confier）できるかという問題、権限行使にあたって拘束（se lier）されるかという問題、権限を一定の方式で行使する（あるいは行使しない）ことを約束（s'engager）できるかという問題、に分けている(142)。こうした概念区分も、オーリウの北経済鉄道事件評釈などにおいてすでに示されていたというべきであり、オーリウの用語法によれば、第一の要素は《譲渡可能性》、第二の要素は《特許可能性》、第三および第四の要素は《拘束可能性》に相当する。

⑥　ちなみに憲法院は、公役務の民営化に関して、《憲法的公役務（services publics constitutionnels）》は民間企業に移転できないという枠組みを示したうえで、電信電話事業は憲法的公役務に当たらないなどの判断を示している(143)。この判例をめぐっては、学説上、公役務委託の限界に関しても、かかる憲法的役務の概念を拡張して適用するべきであった、という主張がある(144)。しかし、オーリウにならっていえば、民営化の可否は、法律によって権限が完全に譲渡されうるか否かという問題であり、民間委託において放棄可能性などが問題にされる場面とは、観点が相違するというべきであろう。

(130)　J. Moreau, 《De l'interdiction faite à l'autorité de police d'utiliser une technique d'ordre contractuel》, AJDA, janvier 1965, p. 3. De même, D. Pouyaud, La nullité des contrats administratifs, LGDJ, 1991, p. 220 et s. ; Chapus, op. cit., n°799 ; J.-L. Gousseau, Les collectivités locales et l'éducation, 2006, p. 201. 港湾についても、類似の問題が

議論されている。Cf. J. Chapon et R. Rézenthel, 《L'administration portuaire partagée entre le pouvoir régalien et le pouvoir économique》, Journal de la marine marchande, 22 décembre 2006, p. 44 et s., en particulier, p. 45.

(131) 一九三二年のカステルノダリ町事件判決では、警察《役務》を委託（confier）することは許されないと述べられているが、ジョス論告では《権限》の譲渡が問題とされている。これに対して、一九八七年のコンセイユ・デタ意見は、《役務》に関する判断が示されているが、具体的な結論としては、公教育の役務に付随する業務について民間委託を認めるものである。

(132) Moreau, op. cit., AJDA, 1965, p. 6.

(133) Ibid., p. 4.

(134) 参照、木村・財政法理論一五三―一五四頁を参照。

(135) Lichère, op. cit., RDP 2003, p. 1176-1177. De même, Lichère, Droit des contrats publics, op. cit., p. 55-56. 類似の原則は、リヴェロによっても示されている。Cf. J. Rivero, 《Existe-il un critère du droit administratif ?》, RDP 1953, p. 287.

(136) C.E. 20 juin 1975, Leverrier, Rec. p. 382. 官公庁契約の相手方の選定権限につき、CAA Lyon, 5 décembre 2002, Commune de Montélimar, AJDA 2003, p. 83.

(137) C.C. 17 janvier 2002, DC2001-454, Rec. p. 70, considérant 20 et 21. なお、一九八六年のコンセイユ・デタ意見（一（1）②[146]）は、《権限》とは区別された《執行》に関する委託のみを認めているようにも読める。

(138) Hauriou, SD, p. 100.

(139) 本書第四章第二節二[266]を参照。Cf. Hauriou, DA 11, p. 238-239.

(140) Cf. Concl. Tardieu sous C.E. 6 décembre 1907, Compagnie du Nord et autre, Rec. p. 914.

(141) Moreau, op. cit., AJDA 1965, p. 14-15.

(142) Auby, note sous l'affaire Commune de Menton, op. cit., RDP 1994, p. 1827.

(143) C. C. 23 juillet 1996, DC96-380, Rec. p. 107. それに先立って、銀行の信用的作用（service public du crédit）が憲法的公役務に当たらないという判断が示されている（C. C. 25-26 juin 1986, DC86-207, Rec. p. 61, cons. 53）。このほか、国営テレビ放送（C. C. 18 septembre 1986, DC86-217, Rec. p. 141, cons. 30）や電気ガス事業（C. C. 5 août 2004, DC2004-501, Rec. p. 134）についても、同様の解決方法が提示されている。

(144) Lichère, op. cit., RDP 2003, p. 1173.

第三節　日本法への示唆

以上にみたオーリウ学説やフランス法の認識を前提として、民間委託が可能となる範囲の問題を中心に、ごく基本的な検討をしておくことにしよう。

一　民間委託の許容範囲

民間委託の許容範囲について、筆者のさしあたっての結論は、（a）行政上の基本決定権や秩序維持的警察の本質的要素に関わる事務をはじめとして、社会通念上、行政機関や公務員によって直接なされることが期待される事務は除かれる、というものである。（b）この立場の条文上の根拠としては、憲法六五条・七三条や民法九〇条をあげることができる。（c）ただし、現行法を前提とした場合には、公権力性をひとつの標準として、社会通念を判断することが許容される。（d）このように社会通念による判断を基本にすると、民間委託の可否の基準よりも、むしろ社会的な妥当性ないし社会的な受容可能性を確保するための措置（行政機関による監督権、効率性を向上させる措置やその実証など）をいかに盛り込むかが重要になる。以上のように、私見はやや入り組んでいるが、以下に敷衍しておこう。[145]

[163] ①　わが国では、行政の民間委託の可否を判断するにあたっては、多くの論者が公権力性の有無を原則的な基準としており、その一方で、公権力性が決定的な基準にはなりえないという立場も存在しているところである。[146][147]
公権力性を基準とすることには、次の理由からして、一定の合理性が認められる。すなわち、近代革命以前においては、徴税請負（ferme）の制度や、商工団体の課税徴収権などに典型的にみられるように、《公》と《私》の中間に公権力が存在していた。これに対して近代革命は、かかる中間団体の権力を排除し、公権力を国家が独占するという展開をみせた。[148]その意味で、今日の民間委託の傾向は、いわば歴史の揺り戻しの現象ともいえるのであるが、近代国家の原理を維持するという前提にたつならば、民間企業に対して公権力を付与することは、中間団体的な存在の復活を意味するから、否定的に捉えられるべきである。したがって、市民社会に属しない公権力は国家が独占し、委託の対象となりえないのに対し、市民社会に属する要素であれば、国家独占の対象になりえず、委託が認められることになろう。[149]

もとより、いかなる要素が本来的に市民社会に存するかという判断は、いわゆる私人の《自然の自由（natürliche Freiheit）》の観念とともに、極めて微妙な問題であるが、近時の行政法学説でいえば、法律の留保の論点において権力留保説が説くところの《権力》が、それに相当すると考えられる。すなわち権力留保説は、市民社会においては、当事者自治のもとで《契約自由の原則》が妥当しているので、権力的に権利義務の変動をもたらすことは許されないが、国家が権力的に介入することは法律の根拠があれば許容される、という立場であり、その振り分けにおいて権力性の有無が基準とされているわけである。[150]

しかし、右に述べたのは、あくまで歴史的な認識に基づく原理論であり、実際上の制度論や解釈論を展開するにあたっては別途の考慮が求められる。すなわち、まず権力性は、実定法を超えた形で存在するとは限らず、法律によって付与される場合もある[151]。また、公権力が国家に留保されるにしても、民間事業者にその具体的な行使が許容される余地はある（後出⑩参照）。さらに、オーリウが示唆するように、公的領域と私的領域の実際上の境界は歴史的に変動しているというべきであり、その時々の社会通念に依存せざるをえない側面がある。したがって、公権力性は、法律を超えたレベルでは必ずしも決定的な基準にはなりえない。

それにもかかわらず、公権力性をもつ行政作用には国家的な権威が認められるのが通常であると考えられるから[153]、現行法を前提として民間委託の可能性を考えるうえでは、公権力性が一応の基準になりうるし、また公権力性に社会通念を組み合わせれば、立法政策の標準として用いられうると思われる。さらに、このように実定法を基礎にする場合には、行政事件訴訟法における処分性が一応の標準になるであろう（補論一①[179]参照）。

[164] ②　右に述べた《自然の自由》に対置されるのが、国家の《レガリア的権利》である。伝統的には警察・軍事・外交上の権利のほか、課税権が含まれると考えられてきたが、フランスの憲法判例にならっていえば、主権的権利と呼ぶこともできる[154]。しかしながら、レガリアという前近代的な権利を掲げることには、批判があるところである[155]。また、レガリアの範囲は必ずしも明確でないし、レガリアに属することと民間委託の対象にならないことは同一の命題に属するというべきであろう。したがって、レガリアを基準ないし根拠とする場合にも、その範囲については、結局は社会通念に依拠せざるをえない。

[165] ③　レガリアの概念を用いるかどうかはともかくとして、立法論的にも民間委託の対象となりえない要素に、行政上の基本決定の権限を含めることは肯定されよう。これは、オーリウのいう、警察権の一部としての公役務編成権である。ここには、狭義の行政組織に関する権限のほか[156]、行政上の基本決定に関する権限行使（法令の執行のために、具体的な行政事務の内容を決定する権限など）が含まれ[157]、これらを対象とした契約は排除されるべきであろう[158]。

もとより、どこまでが基本決定に含まれるかは問題となるが、(159) 原理的には、行政上の基本決定とその執行的行為の区分が妥当すると思われ、後者のうち、特に準備的行為や補助的行為については、比較的容易に委託の対象として認められると考えられる（補論二②[186]参照）。その反面で、たとえば調達行政において、事務用品等の納品業者と包括的な契約を締結し、事務用品の選定を納品業者に委ねることは、少なくとも立法論的には可能であると思われるが、これに対してＰＦＩのような包括的契約において、個々の業務にあたる事業者の選定権など、ＰＦＩ事業の実施に関する基本的決定権を民間会社に委ねることは、否定されるべきであろう。この点は、次の⑤に述べる公序良俗による制約と、実質的に重なりあうと思われる（課税要件の細目の決定のみならず、具体的な課税処分や滞納処分も、租税に関する基本決定といえなくはないが、後二者は次の⑤の論理によって解決するのが適当であろう）。

行政上の基本決定に関する委託が禁じられる理由としては、憲法六五条（および七三条）をあげることができよう。同条が、行政権の帰属主体として内閣という組織的要素を掲げていることは、組織的配分を含めた基本決定権が（内閣を頂点とした）行政機関に属することを当然に含意している、と解するべきである。同条は実際の事務事業の主体には何ら言及していないが、行政権の帰属主体を定めた同条の意義を実質的に喪失させることは許されるべきではない（後出⑩の不可譲渡性の問題をも参照）。さらに、オーリウの考え方を応用すれば、組織編成権や基本決定権も公序を維持するためのものであるから、民法九〇条を根拠とすることも考えられるであろう。

[166] ④　行政上の基本決定の概念からさらに進んで、フランスの学説にみられるように、行政権限の委託を全面的に禁止するという立場もありうるところである。しかし、前述のように、行政上の権限であっても、物的資源の取得・利用方法に関する権限を含めたすべてについて、放棄がなしえないと解することは適当でない。(160) また、民間委託の問題と権限委譲の問題は、区別される必要がある（後出⑩参照）。さらに、社会通念を基本にする立場からすれば、権限の内容ではなく、権限に基づく個々の事務の性質に着目して判断することが適当な場面もあろう。

察が公序良俗の一要素として取り込まれることになる。

⑤　こうした行政上の基本決定とは別に、秩序維持的な意味での警察（オーリウのいう公序的警察）については、原則として民間委託が禁じられると解されるが、その条文上の根拠としては、フランスの学説にならって、公序良俗違反の契約の効力を否定した民法九〇条をあげることができよう(161)。さらに、この考え方によれば、秩序維持的警察が公序良俗の一要素として取り込まれることになる。

もっとも、かかる立論に対しては、伝統的な行政法学が、警察法規に違反する契約は無効にならないと解してきたことが想起される(162)。しかし、伝統的な学説が問題にしてきたのは、法令によって定められた警察法規が私人間の契約に対して有する意義であるのに対して、ここで問題になっているのは、行政主体が契約の当事者になる場面であり(163)、しかも、おもに法令を超えた一般的な制限が問われているので、問題状況が相違する(164)。さらに、民法九〇条の妥当範囲は法令によって当然に制約されうる、という批判もありうるところであるが、形式的な説明方法としては、憲法六五条は、行政組織の編成等の究極目的である警察的秩序に関して、その基本的な決定権を行政に留保している、と解したうえで（④参照）、同条の趣旨を民法九〇条に投影することが考えられる(165)。

いずれにしても、公序良俗の内容が社会通念に依拠せざるをえない以上、委託可能な範囲を設定する基準としても、社会通念（通常の私人が、もっぱら行政機関ないし公務員によってなされることを期待する事務または行為であるか否か）、ないしは社会的な受容可能性（通常の私人が当該事務等の民間委託を容認するか否か）によることになろうし、実際的な観点からしても、かかる要素を考慮することが合理的であろう。たとえば、行政上の実力行使（滞納処分など）の本質的要素については、通常の納税者からみて強度の公権力性が認められるから、民間委託に消極的にならざるをえないと思われる（補論三④[200]後段をも参照）。さらに課税処分についても、典型的な財産権の侵害であるので、少なくともその中核的部分については委託可能性を否定する方向で考えるべきであろう。他方、秩序維持的な警察は、それ自体公序を構成すると考えられるので、たとえば公物の管理に関しては、伝統的な学説のいう公物警察の本質的要素であるか否かが、一応の基準となろう。

⑥　右のように、民間委託の許容性の判断に際して、社会通念が考慮されるとすれば、結局は、公権力的な行政については民間委託ができないという、一般的な考え方による結論と同じになる場面が多いと思われる。その一方で、社会通念を考慮するならば、民間委託の可能性の判別が容易でない事務については、社会的な受容可能性を高まるために、さまざまな措置を講ずることが可能であり、また必要でもあるというべきであろう。したがって、委託可能性の判断に際しては、それらの諸要素を総合的に考慮する必要がある。具体的には、行政上の監督権等の確保、業務に携わる職員の専門技術性の確保、それらの職員に対する守秘義務の設定、私人による争訟提起の可能性（ないし容易性）の確保、業務の分割化、民間委託による効率性の向上、業務改善に向けた措置（モニタリングなど）の設定、業務基準の明確化などであり（補論三参照）、これらの措置によって民間委託が正当化される場合があると考えられる。つまり、民間委託の対象になるから守秘義務などが課せられるべきである、という思考方法ではなく、むしろ守秘義務の存否等を総合的に考慮して、民間委託の許容性を判断するのが適当である。(166)

なお、裁量や判断を伴う行為の委託可能性については、わが国では肯定・否定の双方の論調がある。肯定説からは、裁量判断の余地がなくなるようにマニュアル等で業務内容を具体的に定めれば足りる、と主張されている。この点、フランスの判例では裁量権の行使を契約によって制限することは違法であると解されているので、民間委託の障害になりかねない（第二節一（二）③[147]参照）。しかし、この判例は、特定の私人とのあいだで締結される契約によって権限行使の内容を定めることを禁じたものであり、(167) 委託に際して一般的な基準を設定し、権限行使の内容を事前に定めること自体は許容されよう。(168) この問題に関する見解の相違は、実質的にみれば、委託業務の相手方となる私人相互の平等原理に関わる制約であり、(169) また判断等を伴わない機械的作業に近ければ、民間委託が社会的に受容されやすいという事情を反映したものであると思われる。したがって、結局は社会通念をもとに判断すべきこ

[169]

とになろう。[170]

⑦　民間委託の可否判断において社会通念を基準とすることに対しては、基準として不明確であるという反論が予想される。しかし、この点は民法九〇条の公序良俗に反する契約一般についても同様である。また、一般的な見解も、公権力性を原則的な基準としながら例外を許容しているのであるから、私見に対する評価とほぼ同じ評価が与えられるはずである。そもそも民間委託が可能となる範囲は、行政がみずからなすべき事務はどの範囲かという問題であり、オーリウが示唆するように、この問題は、行政がなしうる範囲はどこまでかという問題と表裏一体の関係にあるが、後者についても、公益原則の適用をめぐって微妙な判断を伴うことが多い。さらに、参考にされるべきは、弁護士の独占業務を定めた弁護士法七二条・七三条に関する最高裁判例である。

すなわち、同法七二条については、「弁護士は、基本的人権の擁護と社会正義の実現を使命とし、ひろく法律事務を行なうことをその職務とするものであつて、そのために弁護士法には厳格な資格要件が設けられ、かつ、その職務の誠実適正な遂行のため必要な規律に服すべきものとされるなど、諸般の措置が講ぜられているのであるが、世上には、このような資格もなく、なんらの規律にも服しない者が、みずからの利益のため、みだりに他人の法律事件に介入することを業とするような例もないではなく、これを放置するときは、当事者その他の関係人らの利益をそこね、法律生活の公正かつ円滑ないとなみを妨げ、ひいては法律秩序を害することになるので、同条は、かかる行為を禁圧するために設けられたものと考えられるのである。しかし、右のような弊害の防止のためには、私利をはかつてみだりに他人の法律事件に介入することを反復するような行為を取り締まれば足りるのであつて、同条は、たまたま、縁故者が紛争解決に関与するとか、知人のため好意で弁護士を紹介するとか、社会生活上当然の相互扶助的協力をもつて目すべき行為までも取締りの対象とするものではない」と述べられている（最判昭和四六・七・一四刑集二五巻五号六九〇頁）。また、同法七三条については、「弁護士法七三条の趣旨は、主として弁護士でない

[170]

者が、権利の譲渡を受けることによって、みだりに訴訟を誘発したり、紛議を助長したりするほか、同法七二条本文の禁止を潜脱する行為をして、国民の法律生活上の利益に対する弊害が生ずることを防止するところにあるものと解される。このような立法趣旨に照らすと、形式的には、他人の権利を譲り受けて訴訟等の手段によってその権利の実行をすることを業とする行為であっても、上記の弊害が生ずるおそれがなく、社会的経済的に正当な業務の範囲内にあると認められる場合には、同法七三条に違反するものではないと解するのが相当である」と判示されている（最判平成一四・一・二二民集五六巻一号一二三頁［いずれも傍点木村］）。このように、弁護士の独占業務に関する判例が、総じて社会通念によって独占の範囲を画していることからすれば、国家によって独占される事務の範囲についても、類似の基準にならざるをえないと思われる[171]。もとより、解釈論と立法論の相違はあるが、前者を立法論的に解決する場合にも、ほぼ同様の結論に帰着せざるをえないであろうし、私見によれば後者も憲法解釈の帰結である。

⑧　立法政策論としては、こうした社会的妥当性を、いわば社会的に《認証》する意味でも、委託の可否や条件等について法令で定めることが適当な場合もあろう。つまり、法律の根拠を要しない民間委託についても、確認規定として法律の制定が望まれるわけである。

これに関連して、地方行政の民間委託については、それぞれの地方公共団体の判断がどこまで許容されるか、という問題がある。このことは、各法令の趣旨に照らして議論される必要があるが、現行制度のもとでは、とりわけ地方税行政について問題になる。一般論としては、社会通念の認定に際しては、できるだけ普遍的な社会的妥当性を基礎にするのが適当であるから、地方税法において統一的な基準を設定することに合理性が認められる。その反面で、それぞれの地方団体の財政状態（財政的に逼迫しているかどうか）なども社会的妥当性を基礎づける要素になると考えられるから（補論三⑥[202]参照）、地方独自の判断を否定するべきではないともいえる。実際的な解決方法としては、地方税法のなかで、民間委託の選択が可能である旨の規定をおくことが一方法であろう。また、地方独自の判断で委託がなされる場合には、右に述べた社会的受容可能性を高めるためにも、条例で民間委託の可能性を示しておくことが望ましいであろう（二②[174]をも参照）。

[171] ⑨　民間委託の許容性を判断するにあたって、行政作用の全体に注目するか、個々の行為（ないし権限）に着目するか、という問題がある。オーリウをはじめとしたフランスの学説や判例の示唆するところによれば、後者が採用されるべきであろうし、社会的妥当性の判断の単位としても適当である。なお、この点は、委託の単位に絡む問題でもある（二③[175]参照）。

[172] ⑩　最後に、原理的な問題に触れておく必要がある。かりに、一般的な見解にならって、民間委託の可否判断にあたって公権力性を基準にするとしても、《公権力の国家独占の原則》[172]の意義を理論的に解明しておく必要がある。すなわち、公権力が国家に独占されるという場合に、その譲渡が禁じられるにすぎないのか、それとも公権力を国家以外の主体に行使させることまでが否定されるのか、を明らかにするべきである[173]。これは、いわば、公権力的事務が委託された場合の《公権力の所在》に関する問題であり、わが国でも十分な議論がなされているとは言いがたいように思われる[174]。

フランスでも、警察権に関する契約を禁ずる根拠として、主権の不可譲渡性や不可時効性という古典的原理にならって、警察権の不可譲渡性や不可時効性が語られてきたが[175]、民間委託ないし公役務特許が譲渡禁止原則に抵触しないことは、フランスの学説が示すところである（第一節一（三）[108]および第二節三⑤[160]を参照）。特にオーリウが、《特許事業者は、国家の公権力的権利の譲渡を受けるのではなく、公権力的権利を占有するにすぎない》と述べていることが想起される（第一節二（四）①[121]のほか同節一（三）[108]をも参照）。さらに、オーリウが、公物の不可譲渡性と公物占有者の物権的権利とは矛盾しないと説いていることが示唆に富むところであり、かかる説明方法は公物に関する憲法判例にも実質的に採用されている（第二節一（二）③[152]参照）[176]。

しかも、こうした説明方法は、フランスに固有のレトリックではなく、わが国の伝統的な行政法学説においても、公用収用権の所在などの議論に現れていることに留意するべきである。すなわち、公用収用が私人の営む公共的事業のためになされる場合に、誰が公用収用権の《主体》になるかが議論の対象になるが、伝統的な学説は、財産取得の効果をうける私人が公用収用権の主体であると解している[177]。その際、公用収用権は「本来国家に専属する公権であるが「私の事業者にも授与」されうべきであり、それはあたかも公用使用において「使用権」が事業者に属するようなものである、と説明されている[178]。ここでは、公権力の使用ないし占有という、オーリウに近い発想が読み取れるであろう[179]。

したがって、筆者は《公権力の国家独占の原則》は、かりにこれを肯定するにしても、民間委託には直接関わらないと考える。その一方で、フランスの公物判例を応用するならば、民間委託が可能である事務についても、行政機関の基本的権限が完全に譲渡されるに等しいと評価される場合には、当該委託が違法になると解される（この形式的な理由としては、③に示した憲法六五条の解釈をあげることもできよう）。かかる実質的な譲渡を防ぐためには、一定の行政的関与が求められるであろう（前出⑥および補論三①[197]を参照）。その意味では、「民間委託をめぐる真の問題は、委託可能な業務の範囲の問題ではなく、むしろ行政の監督や責任をいかに確保するか、さらには、かかる配慮のもとで受託者の地位をいかに保障するかにある」というフランスの学説の主張[180]は、大いに説得力をもつように思われる。さらには、民間委託を制限する実質的な根拠は、右のような意味での行政権限の実質的譲渡をもたらさないように、公共性ないし公益的事情（当該行政事務の継続性や安全性など）の判断権を行政側に留保することにある、と考えることもできるであろう（二①[173]および②[174]を参照）[181]。

(145)　このような私見は常識論にすぎない、という評価もありえようが、かかる批判的な見方に対しても、以下に一定の回答を示すことになろう（特に⑥以下を参照）。

(146)　公権力性を原則的な基準としつつも、例外を許容する記述として、米丸恒治『私人による行政』（一九九九年・日本評論社、初出一九九四年）三五五頁以下、阿部泰隆『行政の法システム（下）』（一九九七年・有斐閣）五九一頁以下、塩野宏『行政法Ⅲ〔第三版〕』（二〇〇六年・有斐閣）一一五頁。同旨、塩野「指定法人に関する一考察」同『法治主義の諸相』（二〇〇一年・有斐閣、初出一九九三年）四六〇頁以下。この場合の公権力の意義としては、国民の権利義務の確定や実力行使が念頭におかれている。

これに対して、広範な立法裁量を認める可能性を示唆する記述として、磯部・前掲註（11）塩野古希六六頁のほか、小幡純子「公共サービス改革法と官民役割分担」地方自治二〇〇七年二月号八頁以下、碓井光明「政府業務の民間開放と法制度の変革」江頭憲治郎ほか編『法の再構築Ⅰ・国家と社会』（二〇〇七年・東大出版会）二五頁。

なお、実務における議論の状況につき、総務省「地方公共団体における民間委託の推進等に関する研究会報告書」（二〇〇七年三月）八頁以下のほか、木村・前掲註（1）ブリッジブック行政法二九一頁に掲載したインターネットサイトをも参照。従来の実務の考え方として、小原昇『行政実務の民間委託』（一九九五年・学陽書房）七三頁をも参照。

(147)　伝統的な行政法学説によると、課税権ないし財政権力作用は、国または地方公共団体のみが行使しうる（美濃部達吉『日本行政法・下巻』（一九四〇年・有斐閣）一〇五二頁、田中二郎『新版行政法・下巻〔全訂第二版〕』（一九八三年・弘文堂）二〇七頁）。秩序維持的な意味での警察権も同様である（美濃部・同前四二頁、田中・同前三四頁）。これに対して、公企業は民間企業に委託しうると解されてきた（美濃部・同前五八三頁、田中・同前一一六頁）。ただし、これらの記述は、基本的にはその時々の実定法の説明をしたものであり、民間委託の許容性という問題を意識した記述であるとは思われないし、かりにこれらの記述を前提とする場合にも、一部の補助的業務などについて民間事業者の活動を認めることは可能であると思われる。なお、公用収用については、後出註（177）から註（179）の該当箇所をも参照。

(148)　オーリウの説明を借りれば、市民的制度（régime civil）の修正としての行政制度のもとでは、公役務の目的として警察があり、さらに警察目的のために公権力（puissance publique）が行使される。ただし、憲法制度（régime constitutionnel）などの概念によって、さらにこの原理が修正されることになる。参照、木村・財政法理論七九頁以下。

(149) 固定資産税における資産評価に先立ってなされる航空写真の撮影等も、通常の私人が当然になしうる作業であるから、民間委託の対象になると考えられる。かかる作業は課税業務に固有な作業ではない、という説明も、実質的には同じである。以上は、一般的な見解を基礎にした説明であるが、後述の筆者の立場からすれば、これらの作業は資産課税の基本決定に関するものではなく、かつ行政機関による事後検証も可能であることから、社会通念としても許容されるということになろう。

(150) 権力留保説につき、兼子仁『行政法学』（一九九七年・岩波書店）五八頁以下、原田尚彦『行政法要論〔全訂第六版〕』（二〇〇六年・学陽書房）九〇頁。米丸・前掲三五七頁では、国民相互のあいだでは一方的な権利義務の変動が否定されるという、権力留保説的な説明がみられる。

(151) 一般的な理解によると、たとえば、補助金はほんらい贈与的な性格をもつが、補助金適正化法によって補助金交付に公権力性が与えられる。そこで、民間会社が行政機関に代わって補助金を交付する場面を考えてみると、特別法によって補助金適正化法の適用を排除できれば委託が可能であり、そうでなければ委託が不可能であるということになりかねないが、かかる手続的規範の有無によって結論が異なるというのは合理的でない（なお、この問題に関するフランスの判例につき、第二節一（一）⑤[149]を参照）。

もとより、こうした権利義務の形成・確定に関する行為とは別に、物理的な実力行使を伴う業務については、法令の規定如何にかかわらず、形態的な観点から公権力性が認められやすいが、そもそも《国家による実力行使の独占》という観念についても、歴史的ないし比較法的に多様性があり、少なくとも補助的な業務については委託可能であると解する余地がある（第一節二（三）⑦[120]および同節二（七）①[129]を参照）。

なお、わが国でも、民事執行権の国家独占が掲げられつつも、国家が実施する執行手続の一部を執行債権者等に委ねる局面（被差押債権の取立てや代替執行）は認められている。参照、中野貞一郎『民事執行法〔増補新訂五版〕』（二〇〇六年・青林書院）六五頁。その公権力性につき、たとえば最判昭和四一・九・二二民集二〇巻七号一三六七頁を参照。

（152）ドイツでは、高権的権限（hoheitsrechtliche Befugnisse）は原則として公務員によって行使されるという憲法三三条四項の規定があるが、その範囲について争いがあることにつき、米丸・前掲註（146）五〇頁、七一頁註（110）。

（153）この点につき、本章補論註（7）を参照。

（154）現代のフランスの実務でも、租税や軍事・警察などについて、レガリアの概念がしばしば用いられる。参照、木村・財政法理論一五六頁註（26）、同「フランスにおける予算会計改革の動向」季刊行政管理研究一〇六号（二〇〇四年）三五頁。

（155）たとえば、日本国憲法のもとで、レガリアが憲法上の経済的自由権と矛盾するかどうかが、さかんに議論されてきた（第二次大戦後の議論の状況につき、山田・前掲註（9）公企業法五五頁以下を参照）。

（156）日本やドイツでも《行政組織編成権（Organisationsgewalt）》が語られるが、そこでの問題は、行政組織を編成する根拠が法律以外に認められるかどうかであった（稲葉馨『行政組織の法理論』（一九九四年・弘文堂）二四五頁以下、藤田宙靖『行政組織法』（二〇〇五年・有斐閣）五九頁以下を参照）。その際、憲法上、行政組織が法律または行政決定によって編成されるべきことは、当然の前提とされてきたと思われる。これに対して、オーリウや筆者のいう《公役務編成権》は、狭義の行政組織の編成権に加えて、役務の方法等に関する決定権を広く含む概念であり、民間企業等の関与を排除する枠組みを提供する。

ガバナンスの本質的要素として狭義の組織編成があることについては、共通の認識が得られやすいと思われる。それに関連して、憲法上の地方自治の本質として、地方公共団体の組織編成権を基本とする考え方を示唆するものとして、塩野宏「地方公共団体の法的地位論覚書き」同『国と地方公共団体』（一九九〇年・有斐閣、初出一九八一年）二三頁以下、同「地方自治の本旨に関する一考察」自治研究八〇巻一一号（二〇〇四年）二八頁。これに関わるオーリウの記述として、前出註（93）を参照。

（157）オーリウのいうところの公役務編成権には、小早川光郎『行政法・上』（一九九九年・弘文堂）五〇頁以下がいう

《行政基本決定》が重なり合うと思われる（さらに、外国人の公務就任権に関する最判平成一七・一・二六民集五九巻一号一二八頁をも参照）。なお、オーリウのいう不可放棄性に関わる記述として、同書二六〇頁をも参照。

(158) 行政上の基本決定が委託の対象になりえないという原理は、委託される事務の限界をめぐる問題状況（委託可能性の問題）よりは、むしろ委託契約の解釈において、基本決定に対する拘束力が排除されるという文脈（拘束可能性の問題）で用いられることが多いと思われる。

(159) オーリウ学説においても、外延が不明確であることにつき、第一節二（三）④[117]を参照。また、本文③[165]に述べる基本決定と、本文⑤[167]に述べる課税処分等の本質的要素については、実質的な基準として重なり合うところがあるので、少なくとも民間委託の問題に関しては、行政上の基本決定の外延を、やや広げて考えることもできると思われる。

(160) 総務省の研究会報告書（前出註（146））が、「権限行為」の委託範囲について一定の留保をしていることが参考になる。

(161) オーリウは、警察法における公序と民事法における公序が、内容的に相違することを述べている。すなわち、前者は公的安寧・公的安全・公衆衛生という三つの要素によって構成されるのに対して、後者は社会的な重要性ないし共同的利益の観点から、私人の活動を制限するものである、という。しかし、後者についても《放棄可能性》が問題になることは認めており、その理論的な意義は公序的警察の場合と共通している。Cf. Hauriou, DA 9, p. 563, note 1.

(162) 代表的な記述として、田中二郎『新版行政法・上巻〔全訂第二版〕』（一九七四年・弘文堂）七八—七九頁。

(163) たとえば、行政主体が公営カジノを経営することが適法であるか否かは、従来の学説からは一義的な結論が導けないはずであり、いまなお議論の余地が残されているといえよう。これは、《公序良俗に照らして、行政がなしうる事務はどこまでか》という、行政活動の外延に関する問題であるが、同じように、《公序良俗に照らして、行政がなさなければならない範囲はどこまでか》という問題も設定できると思われる（本章冒頭[104]の記述をも参照）。いずれにしても、現在のところ、わが国では後者に関する判例の蓄積はないというべきであり、またこの問題には、私人間の取引が公序良俗に反するか否かを判断する場面とは、異なった基準が適用されるべきであろう。

　さらに、行政主体間における委託契約の許容範囲については、行政主体と民間企業とのあいだの委託契約の場合とは異なる基準が採用されるべきであると思われる（この点を示唆するものに、Richer, op. cit., AJDA du 20 juin 1997, p. 34、塩野・前掲註（146）論文四六五頁）。

（164）民法学上も、公序良俗の範囲は時代に応じて変化しうることを前提として、問題状況に応じた類型化が試みられている。参照、四宮和夫＝能見善久『民法総則〔第五版増補版〕』（二〇〇〇年・弘文堂）二二四頁以下。

（165）たとえば、水道供給拒否の違法性が争われた最高裁判決では、行政主体を契約当事者とする法令（水道法）の規定内容とは別に、都市計画の秩序に関する「公序良俗」が考慮要素とされている（最判平成元・一一・八判例時報一三二八号一六頁）。

なお、私人間での取引について、警察的制限に反する契約を無効にする判例は、公序良俗の判断にあたって、法令の内容を決定的な理由にしていないように思われる（賭博による債務の履行のための取引に関する最判昭和四六・四・九民集二五巻三号二六四頁などを参照）。人権の私人間効力に関する判例も、同様の前提に立つと思われる（最判昭和五六・三・二四民集三五巻二号三〇〇頁など）。

（166）本文に掲げた諸要素は、塩野・前掲註（146）論文や米丸・前掲註（146）が掲げている内容と部分的に重なっており、実際上の判断にあたっては、筆者の結論と同じになると思われる。ただし、これらの論者のように、公権力性を原則的な判断基準とし、例外を許容するために諸条件を設定する、というよりは、むしろ端的に、これらの諸条件を委託可能性の判断要素として取り込み、社会通念をもとに判断するべきであるというのが、筆者の立場である。その意味では、説明方法の違いにすぎないともいえるが、本章の立場によれば、一般的な見解よりも、社会的妥当性の考慮要素が広範に認められることになろう。また、根拠条文を含めて、こうした二つの思考方法には少なからぬ相違があると思われる。

（167）この問題は、一見すると《裁量権の譲渡可能性》の問題であるようにみえる。実際、フランスでも、裁量や判断を伴うことなく、権限行使の方法が一義的に定められている場合には、権限の譲渡は観念しえないなどと説かれているが、民間委託の可否を権限の譲渡の問題として捉えるのは適当でない（本文⑩[172]参照）。Cf. Moreau, op. cit., AJDA 1965, p. 14-15.

(168) 裁量基準に関する判例（最判平成一〇・七・一六訟務月報四五巻四号八〇七頁）も、これを裏付けると思われる。

(169) 周知のとおり、最高裁も、私人間の平等が公序良俗を構成することを認めている（前掲最判昭和五六・三・二四などを参照）。

(170) 総務省の研究会報告書（前出註（146））では、民間委託が制限される業務として、「法令により公務員が実施すべきとされている業務」、「相当程度の裁量を行使することが必要な業務」、「地方公共団体の行う統治作用に深く関わる業務」に分け、さらに最後の類型を、①「公の意思の形成に深く関わる業務」、②「住民の権利義務に深く関わる業務」、③「利害対立が激しく、公平な審査・判断が必要とされる業務」に細分している。本章の立場からすれば、このうち①は行政上の基本決定として、③は広義の警察（公証）的行為ないし公序に関わるものとして、それぞれ委託が禁じられることになろう。また、②については、多くの場合には広義の警察的役務ないし行政上の基本決定として、社会通念をもとに判断されることになる。したがって、具体的な判断としては、同報告書に依拠した場合でも、筆者と同じ結論になることが多いと思われる。なお、同報告書が民間委託を排除する業務の一類型について「統治作用」という表現をしているのは、本章にいう行政上の基本決定に類する考え方を採用した結果であるといえなくもない（これに関連するオーリウの考え方につき、第一節**二**（三）⑤[118]を参照）。

　ちなみに、フランスでは、公法人が仲裁（arbitrage）による紛争解決を図ることは禁じられている。これは、公序に関する事項の仲裁等を排除した民法典二〇六〇条に基づくと説明されており、コンセイユ・デタは、かかる禁止原則を《フランス公法の一般原理（principes généraux du droit public français）》のひとつと性格づけている（C.E. avis du 6 mars 1986, EDCE 1987, p. 178）。もっとも、この原則は、公法人が一方当事者になる紛争を念頭においたものであるが、民法典二〇六〇条が公序に関する仲裁を一般に排除していることからすると、右の③の原理にも応用できると思われる。Cf. Lichère, Droit des contrats publics, op. cit., p. 119-120.

(171) 税理士の独占業務に関する裁判例（補論**四**②[205]）をも参照。さらに、東京都外国人管理職事件（前掲最判平成一七・一・二六）における藤田補足意見は、「少なくとも地方公共団体の枢要な意思決定にかかわる一定の職について、外国籍の者を就任させないこととしても、必ずしも違憲又は違法とはならないことについては、我が国において広く了解が存在するところであ」ると述べており、《社会的な了解》という要素を重視している。

(172) 代表的な記述として、米丸・前掲註(146)三五七頁を参照。

(173) 民営化の場合には、多くの場合、公権力の譲渡が問題になるが、フランスの判例は民間委託と異なった基準を採用しており（第二節三⑥[161]参照）、オーリウらのいう譲渡可能性と委託可能性の相違からしても、民間委託の場合とは同視しえないであろう。

(174) いわゆる行政事務代行型の指定法人は、国と代理関係にあり、第三者との関係での権利義務関係は移転しないが、いわば国から権限が委譲され、自己の権限として公権力を行使すると考えられている（塩野・前掲註(146)論文四五八—四五九頁、四六四—四六八頁を参照）。この立場を前提にすると、民間委託の許容性は後者の観点から判断されることになろうが、前者は争訟の場面などを念頭においた法技術的な観点であるとも述べられている（同四五九頁）。ここでも、移転ないし譲渡が多義的であることが示されている（さらに、塩野『行政法Ⅱ〔第四版〕』（二〇〇五年・有斐閣）二七三頁、米丸・前掲註(146)三四四頁をも参照）。なお、最判平成一九・一・二五判例時報一九五七号六〇頁は、「児童養護施設の長は、三号措置［児童福祉法二七条一項三号に基づく入所措置＝筆者註］に伴い、本来都道府県が有する公的な権限を委譲されてこれを都道府県のために行使する」と説示するが、国賠法上の法技術的観点から一種の擬制をしているようにもみえる。

(175) 前出註(140)のタリディウ論告のほか、第一節二(四)③[123]のジェズの説明を参照。

(176) わが国でも、行政財産の貸付け等がなしうる範囲が、次第に拡張されつつあるが、この問題と公物の不可譲渡性との関係については、十分な理論的検討がなされているとは言いがたい。この点も、憲法的観点からの制約を議論する必要があると思われる（筆者の立場については、木村・前掲註(3)岩波講座一八四—一八五頁を参照）。なお、法改正の評価につき、木村「国有財産制度・公物制度に関するフランスの動向」千葉大学法学論集二一巻三号（二〇〇六年）二九頁以下をも参照。

（177）　美濃部・前掲註（147）行政法下巻九三七頁、田中・前掲註（147）行政法下巻一六三頁。より詳細な分析として、柳瀬良幹『公用負担法〔新版〕』（一九七六年・有斐閣）一五六頁以下。

（178）　美濃部・同前。なお、美濃部『公用収用法原理』（一九三六年・有斐閣）三四頁、八六頁は、離婚判決の場合との類推をしているが、これは裁判行為を判決自体に限定して、その執行とは区別するジェズの考え方に近似している。Cf. Jèze, PG, 1 éd., p. 57-58.

（179）　オーリウの公用収用に関する説明として、第一節一（二）[107]、二（三）⑤[118]および⑥[119]を参照。Cf. DA 9, p. 807.

（180）　Auby, op. cit., RDP 1994, p. 1833. 特に、現代のように、行政の直営事業から委託事業に移行する場合には、役務に対する行政の規律が拡大されるとするオーリウの認識につき、第一節一（四）[109]を参照。公役務特許よりも委託管理を優先させるという主張（第一節二（二）[112]）も、この延長上に位置づけられよう。

（181）　行政の継続性が憲法八九条から導かれうることにつき、木村・前掲註（3）岩波講座一八四―一八五頁を参照。ちなみに、二〇〇五年四月二〇日法律（二〇〇五・三五七号）によるパリ空港の民営化に際して、憲法院は、「公物に属する財産を公物から除外する場合には、当該財産の供用目的である公役務の継続性に関する憲法上の要請について、法律上の担保を排除することになってはならない」という一般論を掲げたうえで、国の出資比率や監督権等に関する規定を引用し、空港管理の公役務の継続性が保障されているから、憲法に違反しないと判断している（C. C. 14 avril 2005, DC2005-513）。ここでも、公物の物権設定に際して「適切な代償」という条件を付した判例（第二節一（二）③[152]）とともに、公役務の継続性を担保する諸条件が要求されている。こうした考え方は、民間委託の許容性を判断するに際しても応用できると思われる。なお、右の憲法院判例については、木村「フランスにおける港湾・空港の管理形態の変容」港湾二〇〇六年八月号三二頁以下をも参照。

二　民間委託に際しての諸問題

[173] 行政の民間委託にあたって留意すべき問題点は多いが、これまでの記述との関係で、最後に次の四点を指摘して、本章の結びとすることにしよう。以下の諸観点（とりわけ④）は、民間委託の社会的受容可能性を高め、委託できる範囲を拡張させる要素になると思われる。

①　民間委託の許容範囲をいかなる基準によって画するにせよ、一定の事務を国家に独占させるべきであるという考え方は、究極的には公共性（当該行政事務の継続性や安全性など）を確保するための理念である以上、公共性をより高める方向に解釈する余地がある。従来、公共性は、実体的な適法性や手続的な適正さによって担保されると考えられることが多かったが、公共性に効率性を組み入れることも可能であり、また法原理としても、《法の一般原則》のひとつに効率性の原則を掲げることができる。[182] もとより法原理的な観点や適法性の観点などを捨象して、もっぱら効率性に傾斜した公共性を基礎にすることは適当でないが、採用される制度や措置の効率性は、当該制度等の合理性の根拠になりうる。そこで、たとえば租税行政についていえば、民間委託を通じて効率性がどれだけ高められたかを、徴税率の向上や徴税コストの削減などの具体的な指標・数値に基づいて算定・公表し、納税者に対する説明責任を果たすことが求められる（補論三⑥[202]参照）。

[174] ②　右に述べたように、民間委託を制限する究極的な趣旨は、公益的な判断権を行政側に留保することにあるとすれば、委託が可能となる場合にも、公益上の理由などによる解除を広範に認める必要がある。その場合には、事業者が当該行政主体に対して損害賠償請求することを一定の範囲で許容するのが適当である。フランスの行政契約法理が《王の行為》などによる一方的変更権を認めると同時に、その場合の事業者に対して損害賠償請求の途を開

いていることは、まさにこうした配慮に基づいているといえる。これに対して日本では、この種の解除条項が個別の契約書において定められることはあるが、実際の裁判においてどこまで有効とされるかは不透明である。そこで、法律または条例によって解除事由を規定することも一方法であろう。

より一般的にいえば、委託契約を解除しうる範囲を含めて、民間委託の基本事項について法令で定めをおくことも、検討されるべきであろう。その意味では、「競争の導入による公共サービスの改革に関する法律（公共サービス改革法）」が、同法の適用によって委託された場合の権利義務関係について、解除事由をはじめとした一般的規範（二二条など）を定めたことは、大きな意義をもつといえよう(184)。

これに関連して、民間委託に伴って生ずる、行政主体と事業者とのあいだの法律関係を、公法関係とみるか否かという、古典的な論点が想起される。右のように公益的な考慮が求められるとすれば、私法原理を当然に妥当させることには疑問も生じうるが、おそらくは《公法契約》という一般法理を構築するのでなく、私法規範を修正する方途が適当であろう(185)。

③　民間委託をする場合に、委託の単位や委託契約の期間をいかに設定するかが問題となる。前者については、行政事務全般を効率的にするという観点（個々の契約取引の効率性ないし経済性ではなく、いわばマクロの効率性の観点）からすれば、委託の範囲を包括的にすることが求められるのに対して、特定の事業者による独占を排除するという視点からすれば、委託の範囲を限定するべきことになろう。他方、後者については、長期的な契約によって委託事業の継続性を確保することは、事業者の専門性を向上させ、社会的な受容可能性を高める可能性があるが、その反面で、委託単位の問題と同様に、独占の弊害も生じかねない。

このうち委託の単位に関連して、フランスの憲法院が、全体的な均衡の観点から包括的な委託をすることが可能であると述べていることは、まさにこうしたマクロの効率性を考慮する趣旨であると解され(186)、わが国でも憲法八九条が同様の趣旨を含むと考えられる。(187) したがって、たとえば公共サービス改革法のもとでの入札の範囲などについては、効率性を確保する方向で運用することが望ましいといえる。その反面で、包括的で長期的な委託によって新規事業者の参入の機会が奪われる可能性があることに鑑みると、契約単位の拡大には一定の制約があるというべきであろう。わが国でも、実際上、大規模なＰＦＩ事業において地元の中小企業が排除されている場面があるといわれるところである。(188) そこで、契約単位と契約期間の双方について、効率性確保と独占排除の要請を調和させつつ、合理的な範囲を設定することが求められよう。(189) その前提として、長期的な委託契約の締結を可能にする仕組みとして、立法論的には長期継続契約（会計法二九条の一二、地方自治法二三四条の三）の拡張を含めた検討がなされるべきであろう。(190)

④　委託された事務について利用者または第三者に損害が発生した場合には、判例上、委託者たる公共団体の責任が広範に認められる可能性がある。(191) 実際には、委託の根拠となる法令に即して個別的に判断されるべきであり、ここで詳しく述べることは避けるが、一般論としては、公権力を一時的に《占有》している受託者の行為について、委託者たる行政主体の責任を認めることは可能であると思われる。(192)(193) また、受託者の行為について公権力性が否定される場合には、委託者に民法上の使用者としての賠償責任が生ずる可能性があるし、さらには委託契約の趣旨の解釈を通じて、受託者を履行補助者とみなして委託者の責任が肯定できる場面もあると思われる。(194) そこで、これら二つの場合の連続性に鑑みて、いずれについても原則的に行政主体の責任を肯定するという立論もありうるところである。

もっとも、その先例となりうる諸判決は、あくまでも被害者との関係での賠償責任を問題にしているにとどまり、内部的な賠償責任の分配は、基本的には委託契約のなかで明確化されているところによると考えられる。(195) この点も、フランスの判例が認めるところであり（第二節一（二）④[148]参照）、さらにはオーリウの学説に起源を見出すことが

[177]

できよう（第一節三④[135]参照）。いずれにしても、実質論としては、被害者救済の観点から行政主体に対する賠償請求の間口を開く一方で、民間事業者に対して最終的なリスクを相応に負担させることは、業務の適正さを担保するとともに、民間委託の社会的な受容可能性を高めることにつながると思われる。(196)

⑤　実際的な問題として、フランスの二〇〇一年八月一日組織法律に基づく予算執行においては、行政機関による直接的管理と民間委託による管理とあいだでの選択が、行政機関の裁量的判断によってなしうるとされているのに対して、わが国では庁費等と委託費が厳格に区分されているために、年度途中に民間委託を行うことが困難である。そこで今後は、民間委託を柔軟に採用しうる予算区分に移行することが求められよう。(197) オーリウのいう公役務編成権を実質化するという観点からしても、かかる機動的な措置が求められる。

(182)　参照、木村・前掲註（3）岩波講座一七七―一八〇頁のほか、同「行政の効率性について」千葉論集二一巻四号（二〇〇七年）一八七頁。

(183)　一九三二年のカステルノダリ事件（註(105)）におけるジョス論告においても、民間企業に委ねることの当否を判断するに際して、効率性が考慮されている。

(184)　同法律については、橋本博之「競争の導入による公共サービスの改革に関する法律案について」自治研究八二巻六号（二〇〇六年）三七頁、碓井・前掲註(146)などを参照。もっとも、法律によって行政契約を規律する可能性は、山田・前掲註（9）行政法の展開二一六頁、滝沢・前掲註（9）論文（五・完）法学協会雑誌九五巻九号三三頁以下などにおいて、はやくから指摘されている。

(185)　本書第一章第二節二（三）（5）[69]を参照。

(186)　第二節一（二）②[151]の簡素化法六条に関する違憲審査において、フランスの憲法院は次の解釈留保を付している。「憲法的価値を有する規範や原理は、公的施設の設計・建設・改良・資金融資や、役務管理やそのための資金調達を、特別な法人に委ねることを強要しておらず、また、複数の事業区画に対する申込みを一括して求め、全体的均衡の観点から最も有利な提案を採択するという総合的判断は、憲法的原理に抵触しない。さらに、公的施設の財源を先取りするために、リース契約（crédit-bail）や先買取引（option d'achat anticipé）の手段を用いることは、憲法原理によって禁じられない。しかしながら、公共調達（commande publique）ないし公物制度に関する普通法に対して、かかる例外を一般化することは、公共調達のもとでの平等、公的財産の保護、公金の良好な使用に内在する憲法的要請から、法的保障を奪い上げることになる。したがって、付託された法律の第六条が予定する例外は、個別的・地域的な条件のもとで、遅滞させると損害をもたらすような緊急性、または当該設備・当該役務の技術的・機能的・経済的な特性に基づく必要性といった、一般利益（intérêt général）に基づく理由が存する状況に限って認められる。」C. C. 26 juillet 2003, op. cit., cons. 18.

(187) 参照、木村・前掲註（182）千葉論集二一巻四号一九五—一九六頁、一九八頁。

(188) もちろん、地元の事業者を過度に優先することは、違法の評価をうける場合がある（最判平成一八・一〇・二六判例時報一九五三号一二二頁参照）。

(189) オーリウが示唆するように、行政がみずから役務を執行する場合には、独占の状態が形成されるのが通常であり（第一節二（三）③[116]参照）、民間委託における独占の当否の問題は、民間委託の可否の問題と密接に関連している。

(190) この問題につき、木村「成果主義的な行財政制度の構築に向けた試論（二）」自治研究七九巻（二〇〇三年）一一号九〇—九一頁をも参照。

(191) 判例上、法令の根拠に基づく委託・代行等に関しては、国家賠償法一条の責任が認められる例が比較的多く存在している（肯定例として、児童養護施設に関する前掲最判平成一九・一・二五のほか、註（151）の代替執行に関する最判昭和四一・九・二二民集二〇巻七号一三六七頁、否定例として、差押物件の保管に関する最判昭和三四・一・二二訟務月報五巻三号三七〇頁、直接的な論点ではないが、肯定説に親和的な先例として、建築基準法上の指定確認検査機関の事務に関する最決平成一七・六・二四判例時報一九〇四号六九頁）。これに対して、法令の根拠に基づかない民間委託の場合でも、国賠法一条が成立する可能性を認める裁判例がある（市立図書館の警備業務の民間委託に関する横浜地判平成一一・六・

二三判例地方自治二〇一号五四頁など）。いずれにしても民間委託に関して、国家賠償責任が認められる範囲について、判例の立場はいまだ明らかでない。

なお、フランスの公役務特許においては、行政主体に対する損害賠償請求は原則として許容されていないが（第二節一（一）④[148]参照）、これは特許事業における費用収益が基本的には特許事業者に帰属することが前提になっている。その場合にも、例外的に行政主体に対する賠償請求が認められていることは、わが国でも国家賠償請求を肯定する理由づけにつながるであろう。

(192)　本文に記したのはオーリウにならった比喩的な表現であるが、この趣旨を表現する条文としては、民法七一七条をあげることができよう。もっとも、民法七一七条は、土地の工作物の瑕疵に基づく損害について、原則的として所有者でなく占有者に賠償責任を課しているが、実際には工作物に直接的・具体的な支配が及んでいたかが重要な基準になっており（最判平成二・一一・六判例時報一四〇七号六七頁など）、学説上もかかる支配力を有する所有者の責任を広く認める傾向にある（平井宜雄『債権各論Ⅱ』（一九九二年・弘文堂）六八頁、内田貴『民法Ⅱ〔第二版〕』（二〇〇七年・東大出版会）四八四頁など）。フランス民法典一三八六条も、工作物に対する所有者責任の原則を掲げている。

以上はあくまで観念的な説明方法であるが、実際的な意義も伴いうる。すなわち、公権力的な民間委託がなされた場合に委託者たる行政主体の責任を認める根拠条文としては、国賠法一条のほか、公共的施設における事故に関する問題状況（ＰＦＩ事業などにおいて工作物が民間事業者の所有に属する場合を含めて）であれば、民法七一七条と同趣旨の国賠法二条を用いる余地があると考えられる。ほぼ同旨、小幡純子「公の営造物概念に関する試論」原田尚彦先生古希記念論文集『法治国家と行政法』（二〇〇四年・有斐閣）五〇七頁。

(193)　もっとも、民間委託の許否を判断するに際して、公権力性の有無を原則的な基準とする通説的な立場によれば、民間事業者の行為については、国賠法一条の公権力性が否定されることが多いともいえる。しかしその一方で、同法一条の公権力性は緩やかに解されており（最高裁の判例として、最判昭和六二・二・六判例時報一二三二号一〇〇頁、下級審の裁判例で、私経済的作用を除いて広く公権力性を認めるものとして、前掲横浜地判平成一一・六・二三のほか、東京地判平成一一・三・一六判例時報一七〇二号一一三頁など）、また民間事業者を行政主体の一種の履行補助者とみれば、委託業務を含めた行政事務の全体（たとえば、民間委託された固定資産評価事務を含めた租税行政全体）について公権力性が肯定される可能性もあるので、右の通説的立場をとった場合にも、本文のような結論に達することはありうると思われる。

　さらに、公権力性とは別に、民間事業者の個々の職員が国賠法一条の「公務員」に該当するかという論点があり、判例では否定的に解されることもあるが（註（191）参照）、公権力性が否定される場合には、委託者たる行政主体に対して、使用者責任あるいは履行補助者の法理に基づく民法上の賠償責任が課される余地があること（次註参照）、国家賠償と不法行為による損害賠償とでは実質は異ならず、また公務員の外延は歴史的にみても相対的であること（第一節二（七）①[129]などを参照）、被害者の救済の便宜などを考慮すると、国家賠償責任の成立を広く認めるという立場もありうると思われる。民間委託に実質的な公権力性が伴われる場面は相対的に少ないことからしても、かかる民事法の類推は合理性を有すると思われる。念のために付言すると、加害公務員の特定性に関して、複数の法主体の行為が介在する場合には特定が求められるという判例（最判昭和五七・四・一民集三六巻四号五一九頁）は、公権力性の一体的な認定を排除するわけではないと考えられる。

　なお、民間委託に類する諸問題との関係で、国賠法一条の公務員の要件について論じた文献は多いが、例示的に掲げると、交告尚史「国賠法一条の公務員」神奈川法学三〇巻二号（一九九五年）七五頁以下、松村晋輔『民営化の責任論』（二〇〇三年・成文堂、初出一九九九年）一三頁以下、北村和生「民による行政執行と国家賠償」小林武ほか『民による行政』（二〇〇五年・法律文化社）九八頁以下。

（194）　被用者ないし履行補助者が発生させた損害について、使用者ないし本来の債務者の賠償責任が認められる場面については、民法学上さかんに論じられている。その議論を参照すると、民間委託において国家賠償法の適用が否定される場合には、まず民法七一五条の使用者責任の適用が考えられる。判例上は、同条の適用にあたって、使用者と被用者とのあいだに実質的な指揮監督関係があることが求められており（大判大正六・二・二二民録二三輯二一二頁など）、今日の学説も同様である（平井・前掲註（192）債権各論Ⅱ二二八頁、内田・前掲註（192）民法Ⅱ四五七頁）。かかる指揮監督関係の存否は、委託契約の内容に応じて判断されることになろうが（平井・同前のほか、幾代通＝徳本伸一補訂『不法行為法』（一九九三年・有斐閣）一九七頁を参照）、行政の民間委託に際して監督権限を広く求めるという筆者の立場からすれば（一⑥[168]および⑩[172]）、行政主体の責任が認められることは多いと思われる。もっとも、委託者である行政主体と個々の民間職員との関係では、職業安定法四四条から指揮命令権が否定される場面があるが、その場合でも受託者たる民間企業を通じた実質的な指揮監督権は肯定されうるであろう。

さらに、使用者責任が否定される場合にも、民間事業者ないしその職員を行政サービスの履行補助者として捉え、行政主体に対して履行補助者の行為に基づく債務不履行責任を追及することが考えられる（伝統的な学説として、我妻栄『新版債権総論』（一九六四年・岩波書店）一〇六頁）。近時の学説は報償責任や危険責任の考え方から、履行補助者の行為に対する債務者の責任を根拠づけており（松坂佐一『民法提要・債権総論〔第四版〕』（一九八二年・有斐閣）七一頁、平井宜雄『債権総論〔第二版〕』（一九九四年・弘文堂）八三頁など）、かかる自己責任的な根拠論からすると、行政上の民間委託については行政主体の責任が肯定されやすいと思われる。また、本来の債務者（行政上の民間委託の場合でいえば行政主体）の責任を認めるか否かの判断を契約の解釈によらしめ、債権者（同じく利用者）との関係で、当該債務の内容が、履行補助者が債務の本旨に従った履行をすることにまで及んでいるか否かという基準に立った場合（内田貴『民法Ⅲ〔第三版〕』（二〇〇六年・東大出版会）一四六―一四七頁、ほぼ同旨、森田宏樹『契約責任の帰責構造』（二〇〇二年・有斐閣）一六四頁以下）でも、委託契約の趣旨解釈を通じて、行政主体の責任が肯定されることが多いと考えられる。さらに、行政主体に行政サービスの組織編成義務（オーリウのいう公役務編成義務に類するもの）を認めて行政側の責任を肯定することも可能であると思われる（潮見佳男『債権総論Ⅰ〔第二版〕』（二〇〇三年・信山社）三〇一頁はこれを示唆する）。

総じて、履行補助者の法理については、とりわけ近時の学説では、使用者責任の法理とのバランスが考慮されているので、両者の適用範囲は重なり合うことが多いと思われるが、前者は指揮監督関係を問わずに認められる可能性があるので、一般に前者の救済範囲が広くなると思われる（平井・前掲債権総論八五頁を参照）。結局は、根拠法令の有無や役務の性質、受託者の行為の態様（収益や判断の独自性を含む）などを総合考慮して、実質的な見地から行政主体の帰責性が判断されることになろう。特に、委託契約の締結過程を含めて、行政側に帰責事由がない場合には、利用者に対する受託者の直接的な損害賠償責任が認められる可能性が高いと思われる（被用者たる公務員に対する安全配慮義務に関する判例ではあるが、最判昭和五八・五・二七民集三七巻四号四七七頁をも参照）。

なお、指定管理者や指定法人のうち、利用者から直接料金を徴収することを認められて自律的な管理を行う事業者については、フランスの判例（前出註（191）参照）にならって、原則として行政主体の国家賠償責任を否定するという解決方法が妥当すると思われる。指定管理者につき、同旨、稲葉馨「公の施設法制と指定管理者制度」東北法学六七巻五号（二〇〇三年）五九頁以下。

（195）　公共サービス改革法は、この立場を前提としているようにみえる（九条二項一二号などを参照）。民法の学説上も、役務提供契約に際して、債権者と債務者のあいだで債務者の無過失責任を負うという特約を設けることは可能であると考えられている（たとえば、松坂・前掲註（194）民法提要一〇〇頁、内田・前掲註（194）民法一七一頁）。ただし、フランスの判例にみられるように、民間事業者に資力がない場合などには行政主体が実質的な責任を負う可能性があることにも留意が必要である。

なお、以上に述べたのは、おもに委託業務に安全性が欠けたことによる損害賠償であるが、行政運営の効率性が法規範として確立すると（本書第一章第三節二（三）[91]）、委託業務の運営に際して、当初予想されたレベルとの比較などの観点から、効率性が欠けたことに対する住民訴訟の提起もありうるであろう。あくまで一般論としていえば、前者の安全性については行政主体の最終的な責任が認めやすいのに対して、後者の効率性については民間事業者が責任を負う場面がありうると思われるが、基本的には委託契約の解除などの行政上の措置に委ねるべきであろう。

（196）　オーリウが公役務における組織過失の限界を指摘していることからしても、理念的には民間事業者の責任を明確化することが望ましいといえよう（本書第一章第一節一（二）③[27]を参照）。

（197）　予算表示区分の改革につき、木村・前掲註（154）行政管理研究一〇六号二〇頁以下を参照。

[178]

補　論　租税行政における民間委託の許容性

以下では、現行法を前提として（つまり、特段の法改正をすることなく）、なおかつ民間委託の可否を判断するにあたって《公権力性》の有無を基準とする、という一般的な考え方[1]に依拠しながら、租税行政の民間委託の可否について、基本的（ないし補足的）な検討をすることにしたい。

なお、以下では、租税行政のうち、徴収事務全般と固定資産税の評価事務を中心に考察するが、それぞれの租税事務について、さらなる個別的な考察が求められることは言うまでもない[2]。

[179]

一　基本的な考え方

① 行政事件訴訟法における公権力性（処分性）との関係　行政事件訴訟法は、抗告訴訟の対象になる行政処分について「公権力」の概念を用いており（三条一項参照）、課税処分や滞納処分は「公権力」を有する行政処分の典型例であると考えられてきた。最高裁の判例によると、行政処分とは「公権力の主体たる国または公共団体が行う行為のうち、その行為によって、直接国民の権利義務を形成しまたはその範囲を確定することが法律上認められているもの」である（最判昭和三九・一〇・二九民集一八巻八号一八〇九頁）。

もとより、民間委託の可否判断において公権力性の有無を基準とする場合には、立法論の限界に関する議論として、法律を超えたレベルでの公権力性、ないし憲法的な観点からの公権力のあり方が問題となりうるのに対して、行訴法における処分性については、もっぱら法律に基づく権力、ないし法技術的・救済法的な意味での権力のあり方が論じられているのであるから、両者の公権力の意味合いは異なっている。(3) また、処分性の要素となる公権力性は、必ずしも行政主体とはいえない団体に対しても認められることがある。たとえば、医師会が行う母体保護法の指定医の指定について、最高裁は処分性があることを前提とした判決を下しているが（最判昭和六三・六・一七判例時報一二八九号三九頁）(4)、その場合の処分性判断は、委託等の範囲に関する立法論的な限界の問題とは一応切り離すことができる。しかも、実質的な意味での権力性があるかどうかとは無関係に、不服申立てに関する規定の存在などを手がかりとして、もっぱら救済の観点から処分性が認められる場合もある。

しかしながら、現行法を前提とした判断をするに際しては、行訴法にいう処分性（公権力性）が、一応の基準になると思われる。なぜなら、行政処分（ないし行政行為）は、国家の優越的な意思の発動であると考えられてきたところであり(5)、多くの場合には実質的な公権力性が認められる。また手続的な観点から、行政処分に優越性ないし通用性の実質を肯定することも可能である。(6) したがって、逆に処分性が認められなければ、実質的な公権力性も伴われないという推定が働くことになろう。(7)

[180]
②　国家賠償法における公権力性との関係　これに対して、国家賠償法一条の公権力性は、同条による救済が実質的には民法上の不法行為による救済と相違がないという理解のもとで、判例上は広義説が採用されており（最判昭和六二・二・六判例時報一二三二号一〇〇頁参照）(8)、国賠法一条は行政主体の行為に起因する責任を網羅する救済方法になりつつある。したがって、同条にいう公権力性は、民間委託の可否を判断するにあたって直接的な判断材料なるものではないと解される。

[181]
③　社会的妥当性の観点　以上のような公権力性の判断は、処分性の判断において一種の常識感覚が求められるのと同じように(9)、社会通念（通常の納税者が民間事業者に委ねることを望まない事務かどうか）によって判断される側面もあると思われる。このように、一般納税者を基準とした社会通念を考慮することが許されるとすれば、民間委

託の可否判断は、それが法的に可能であることを前提にしたうえでの政策的判断の妥当性に、相当程度接近する。ことに民間委託が認められる範囲に関して、学説上十分なコンセンサスが得られていない現状では、社会通念をもとに両者を総合的に判断するという思考方法が合理的であると思われる。(10) さらに、このような観点からすると、同一の行為についても、社会的な妥当性を高める措置を伴うことによって、民間委託が可能となる範囲が拡張しうると思われる（後出三参照）。

[182] ④　委託可能性を判断する単位　　委託の可否を判断するにあたっては、フランスの判例・学説からしても（本論第二節一（二）①[150]および三②[157]参照）、事務・事業（ないし行政作用）の性質ではなく、行為の性質に着目して判断するべきである。したがって、租税行政が全体として権力的作用であるからといって、租税行政を全面的に委託対象から排除するのは適当でない。

そもそも租税法律関係の性質については、ふるくから学説の対立があり、権力関係説と債務関係説に大別される。前説によれば、租税行政は全体として公権力性を有することになろうし、後説によれば、租税行政はすべて公権力性をもたない、ともいいうるであろう。しかし、両者の対立は決め手のない議論であり、ここから実際上の帰結を導くのは妥当でない。(11)

以上の点に鑑みても、民間委託の可否を判断するにあたっては、作用全体の性質でなく、行為の性質に即して判断するのが適当である。したがって、上記の租税法律関係の性質論は、民間委託の問題を考えるにあたっては、直接的な意味をもたないことになるが、《租税行政＝公権力行政》という通常の理解を修正するためには、かかる古典的な学説対立を想起することに、一定の社会的意義が認められるであろう。

[183] ⑤　外国人の公務就任権との関係　　最高裁は、都の公務員である外国人が東京都管理職試験を受験しようとしたところ受験が認められなかった事件において、《公権力行使等公務員》という概念を用いて、一定の判断基準を

示した（最判平成一七・一・二六民集五九巻一号一二八頁）。ここでの問題は、伝統的な行政手法（ないし行政上の慣行）に対する例外を構成するという意味では、民間委託の問題と共通していると解することも可能である。

最高裁は、《公権力行使等公務員》の定義として、「住民の権利義務を直接形成し、その範囲を確定するなどの公権力の行使に当たる行為を行い、若しくは普通地方公共団体の重要な施策に関する決定を行い、又はこれらに参画することを職務とするもの」と述べている。ここでは、先に掲げた処分性の場合とほぼ同様の公権力概念が用いられているが、判断の単位は「職務」であるから、民間委託の可否判断において「行為」の性質を基準にする場合とでは、結論が異なりうる。つまり最高裁は、公権力的な行為とそれ以外の決定・参画を含みうるような職務については、外国人の公務就任が認められないとしているのであるから、外国人の公務就任が認められない職務（事務事業等）にあっても、それを構成する行為自体に公権力性がないときには、委託可能と評価されうる場合があると考えられる。その意味では、外国人が担当しうる公務の領域よりも、民間委託が可能な領域の方が、相対的に広いことになる。とはいえ、同判決に関連して示された考え方は、民間委託の場合と同じく公権力性に注目している以上、一応の判断材料になりうるであろう(12)。

（1）　本章の本論と補論のあいだで、ややニュアンスに違いがあるのは、補論においては、わが国でしばしば主張されるように、民間委託の可否を判断するにあたって現行法制度上の《公権力性》の有無を基準とする、という考え方にならいつつ、実務的に受け入れやすい構成を図ったためである。とはいえ、本論に述べた私見と比べた場合には、民間委託の許容範囲に関する形式的基準は相違するものの、実質的な論理は共通しているので、適宜相互に参照していただきたい。

（2）　租税行政の民間委託に関しては、実務的な観点から書かれた文献が数多く存在しているが、たとえば、徴収実務研究会「租税徴収の外部委託」税四六巻一二号（一九九一年）一二七頁以下、川窪俊広「地方税徴収に係る合理化・効率化の一層の推進について」地方税二〇〇五年七月号一七頁以下、柏木恵「徴税民間委託の可能性をさぐる」税二〇〇四年八月号五三頁以下。

（3） 実際、委託可能性の判断基準に関する塩野宏『行政法Ⅲ〔第三版〕』（二〇〇六年・有斐閣）一一五五頁は、実体的な公権力概念を用いているようにみえ、処分性に関する同『行政法Ⅱ〔第四版〕』（二〇〇五年・有斐閣）九五頁以下の趣旨とは観点が相違すると思われる。もちろん、同Ⅱ九七頁にいう、命令・強制を伴う処分のように、これら二つの公権力性のいずれにも該当する要素は存在する（さらに、後出註（7）をも参照）。

なお、福井秀夫「徴税は公務員のみが行えるのか」税務経理二〇〇四年九月七日号一頁は、行政事件訴訟法における公権力性と、民間委託の基準としての公権力性とを当然に結びつけているようにみえるが、そのような趣旨であるとすれば、本文に述べた意味で疑問がある。

（4） 学説も、この場合の処分性を認めている（塩野宏＝高木光『条解行政手続法』（二〇〇〇年・弘文堂）一四頁など）。その理由付けにつき、兼子仁・判例評釈・自治研究五九巻一〇号（一九八三年）一二七頁以下。

（5） 田中二郎『新版行政法上巻〔全訂第二版〕』（一九七四年・弘文堂）一〇四頁など。

（6） 兼子仁『行政法学』（一九九七年・岩波書店）一五〇頁以下。

（7） 今日の一般的な学説は、行政処分における公権力の本質は公定力であると解しているが、公定力の根拠として、伝統的には《国家的権威》や《行政に対する信頼》があげられてきたところである（兼子仁『行政行為の公定力の理論〔第三版〕』（一九七一年・東大出版会）七四頁以下を参照）。それに対する学説上の批判にもかかわらず、おそらく社会通念としては、今なおこの理解の仕方が日常的な行政のイメージに合致していると思われる。したがって、課税処分などの行政処分には、市民社会における私人間取引とは異質の、国家権威的な公権力の実質が備えられているというのが、常識的な説明方法であり、それゆえにこそ、民間事業者が租税行政の一部を代行することに対して社会的な抵抗感が生じうるのであろう。そうだとすれば、民間委託が禁じられる範囲についても、かかる《国家の権威》などが認められる範囲に一致させるのが自然である。つまり、民間委託の可否を判断するにあたって、実質的な公権力性の有無を判別する場合には、社会通念や古典的な公定力観を参考にした思考方法も有用であると思われる。そこで、以下の叙述においては、処分性が認められるか否かという観点のほかに、実質的な公権力性の有無、すなわち通常の私人間にみられない要素であるか否かという観点も、適宜織り込むことにする。

(8) 兼子・前掲註 (6) 行政法学二〇六―二〇七頁。

(9) 権力的事実行為の公権力性に関する小早川光郎『行政法・下Ⅱ』(二〇〇五年・弘文堂) 一四七頁の記述も、これを示唆する。

(10) 東京都管理職試験最高裁判決における藤田裁判官の補足意見につき、本論註 (171) を参照。

(11) 参照、金子宏『租税法〔第一二版〕』(二〇〇七年・弘文堂) 二一一頁以下。

(12) ちなみに、同判決の調査官解説は、公権力の行使に当たる「行為」として、地方税の納税の告知 (地方税法一条一項七号、一四号、一三条一項) をあげている (高世三郎・判例解説・ジュリスト一二八八号 (二〇〇五年) 三一頁)。もっとも、同判決以前の実務的概説書には、外国人による公金徴収を肯定する記述がみられる (鹿児島重治『逐条地方自治法〔第五次改訂版〕』(一九九三年・学陽書房) 一六六頁)。

二　具体的な判断に際しての手がかり

〔184〕 以上の基本的な考え方をもとに、民間委託の可能性を具体的に判断するに際して、手がかりとなりうる要素をいくつか掲げておくことにしよう。基本的には、公権力性ないし処分性が認められれば、民間委託が困難になり、逆の場合には民間委託の可能性が高まると考えられる。ただし、筆者の立場を繰り返すならば、民間委託の可否は、下記の考慮要素や社会通念 (さらには、社会的妥当性を確保するための措置) などをもとにして個別的に判断する必要があり、以下の記述も、実務上の諸問題について最終的な結論を導き出す趣旨を有するものではない。

[185] ① 先に示した判例上の定式からすると、租税行政においては、《納税者の権利義務の形成・確定》という観点が基本となる。そこで一般論としては、権利義務に関する《決定》については民間委託が認めにくいのに対して、その決定に基づく《執行》については、事実行為として、委託可能性が肯定される場合が多いであろう。ただし、事実行為のなかでも権力的事実行為については、処分性を認めうるので(13)、例外的に扱う必要がある。

[186] ② 準備行為については、公務員の採用内定に関する最高裁判決が、「準備行為としてなされる事実上の行為」であるとして、処分性を否定している（最判昭和五七・五・二七民集三六巻五号七七七頁）。この判例を応用すれば、民間委託の可否を判断するにあたっても、賦課徴収の準備段階の行為については公権力性がないとして、積極に解することができよう。これに関連して、東京都管理職試験の最高裁判決が、管理職以外の補助職員の職務については原則として公権力性を否定していることからしても、補助的行為の委託は肯定的に解することができると思われる(14)。

[187] ③ 一連の作用を全体としてみれば公権力性が認められる場合にも、それを分割して個別の行為に着目すれば公権力性が否定されることがありうる（納税通知書の印刷業務がその典型例といえよう）。先に述べたように、個別の行為に着目するのが基本とされるべきであるが、その反面で、ある行為が他の公権力的行為と不可分一体とみなされる場合には、公権力性が肯定される必要がある（たとえば、差押えに先立つ督促のほか、滞納の状況によっては催告も、後続の滞納処分等と一体的に捉えられる場合があろう(15)）。したがって、一体的にみるか個別的にみるかは、社会通念をも勘案して個々に判断するほかない(16)。

[188] ④ 行政調査については、同様の考え方から、《公権力行使を準備する事案調査》と、それ以外の調査とに区分することができる(17)。この区分は、法律の根拠を要するか否かなどの判断に際しての基準になると同時に、民間委託の可否を判断するにあたっても、一応の目安になるであろう。税務調査の場合には後者に相当することが多いと思われるが、いずれにしても、具体的な判定に際しては、相手方の同意の有無をはじめとした現実的な態様のほか、

後続の公権力的行為といかなる関係にあるかが、総合的に考慮されるべきであろう。

ちなみに、判例上、税務調査における「質問検査の範囲、程度、時期、場所等実定法上特段の定めのない実施の細目については、……質問検査の必要があり、かつ、これと相手方の私的利益との均衡において社会通念上相当な限度にとどまるかぎり、権限ある税務職員の合理的な選択に委ねられている」と述べられており（最判昭和四八・七・一〇刑集二七巻七号一二〇五頁）、ここにいう「合理的な選択」のなかには、権限ある税務職員が民間事業者を補助者として用いるか否かの選択も含まれる、と解する余地があるが、その場合にも、かかる選択の可否は「社会通念」に基づいて判断されることになると思われる。

[189] ⑤　税務相談については、行政指導の一般理論によれば、総じて公権力性が否定されるが、かりに課税処分と一体的な規制的行政指導と解すれば、公権力性が肯定される場面も生じうる。この区分は、申告受付の委託業務などにおいて意味をもつと思われる。

[190] ⑥　判例の処分性の考え方からすれば、民事法に基づく行為は、原則として公権力性が認められないことになろう。たとえば催告については、判例が民法一五三条の準用により時効中断事由として認めていることからすると（最判昭和四三・六・二七民集二二巻六号一三七九頁）、租税行政庁が私人と同等の立場でなす行為であると考えられるので、基本的には公権力性がないと考えられる。これに対して督促は、租税法令に基づいてなされるものであり（国税通則法三七条一項、地方税法六六条一項など）、民事法でいえば強制執行手続における債務名義の送達（民事執行法二九条）に相当することからしても、別異に解するのが適当である。[18] 判例も、督促に処分性を認めている（最判平成五・一〇・八訟務月報四〇巻八号二〇二〇頁）。したがって、催告を越えた督促的な業務を民間委託することには、消極的になるべきであろう。

[191] ⑦　民事法的な説明が可能な場合でも、租税行政権の消極的行使といえる場合には、民間委託に慎重であるべき

である。(19) たとえば、事実上の分割納付の承認は、形式的には当事者の合意に基づく非権力的な行為であるが、実質的には徴収権限を行使しないという判断が伴われているので、基本的には民間委託に否定的になるべきであろう。(20) ただし、分割納付の承認に際しての作業が、マニュアル等で定型化・機械化されていれば、社会通念上、民間委託が可能になる場面もあると思われる（本論第三節一⑥[168]参照）。

[192] ⑧ いわゆる自動確定の租税については、判例上、公定力が生じないものとされている（源泉徴収における納付告知につき最判昭和四五・一二・二四民集二四巻一三号二二四三頁、登録免許税につき最判平成一七・四・一四民集五九巻三号四九一頁）。この法理を類推するならば、租税行政庁の行為のうち、判断に際しての考慮要素が少なく、なかば自動的・機械的になされるものについては、民間委託の可能性が認められやすいであろうし、逆に、裁量的判断が伴われる行為については、民間委託に消極的であるべきことになろう。具体的にいえば、非課税や減免の要件が充足されていることを機械的に認定する作業（自動車税の障害者減免の認定など）について、この種の判断方法を取り入れる余地があると思われる。

また、延滞税ないし延滞金は、実質的には私法上の債務関係における遅延利息に相当するが、民事の法定利率（民法四〇四条）よりも高い利率であることに鑑みると、制裁的な要素も存するといえる。しかし、納税義務の成立と同時に特別の手続を要しないで納付すべき税額が確定すること（国税通則法一五条三項六号、地方税法五六条二項参照）から、延滞税・延滞金を納付すべき旨の通知は、行政処分でないと解される。(21) したがって、単に延滞金額を通知する業務（たとえば、納付予定日における延滞税額を付記した納付書を発行する業務）は、民間委託の対象になると考えられる。

[193] ⑨ 公証行為について、判例は、「それ自体によって新たに権利義務を形成し、又はその範囲を確定するものではない」として、処分性を否定している（最判平成一一・一・二一判例時報一六七五号四八頁）。これに対して、行政処

分を含めた一連の行政手続を《紛争解決の手続》として捉えるならば、[22]公証行為に対しても、一種の紛争解決行為として、行政処分と同様に権力性を認めうるであろう。[23]現行法上、公証人の資格要件として外国人を排除しているのも（公証人法一二条一項一号）、公証行為が裁判行為に準じて紛争解決の機能を有するという理解を前提にしているといえなくもない。この議論は、納税証明書の発行のような、公証的要素を有する行為の委託可能性の問題に影響するが、[24]結局は、民事法上の行為と実質的に相違するか否かを個別に判断することが求められる。[25]特に、補助的ないし機械的な公証行為については、②や⑧の考え方をもとに、別途の考慮がなされうるであろう。

なお、公共サービス改革法三四条は、納税証明書等の「受付」および「引渡し」についてのみ民間委託することを認めており、その「作成」は除かれているが、あくまで例示的な規定であると解するのが適当であろう。実務上も、継続検査用の自動車税の納税証明書については、特に法令の根拠に基づくことなく、金融機関の収納印の押印によって実質的な納税証明（公証）がなされているが、私人間でも類似の取扱い（領収証の提示を求めたうえでサービスを提供するなど）はみられるし、また社会通念に照らしても、かかる措置が違法であると解すべきではないと思われる。

[194] ⑩ 申請に対する補正に際して、行政庁の地位に権力的な要素を認めるか否かについては、必ずしも見解の一致をみていないが、行政手続法七条の趣旨解釈として、権力的な要素を否定するという理解も成り立ちうる。[26]したがって、納税申告の補正を行う業務については、民間委託を許容するという立場もありえよう。

[195] ⑪ 還付金は、課税処分等に起因する不当利得であることから、実質的にみれば私法関係に属する問題であり、民事法の原理が妥当すると解されうる。しかし、伝統的には、権力的な課税処分等に由来するものとして、権力性が認められてきたところである。[27]したがって、還付業務を民間委託しうるか否かについて実際的な結論を得るには、先の⑧に掲げた、自動確定に類する要素があるかどうかを含めて、個別的な判断が求められよう。

(13) 権力的事実行為に処分性が認められるか否かについては、学説の対立があり、本来的な意味での公権力性＝公定力は存しないというのが理論的な帰結であるともいえるが（否定的な記述として塩野・前掲註（3）行政法Ⅱ一〇七頁）、多数の学説は、その処分性を肯定している（田中・前掲註（5）行政法上巻三〇九頁、小早川・前掲註（9）行政法下Ⅱ一四七頁などを参照）。

(14) 公務執行妨害の構成要件たる公務員の意義について、単純な機械的・肉体的労務に従事している者は含まれないとする判例（最判昭和三五・三・一刑集一四巻三号二〇九頁）も、公務員の職務を実質的観点から区分するものといえる。

(15) 逆に、業務の分割によって社会的妥当性が高められうることにつき、後出三⑤[201]を参照。

(16) 事実行為と行政処分の結びつきについても、同様の問題が生ずる。裁判例においては、公用水面埋立事業について、埋立免許と埋立事業が連結され、仮処分が排除されるのに対し（津地判昭和四四・九・一八判例時報六〇一号八一頁）、埋立後の鉄道事業については別途に解されている（札幌地決昭和五〇・三・一九判例タイムズ三二五号二六三頁）。この問題につき、高木光『事実行為と行政訴訟』（一九八八年・有斐閣、初出一九八四年）二六頁以下を参照。

(17) 兼子・前掲註（6）行政法学一二〇頁。

(18) 金子・前掲註（11）租税法六六八頁。

(19) 行政法の一般理論として、法令に予定された個別的判断を否定する契約が拘束力を有しないことにつき、小早川光郎『行政法・上』（一九九九・弘文堂）二六〇頁を参照。フランスの判例につき本論第二節一（1）③[147]を、筆者の立場につき同じく第三節一⑥[168]を、それぞれ参照。

(20) 判例は、国賠法一条に関する問題ながら、行政権限の不行使にも公権力性を認めている（最判平成元・一一・二四民集四三巻一〇号一一六九頁）。

(21) 金子・前掲註（11）租税法五七七頁。もっとも、同書五七五―五七六頁によれば、延滞税は「納付遅延に対する民事罰の性質をも」ち、「期限内に申告しかつ納付した者との間の負担の公平を図り、さらに期限内納付を促すことを目的とする」。また、税率については、「租税確定後になるべく早めに納付することを奨励するための措置である」とされる。そこには、実質的な公権力性（私人間の取引にはない、租税に特殊な要素）が読み取れないわけではない。

(22) 兼子・前掲註（6）行政法学一八頁。さらに、《紛争解決》という表現は用いないものの、《討論の原則》を媒介として行政手続と争訟手続の連続性を指摘するオーリウの記述として、本書第一章第一節**一**（二）⑥[30]をも参照。

(23) オーリウは、行政機関による公証（authentification）を警察権行使のひとつと捉えていたが、その外延については議論の余地があるとしている（本論第一節**二**（三）②[115]参照）。現行制度のもとでは、たとえば固定資産税における資産評価は、公証的な性格を有するといえる。

なお、オーリウにおける公正証書と執行的行為の同質性、およびその考え方の起源につき、木村・財政法理論七〇―七一頁を参照。

(24) 田中・前掲註（5）行政法上巻二二四頁は、公証行為の例として、各種の証明書の交付をあげる。

(25) 田中二郎『行政法総論』（一九五七年・有斐閣）三二二頁は、公証について「公の認識の表示として、反証によってのみ覆えし得べき公の証拠力を生ずる」と述べるが、「それ以外にどういう効力を生ずるかについては、各場合について、法律の定めるところがまちまちである」という。

(26) 参照、兼子・前掲註（6）行政法学一一〇―一一一頁。

(27) 参照、田中・前掲註（25）行政法総論二五六頁。

三　社会的妥当性を高める手法

[196] 以上の観点からすると、公権力性を有するとみなされうる業務であっても、民間委託に対する社会的な受容可能性を高める措置を講ずれば、委託が可能になる場合があると考えられる。この種の措置としては、たとえば次のものがあげられる。なお、理論的には法律の根拠が不要である場合にも、納税者の受容可能性を高めるために法令の

規定を設けることは、立法政策として合理性があると思われ、この理は特に、以下の①～③について当てはまるであろう。

[197] ① 行政的監督の確保　一般に、民間事業者の業務実施に対する行政的な関与ないし監督が強められれば、行政活動としての一体性が観念しやすくなるので、納税者の受容可能性は高まるといえる[28]。具体的には、委託にあたって、公益的事由による契約の解除権を含めて、契約条件等を厳格に設定するほか、業務実施中の報告徴収、質問・検査、改善命令などを有効になしうるようにする必要がある。また、不適切な業務がなされた場合に、責任追及の方途を明確化することも重要である。

[198] ② 守秘義務の確保　同様に、民間事業者に公務員と同様の守秘義務を課せば、民間事業者が公務員と同視されやすくなり、民間委託の社会的妥当性が高められる。委託契約によって個別に守秘義務を課すことも可能であるが、法令の規定によって明確化し罰則を課した方が、社会的な受容可能性は高まるであろう。このほか、みなし公務員の規定を置くことによって、委託業務に公務としての保護を与えたり、違法な活動に対して特別な制裁を課すことにも、同様の機能が認められる。

[199] ③ 専門性の確保　民間事業者の専門技術的能力が確保されれば、納税者の受容可能性は高まるであろう。そのために、資格制度や研修制度を導入し、充実させることが考えられる。このほか、委託期間を長期化することも、事業者の専門性を実質的に向上させ、社会的な受容可能性を高める結果につながりうるが、その反面で、業務の独占の傾向が高まることに配慮する必要がある。

[200] ④ 争訟可能性の確保　納税者が争訟を提起できる可能性が高められるならば、評価結果の暫定的な性格が強められ、納税者からみて実質的な公権力性が弱められる（あるいは、納税者の受容可能性が高められる）と考えられる[29]。いわば、医療の世界におけるセカンド・オピニオンに類する制度を採用することによって、公権力性が和らげられ、

社会的な受容が高まると考えられる。もとより現行法においても、争訟提起の可能性が保障されている場合が多いと思われるが、かかる要請に応えるためにも、解釈ないし運用上の改善を図ること望まれる。さらに立法論としては、たとえば、固定資産評価の民間委託を認めると同時に、評価に関する不服申立ての期間を延長する方途が考えられる。また、固定資産の評価について部分的に申告制度を採用することも、争訟過程を多段階化し、実質的に争訟可能性を高める結果につながる。さらに、評価結果に不満がある納税者に対して、不服申立てとは別に、行政機関による再評価を求める権利を認めることも、考えられなくはない。他面、これらの立法論を展開するにあたっては、行政上の便宜に対する配慮も求められる。

なお、こうした観点からすると、固定資産評価のように観念的な権利義務の確定に関わる業務は、刑務所業務のように物理的な実力行使を伴う場合よりも、事後的に完全な救済が図られる可能性が高いと考えられるから、社会的な受容可能性は相対的に高いといえる。

[201] ⑤　業務の細分化　租税行政は、全体として公権力性を有することは疑いないが、業務を細分化すると、公権力性がない業務が観念され、それぞれの公権力性も相対的に希薄になる（二③[187]参照）。たとえば、固定資産税の税額算定などは、公権力的行為の中核的存在ではあるが、機械的な算出作業だけを切り離す場合には、民間委託が可能であると解する余地がある。さらにこの考え方を応用すれば、ひとつの事業者に業務を一括して委託せずに、業務を分割して複数の事業者に委託することによっても、民間委託が社会的に受容されやすくなると思われる。他方で、業務を細分化すると、効率性を害するというデメリットもあることにも配慮する必要がある。

[202] ⑥　効率性の実証　民間委託によって業務の効率性が向上することが実証されれば、社会的な受容可能性は高まるであろう。そこで、租税業務の民間委託を通じて効率性がどれだけ向上するか（あるいは、向上したか）について、具体的な指標に基づいて算出・公表することが望ましいといえる。

同時に、当該行政主体の財政状況（財政的に逼迫しているかどうか）も、民間委託の可否判断にあたって、ひとつの考慮要素になるであろう[30]。つまり、効率性の向上が求められる与件的状況が、判断要素になりうるわけである。さらに、経済的な効率性を高める措置とあわせて、業務の質的改善に向けた措置（モニタリングの義務など）を委託契約に定めておくことも、社会的受容可能性を高めることになろう。

⑦　判断基準の明確化　一般に、裁量や判断を伴う業務は民間委託になじみにくいが、判断基準等を明確にすれば委託可能になる範囲が広がると考えられている。この考え方も、実質的には、機械的作業としての性格が強まれば民間委託の社会的な受容可能性が高まる、という一種の社会通念に基づいていると思われる（本論第三節一⑥[168]をも参照）。[203]

（28）　この点は、塩野宏『法治主義の諸相』（二〇〇一年・有斐閣）四六三頁以下をはじめ、多くの論者が指摘するところである。同論文は、行政代行型指定法人に対する国家関与について、組織構造的関与と作用的関与に分けている。

（29）　行政過程を紛争解決過程という前提で捉える立場（前出註（22）参照）からは、かかる考え方が認めやすいと思われる。

（30）　補助金支出などの公益性の問題は、民間委託の許容性と実質的に関連性を有するが（本論序説[104]、同第一節二（一）[111]を参照）、最高裁は地方公共団体による補助金支出の公益性の認定に際して、当該地方公共団体の財政状況をも考慮要素としている（最判平成一七・一一・一〇判例時報一九二一号三六頁）。こうした判例の存在からしても、民間委託の可否判断に際して財政状況を考慮することは首肯できよう。

四　関係法令の解釈

[204] 租税行政の民間委託に抵触するおそれのある法令は多いが、特に納税納付の催告等については、法律事件の解決を独占している弁護士との関係で、また申告受付については、他人のために納税申告書を作成するという、税理士の独占業務との関係で、それぞれ微妙な問題がある（弁護士法七二条、税理士法五二条）。筆者は、少なくとも判例を前提にするならば、租税徴収業務の民間委託は弁護士等の業務の独占性に抵触しないと考える。そこで、最後にこの点について述べておくことにしよう。

① まず弁護士法については、判例上、社会的経済的に正当な業務の範囲内である場合などには、弁護士法七二条や七三条に違反しないことからしても（最判昭和四六・七・一四刑集二五巻五号六九〇頁、最判平成一四・一・二二民集五六巻一号一二三頁）、同法七二条の「一般の法律事件」に該当するかどうかは、社会通念に照らして判断されることになろう(31)。その意味で、弁護士の独占業務の範囲に関する判断基準は、行政の民間委託の可否に関する判断基準（言い換えれば、国家の独占業務の範囲に関する判断基準）と、実質的に重なり合っているのである（本論第三節**一**⑦[169]参照）。この点に関連して、公共サービス改革法では、国民年金保険料の収納の関係で、弁護士業務との抵触を懸念して、特例を認める規定が設けられているが（三三条四項）、右の立場からすれば、確認規定であると解するのが適当である。

なお、行政機関が民間事業者に対して委託費を支払って租税行政の一部を委ねた場合には、弁護士法七二条の「報酬」の支払という要件に該当しないから、当然に同条の適用対象外となる、という立論もありうるところである。ところが、同条の「報酬」の意義については、報酬が第三者から支払われる場合には同条が適用されないという解釈がありうる反面、第三者から支払われる場合にも、対価関係あれば同条の禁止要件をみたすという解釈論も存するところである。[32] いずれの立場が正当であるかについての検討は避けるが、この論点についての判例が存在しない現状においては、右の社会通念に照らした解決がなされるのが適当である。

② 他方、税理士法に関しては、同法五二条の業務範囲を画する規定の解釈を通じて、解決できると考えられる。すなわち、同法二条の「他人の求めに応じて」の要件については、個々の納税者の自由な意思に基づかない場合や、法人の経理担当者のように、法人みずからが税務書類を作成する場合と同視しうる場合などには、同要件に該当しないと解されるから（最判昭和四一・三・三一刑集二〇巻三号一四六頁の下級審判決である、横浜地判昭和三九・四・二七判例時報四四五号五二頁および東京高判昭和四〇・四・一二判例時報四四五号五四頁などを参照）、行政主体のために一般的に行なわれる窓口業務については、同法五二条は適用されないと考えられる。また、税理士法が税理士業務の遂行を税理士に限定している趣旨は、納税者の正当な利益とともに「税務行政の妥当な運営」を確保することにあるという裁判例からしても（前掲東京高判昭和四〇・四・一二）、税務行政の一環として、社会通念上許容される範囲でなされる定型的事務については、税理士法に反しないと解される。さらに、税理士法五〇条は、租税申告者の便宜のために、国税局長が税理士等以外の者に対し、臨時に税務書類の作成や税務相談に応ずることを許可することができると規定しており、同条の類推解釈からしても、行政の便宜のために税務官庁の同意のもとで民間事業者が申告書類の作成等を行うことは、肯定されてよいと思われる。これは、さきの弁護士法に関する最高裁判例に照らしても、自然な解釈として是認されよう。

＊

以上をもって、現代ガバナンスのひとつの柱をなす、行政の民間委託に関する考察をひとまず終える。続いて、行政分野ごとのガバナンスの検討に移ることにしよう。次章でその一例として取り上げるのは、租税行政に関するガバナンス論である。

（31）弁護士法七二条の、より限定的な解釈として、兼子仁『行政書士法コンメンタール〔新版〕』（二〇〇四年・北樹出版）四一頁以下。なお、同書四四頁以下では立法論にも触れられているが、基本的な方向性としては、法律による例外規定を拡充するというものであり、立法論的な限界について一般的な基準は示されていないようにみえる。筆者もまた、弁護士独占業務に関する立法論的限界は、社会通念によって画さざるをえないと考えている（本論第三節一⑦[169]参照）。

（32）参照、日本弁護士連合会『条解弁護士法〔第三版〕』（二〇〇三年・弘文堂）六七七頁。

第三章　租税におけるガバナンス論
――権力的な租税行政から協働的な財政管理としての租税行政へ

［細目次］

序説　問題状況の概観

前章までにみたように、最近では行財政全般について、しばしば《ガバナンス》の概念が用いられており、それに対応する形で、フランスでは租税に関しても《租税ガバナンス（gouvernance fiscale）》という問題設定がなされている。この租税ガバナンスという用語は、必ずしも租税研究の主流をなす概念として定着しているわけではないが、この概念のもとでは、租税行政に関する実際的な諸問題を包括する形で興味ぶかい議論の展開がみられる。こうした動向は、一見すると極めて現代的な議論のようにみえるが、実際には同国に固有の歴史的文脈のなかに位置づけることができると考えられる。そこで本章では、フランスの租税ガバナンス論を紹介するために、はじめに同国における租税研究史をたどったうえで（第一節）、近時の租税ガバナンス論を概観し（第二節）、最後にその意義について総括することにしたい（第三節）。

このように本章では、フランスの租税ガバナンス論をめぐる議論の動向について、おもに、現代的なガバナンス論および同国の租税研究史のなかにおいていかなる意義を有するか、という観点から考察をする。もとよりフランスの租税研究は多面的な展開をみせており[1]、本章は租税ガバナンス論の位置づけを中心として、同国の動向の一断面を描出したにすぎない。また、租税ガバナンス論においては、当然のことながら具体的な租税制度をもとにした議論がなされているが、本章では、右の問題関心を優先させるために、フランスの租税制度を詳しく論ずることは避けることにしたい。[2] 本章の叙述はこうした限界を伴っているが、わが国の学説上は《租税ガバナンス》の概念が明示的に掲げられることはないので、この点に関するフランスの議論を紹介することは、それ自体、一定の意義を有すると思われる。

(1)　筆者は、フランスの財政研究史を鳥瞰するにあたって、同国の租税法研究の歩みにも触れたことがある（木村「フランス財政法学の生誕と現状」日仏法学二三号（二〇〇四年）五九頁以下）。また筆者は、フランスの租税理論について、課税根拠論を通じて歴史的な概観を試みている（木村・財政法理論二九六頁以下）。そこで、財政研究史や租税理論史との関係については、これらの拙著等（およびその参考文献）を参照ねがうとともに、本章第一節では説明の便宜上、それらと若干の重複があることを、あらかじめお断りしておきたい。

もちろん、経済学ないし財政学においても、フランスの租税研究史に関する記述はみられるが（本書はじめに註（19）に掲げた諸文献を参照）、同国の租税研究の歩みを全体的に示した例は見当たらないので、以下の描写は、粗雑なものながら、一応の存在意義を有すると思われる。

(2)　フランスの租税制度については、わが国でも、実務的な解説書等において言及されることがあるほか、個別制度に関する紹介が蓄積されつつある。その一方で、学説史的な分析や、財政法理論との関係を意識した研究は、依然として乏しい感があり、本章はそうした側面を補充する意義をもつ。

なお、本章はフランスの租税制度自体の紹介・分析を意図するものではないので、個々の制度に関する文献は原則として省略する。また、関連する日本の文献も、註のなかで最小限の引用をするにとどめる。

第一節　フランスにおける租税研究の系譜

はじめに、日仏両国における租税法研究の状況を簡単に比較しておこう。わが国では、近時では租税法が独立した科目として論ぜられ、とりわけ課税要件をめぐる研究は著しい展開をみている。この点では、程度の差こそあれ、フランスにも共通する傾向を見出すことができよう。ところが、租税法の位置づけについては、両国で大きな相違がみられる。すなわち、わが国では伝統的に、租税法が行政法各論のひとつとして論ぜられ、とりわけその権力的要素に注目されてきたのに対して、フランスでは、必ずしも行政法の枠組みに含められることなく、さまざまな形で租税法が論ぜられてきた。もともとフランスでは、「財政法（droit financier）」という学問領域は明確な形では存在せず、「租税法（droit fiscal）」についても同様であるという事情がある。(3)

右の点は、同国における租税研究の特徴のひとつであり、このことが現代の租税ガバナンス論の背景をなしていると考えられる。そこで本節では、フランスにおける租税研究（および高等教育機関における租税教育）の歴史的経緯を概観する。ここでは、あくまで租税ガバナンス論の位置づけを明らかにするという観点からの素描にとどまるが、次節以下の筆者の主張を裏づけるためにも、やや詳しく述べることにしたい。対象としては、租税に関わる学問的な営み（経済学的な租税研究を含む）を広く覆うように努めるが、法的考察（わが国にいう租税法学に相当するもの）に重点を置くことは言うまでもない。(3)

一　一九世紀中葉までの租税研究

一九世紀においては、財政ないし租税に関しては、大学での研究・教育の場が十分に整っておらず、大学外の研究機関や実務家による租税研究が先行していた。内容的には経済学的な租税研究が中心であったが、法律実務における問題関心などから、法学的な考察も少なからずなされていた。

（一）　経済学的な租税研究とその研究機関

一九世紀前半までの財政研究は経済学の一分野にすぎなかったが、一九世紀後半になると、独立した学問領域として「財政学（science des finances）」が誕生する。以下では、かかる独立の経緯と、それを生み出した研究機関について、概観しておこう。

まず一九世紀前半には、J・B・セイ（Jean-Baptiste Say）を中心に、経済学の一部として租税と予算を中心とした考察がなされ、それらの歴史的研究も重視された(4)。続いて一九世紀半ばには、ガルニエ（J. Garnier）が財政の研究書を公刊しており、その実質は租税論であった(5)。さらに、広範な社会思想論を展開したプルードン（P.-J. Proudhon）の存在も無視できない(6)。

この時代には、J・B・セイがジャーナリストの出身で、のちに下院議員になったことに象徴されるように、広い意味での実務家による経済学研究が目立っている。続いて登場したド・ジラルダン（E. de Girardin）も、セイと同じくジャーナリストから政界（下院議員）に転じて、租税論を展開した(7)。一九世紀後半になると、J・B・セイの孫にあたるL・セイ（Léon Say）が出て、政治家・ジャーナリストとして財政理論の構築に貢献した(8)。他方、財務行政に携わった実務家としては、スツルム（R. Stourm）がいる。財務監督官（inspecteur des finances）などを歴任したスツルムは、フランスの租税制度史を概観した著書『租税の一般的諸制度』を公刊している。[9] また、同じく財務省職員であったヴィニュ（E. Vignes）が、法・経済・統計の三つの観点から租税を分析している。[10] このほか、後出のバトビも、弁護士、下院・上院議員、文部大臣などの実務経験を経る一方で、パリ大学教授として経済学や公法（行政法）を講義したという意味で、政治実務出身の研究者といえる。

右にみた研究は、経済学の一部としての財政研究であり、内容的には租税や予算が偏重されていた。これに対して、一九世紀末になると、経済学から独立させた形で「財政学」が論じられるようになる。その分野での代表的な研究者として、ルロワボリュ（P. Leroy-Beaulieu）がいる。[11] ルロワボリュは、経済学の研究から出発しつつも、それと並行する形で「財政学」の概説書を執筆した。それにより、経済学の一分野としての財政研究、あるいは租税論中心の財政研究から脱却して、財政の経済的側面を専門的かつ全般的に扱う「財政学」が創始された。

ここで、一九世紀の課税根拠論について一言しておくと、この時代には、わが国の利益説に相当する《交換的租税観（théorie de l'impôt-échange）》が主流をなしており、民法上の交換契約に対応させる形で《租税契約（contrat fiscal）》の概念が用いられていた。[12] その集大成を図ったのがプルードンであり、交換的租税観の立場から租税基礎理論を構築し、ガルニエをはじめ、その後の学説に大きな影響を与えた。その最後の後継者ともいえるルロワボリュは、交換的租税観から脱却する方向性を示しながらも、累進課税の導入に反対するなど、伝統的な制度を擁護する立場を示した。

これらの論者は、主として大学とは別の高等教育機関で、経済や財政を論じていた。特に重要なのは、グラン・ゼコールのひとつである政治学院（Ecole libre des sciences politiques）である。政治学院では、一八七一年から「財政（finances）」の講義が開設され、主要国家の財政制度、歳入・租税、財政組織、公会計などが講じられた。

その初代担当者はルロワボリュであり、その後、L・セイ、スツルムらが講義を担当した。政治学院のような社会学系グラン・ゼコールにおいて財政の教育・研究がさかんであったのは、行政裁判所の実務家によって租税法研究が行われていたことと無縁ではない（(三) 参照）。このほか、コレージュ・ド・フランス（Collège de France）や国立工芸院（Conservatoire des arts et métiers）、技術系のグラン・ゼコールである国立土木学校（Ecole des ponts et des chaussées）や国立鉱業学院（Ecole des mines）の存在も大きく、実際これらの機関では、J・B・セイやルロワボリュらが経済学系統の講義を担当している。

(二)　大学における租税研究

フランスの大学においては、伝統的に経済・財政関連の科目は法学部が抱えていたが、一九世紀には、おもに行政法学の各論的要素として租税法が取り上げられるにとどまっていた。総じて、わが国の伝統的な行政法学とほぼ同じ状況であったということができる。

実際の講義科目の変遷をみると、一八一九年三月二四日王令によってパリ大学法学部に行政法講座が設けられるなど、公法系の科目の充実が図られるとともに、「経済学（économie politique）」の講義が創設されることが定められたが、名目にとどまり、当初は特別講義として一時的に開講されるにすぎなかった。まして財政が独立して講じられることはなく、一八二二年九月六日王令では、講義科目から「経済学」が削除されている。その後、一九世紀後半になって、ようやく経済系の科目が整備されるようになる。まず一八六四年九月一七日デクレにより、「経済学および公法学（économie politique et droit public）」の講座が創設され、パリ大学ではバトビ（A. Batbie）がその職についた。ついで一八七七年三月二六日デクレによって「経済学」が独立の講義科目となり、その後に開設された「経済史（histoire des faits et des doctrines économiques）」とともに今日に至っている。このように教育体制の整備が遅れていたことには、当時の法学者の多くが財政研究に消極的であったという事情が反映されており、同時代の実務家が財政法の重要性を主張し、多くの研究成果を公表していたのと対照的であった。

そうした状況のもとで、財政の法的考察を受け入れていたのは、憲法学ではなく行政法学であり、行政法の一部として財政法が位置づけられていた。そこでは、主として租税法令と会計制度が研究された。いくつかの例をあげておこう。一九世紀中葉の大学における行政法研究者のなかで、財政の研究を最も充実させたのは、レンヌ大学教授のF・ラフェリエール（Firmin Laferrière）であろう。財政の重要性を指摘した彼の持論は、とりわけ初期の概説書において明確に表れている。公法・行政法概説書の第二版では、公法概論に続く行政法の章において、若干の総論を記したのち、公物と租税を詳細に論じている(13)。また、先述のバトビも、経済学の概説書を著したほか、行政法の概説書のなかで、その経済学的見識を反映して随所に財政関連の記述をしている。体系的には、人・物・財産取得方法の三部構成のもとで、租税は行政主体の財産取得方法のひとつとして論じられている(14)。さらに、一九世紀末に活躍したデュクロック（Th. Ducrocq）は、その大著『行政法・フランス財政法制講義』において、財政法を行政法の一部として位置づけながら、租税についても多く紙幅を割いている。体系的には、《債権者国家（Etat créancier）》の概念のもとで、国の租税を論じている点が特徴的である(15)。続いて登場した行政法学者ベルテルミ（H. Berthélemy）は、パリ大学を拠点として、伝統的な公法学を踏襲しつつ、主流派の行政法理論を築き上げた。財政に関しては、デュクロックにならって債権者国家の概念を用い、形式的にはそこに国の租税債権を含めているが、記述の方法としては、租税法令が特殊な体系を構成していることを考慮して、予算制度と一体化して論じている(16)。

しかしながら、これらの行政法学者は、財政に関する法令を整理して叙述するにとどまっており、理論的な水準は必ずしも高くなかったというべきであろう。

（三）　実務的な租税法研究とその影響

大学での財政研究が遅れるなかで、行政裁判に携わる実務家によって租税法の研究が進められた。特に、コンセイユ・デタのスタッフによる租税訴訟の研究が目につく。まず、一九世紀初頭にコンセイユ・デタの副長官であったコルムナン（L.-M. de Cormenin）は、その行政法概説書において、租税制度をはじめ、大革命期に起源をもつ財政制度を詳細に検討している(17)。また、コルムナンとほぼ同時期にコンセイユ・デタ評定官として活躍したマカレル（L.-A. Macarel）は、行政主体の金銭的財産と物的財産を包括する形で、公的財産（fortune publique）に関する概説書を公刊している。内容的には、租税や公物が大半を占めるが、公的財産に関する包括的な書物として歴史的な存在意義が認められる(18)。さらに、一九世紀中葉になると、コンセイユ・デタ副長官のエスキル・ド・パリウ（M. Esquirou de Parieu）によって、『租税論』が公刊された(19)。彼は、プルードンの交換的租税観を基礎にしながら実定法分析を行い、判例実務に影響を与えた。その後にコンセイユ・デタの副長官になったE・ラフェリエール（Edouard Laferrière）は、その著名な『行政訴訟論』において、財政上の法令や租税訴訟に多くの頁を割いている(20)。系譜としては、父のF・ラフェリエール（前出）の財政に関する問題意識を受け継いでいるといえるであろう。

これら行政裁判所のスタッフのほか、行政裁判実務に関わる弁護士や行政官、会計検査院のスタッフによる概説書もある。行政官の例としては、前出のスツルムとシモネ（J.-B. Simonet）(21)、弁護士の例としては、デュフール（G. Dufour）(22)がいる。特に、破毀院およびコンセイユ・デタの弁護士であったデュフールは、その行政法概説書において租税に多くの頁数を充てている。他方、会計検査院のスタッフとしては、ドディフレ（Ch. d'Audiffret）があげられよう。ドディフレは、会計検査院の名誉院長であり、のちに上院議員にもなったが、大革命以来の財政法令（租税法令を含む）を概観した研究書全六巻を公刊している(23)。

このように一九世紀には、租税訴訟等についての実務的な関心から、法曹実務家による財政研究が大学における財政研究に先行していた。さらに同じく実務的な問題意識から、財政の教育に関しては、政治学院などの実務教育機関が大学に先んじていた。つまり、財政法の実際上の重要性が認識されていたにもかかわらず、大学における財政関係の研究・教育は立ち遅れていたのである。そこで、実務家を中心に文部省内で大学カリキュラムの変更が提案され、一八八九年の講義課目の再編に至る。すなわち、一八八九年七月二四日デクレに基づき、法学部の第二課程＝リサンス（licence）向けに「財政法制（législation financière）」の講義の開講が認められたのである。ところが、この「財政法制」の講義は、一九世紀中葉の行政法学と同様に、内容的には実定法令の整理が中心であり、専門家たる教員が欠けていたこともあって、理論的な進化は見られず、租税研究の蓄積も乏しかった。とはいえ、こうして公法系の講義科目のひとつとして「財政法制」が創設され、財政研究の基礎が築きあげられたことは、あとに続く租税研究との関係で重要な意味をもつことになる（とりわけ三参照）。

（3）フランスにおける租税法の位置づけにつき、木村・財政法理論七—八頁、同・前掲註（1）日仏法学二三号六〇頁を参照。
（4）J.-B. Say, Cours complet d'économie politique, 1840, p. 371 et s.
（5）J. Garnier, Traité des finances, 3 éd., 1872 ; 4 éd., 1883.
（6）P.-J. Proudhon, Théorie de l'impôt, 1860.
（7）E. de Girardin, L'impôt, 1853.
（8）L. Say, Les finances, 1896.
（9）R. Stourm, Systèmes généraux d'impôts, 2 vol., 1912.
（10）E. Vignes, Traité des impôts en France, 3 éd., 2 vol., 1872.

(11) P. Leroy-Beaulieu, Traité théorique et pratique d'économie politique, 4 vol., 1896.
(12) 参照、木村・財政法理論三一四頁以下。
(13) F. Laferrière, Cours de droit public et administratif, 2 éd., 1 vol., 1841.
(14) A. Batbie, Traité théorique et pratique de droit public et administratif, 1 éd., 7 vol., 1861-68 ; 2 éd., 8 vol., 1885-86. Cf. Batbie, Nouveau cours d'économie politique, professé à la Faculté de droit de Paris, 1864-1865, 2 vol., 1866.
(15) Th. Ducrocq, Cours de droit administratif et de législation française des finances, 6 éd., 7 vol., 1897-1905.
(16) H. Berthélemy, Traité élémentaire de droit administratif, 10 éd., 1923, p. 530-532, 912 et s.
(17) L.-M. de Cormenin, Questions de droit administratif, 2 éd., 1823.
(18) L.-A. Macarel et J. Boulatignier, De la fortune publique en France et de son administration, 3 vol., 1838-1840.
(19) M. Esquirou de Parieu, Traité des impôts, 2 éd., 3 vol., 1866.
(20) E. Laferrière, Traité de la juridiction administrative, 1 éd., 2 vol., 1888.
(21) J.-B. Simonet, Traité élémentaire de droit public et administratif, 2 éd., 1893.
(22) G. Dufour, Traité général de droit administratif appliqué, 2 éd., 7 vol., 1854-57.
(23) Ch. d'Audiffret, Système financier de la France, 3 éd., 6 vol., 1865-70.

二　一九世紀末の私法学的な租税研究

[211]

このように一九世紀末には、公法系科目としての「財政法制」が創設されるに至ったが、それと並行して、私法学的な租税研究がなされていたことを述べておくべきであろう。そこでの考察は間接税が中心であり、フランスでは伝統的に間接税を中心とした税体系が維持されてきたという事情が反映されている。以下にあげる論者に共通しているのは、こうした背景のもとで、租税法と私法に共通の法原理を探求しようとする意欲である。この流れは、「財政法制」の講義の開設とともに、当時のわが国における租税法研究とは相当に異なった現象であり、その後の租税法研究にも少なからぬ影響を与えている。なお、以下で取り上げる論者のなかには二〇世紀に入ってからも活躍を続けた者が含まれているが、二〇世紀に主流をなす租税研究と対照させる意味で、便宜的にここでまとめて記しておく。

（一）　民事法研究と結合させた租税研究

この時代の私法学的な租税研究の代表例は、ヴァール（A. Wahl）の著作である。ヴァールは、ボドリ・ラカンチヌリ（G. Baudry-Lacantinerie）の民法概説書[24]の改訂者でもあるが、その民法研究を租税法研究と結合させていたことは、ほとんど知られていない。しかも、その方法論は、著名な私法学者であるジェニイ（Fr. Gény）に受け継がれている。法理学者でもあるジェニイの方法論的基礎が、同時代のヴァールの影響下でなされた租税法研究にあったことは、フランス法学史上の重要な要素として、強調されてしかるべきであろう。そこで、これまでの学説史研究において完全に看過され、なおかつ現代的なガバナンス論の《隠れた先駆者》として、これらの論者をやや詳しく取り上げることにしよう。

①　私法学者である彼ら二人の租税法研究を語るに先立って、ここで当時の民事法学全般の方法論に触れておくのが適当であろう。すなわち、一九世紀には、いわゆる註釈学派（école de l'exégèse）が主流であり、条文に即して立法者意思に忠実な解釈が提示された[25]。当時はこうした解釈方法が一般的であったために、租税法の解釈においても、「租税法は普通法の規律の例外状況に関わるから、租税法の領域では《法の一般原則（principes généraux du droit)》を語ることができず、文言解釈がなされるべきである」と主張されていた。(26) ところが、一九世紀末になると註釈学派が衰退し、条文や立法者意思から離れた解釈が提唱されるようになる。ヴァールやジェニイも、そうした時代の変化のなかに身を置いていたのであるが、かかる解釈方法の転換にあたって租税法研究は重要な素材を提供したのである。以下では、おもにこうした観点からヴァールらの学説を概観しておく。

② ヴァールは、民事法研究を中心としながら、租税法の概説書を著している。(27) そのなかでは、すべての租税法令に論及するのでなく、私法上の取引行為との関連から、登録免許税（droits d'enregistrement）、印紙税（droits de timbre）、抵当権税（droits d'hypothèque）といった間接税を中心に論じている。そのうち登録税と印紙税だけで、全三巻の租税法概説書のうち二巻半が占められている。このような考察対象の限定があることが、当時の私法学的な租税研究の特徴であった。またヴァールは、こうした租税法との関連を意識したために、主要研究領域である民事法のなかでも、相続法に重点を置いて考察を続けた。

ヴァールの基本的な前提は、租税法の解釈と民事法の解釈の同一性を認めることにある。この問題は、日本法でいえば租税法における借用概念に関する論点を含んでおり、(28) 彼自身は租税法の概念を民事法と同一に解釈することを主張した。また彼は、租税法と「財政法制」の概念が混同されていることを問題視し、租税法の語は国庫（fisc）と納税者の関係にかかわる法として限定的に用いるべきであると述べている。(29) つまり、伝統的な考え方に反して、財政法令のなかで租税法令は特殊な存在であり、むしろ民事法と連続性を有するという理解のもとで、概念的にも財政法と租税法を独立させることを主張しているのである。

ついで原理的な問題として、ヴァールは当時の一般的な考え方に抗して、租税法における《法の一般原理》を重視している。租税法概説書の冒頭において、租税法にも一般法理が存在し、法律でさえもそこから遠ざかることはできないのであり、これを無視したことが、大革命期までの租税法の混乱の一因である、という。そして、立法者は賢明にも一部の事項のみを定め、他を科学的規範（règles scientifiques）に委ねることがあり、その一般法理の探求が本書の課題である、と述べている[30]。さらにヴァールは、租税法と民事法が相互に影響をうけることを指摘する。たとえば、租税の観点が民事法に影響をあたえた例として、確定日付のある私署証書の効力が確定日付以降にしか効力を有しないという規範があるが（民法一三二八条）、これは印紙税等の租税徴収を確保するという要請に基づくものであり、逆に売買・相続などの民事法の規範が租税法の規範に多大な影響をあたえている、という[31]。

そのうえでヴァールは、租税法の具体的な解釈方法をいくつか掲げているが、ここでも法の一般原理と民事法の関連性とを強調することが、彼の法解釈論に特徴的な帰結を導いている。ヴァールによれば、（a）租税法は原則として文言に即して解釈しなければならず、類推解釈は禁じられる。（b）その一方で、租税法が法の一般原理に対してもつ例外は、限定的に解する必要がある。法の一般原理としては、時効や不当利得などの実体的規範のほか、訴訟手続の規範も含まれ、租税法令が明文を置いていないときには、租税訴訟の手続は民事訴訟の規範に依拠すべきである。（c）さらに、どの行為が課税対象になるかについては、民事法による判断基準が解決を与える。この例外は、明文のあるときにのみ認められる。租税法は常に民法の適用される場面なのである。つまり、租税を確定するには当事者の権利を決定（détermination）しなければならないが、この決定は租税法の問題ではなく、事実（réalité）に民事法を当てはめることによって可能となる（相続や団体解散に伴う財産の帰属の問題が、その典型例である）。（d）歴史的解釈も有用である。旧法令が類似の問題の規律をしているときには、それを参照するのが好ましい。（e）これらの解決方法によって問題が解決しえないとき、納税者に有利になるように解釈するべきである。なぜなら、国に対する私人の財産的自由は普通法（droit commun）の問題であるのに対して、租税は特別法に属するからである、という[32]。

このように租税法と民事法を連続的に解する立場は、（a）と（b）の二つの原理の対立に関して、立法者意思を重視する立場に繋がっている。すなわちヴァールは、（a）にいう文言解釈の原則の例外として、衡平（équité）に基づく解決が許容される場合があるほか、法律の精神（esprit de la loi）、すなわち立法者意思を重視した解釈が認められるという。そして、この立法者意思の尊重が普通法の原則であるというのである。この結果、ヴァールにおいては、民事法規範の重視と立法者意思の尊重の二つが相反する解釈原理となっており、これをもとに具体的な解釈論が展開されている(33)。

③　このヴァールの考え方がジェニイにも継承され、ジェニイはヴァールにならって、租税法と民事法の連続性を強調した(34)。ジェニイは、立法者意思と法の解釈との関係について、次のように説く。伝統的学説は立法者意思を公理（postulat）として認めてきたが、今日の判例は法律家の感覚に反して立法者意思に否定的な立場をとっている。この傾向は特に租税判例において顕著であり、そこでは法律の厳格的かつ文言的な適用がなされている。法律の解釈は、遺言などの要式的法律行為（acte juridique solennel）の解釈に近いものと考えることができ、それらの行為については、その形式から当該行為の法的基礎（substance juridique）が導かれなければならない。遺言の内容を確定する場合に、行為の外的要素と切り離して解釈されなければならないのと同様に、法律も起草者の個人的な意思と切り離して、立法の公式な表現に基づいて解釈する必要がある、というのである(35)。そのうえで、ジェニイは、《租税法の特殊性（particularisme du droit fiscal）》の考え方を提唱し、租税法が私法に対して特殊性をもつこと認めつつも、財産法と家族法に類する関係にすぎず、また租税法学と私法学についても、《対立（antagonisme）》の関係ではなく《協働（collaboration）》の関係として捉えられるべきであると主張した(36)。

ジェニイとヴァールを比較すると、ヴァールが立法者意思を法の一般原理の構成要素として認め、これを重視している点ではジェニイと異なるが、いずれも民事法の解釈との連続性を重視し、法の一般原理に依拠しながら条文から離れた解釈を認める点では共通している。こうしたジェニイらの私法学的アプローチに対して、同時代に財政研究を始めたトゥロタバは、《租税法の自律性》の理論を提唱して対抗したのであった（三（二）参照）。

（二）　実務的な租税研究

私法の研究者ではないが、一九世紀末の登録免許税の実務家によって、私法取引に関連する課税に関して包括的な研究成果が出されている。その例として、ギルホ一族（L.-H., Ch. et J. Guilhot）による間接税中心の租税法概説書がある。同じ実務家といっても、これまでに紹介した一九世紀中葉までの実務家が、コンセイユ・デタなどに属する公務員であったのに対して、ギルホ一族は在野の実務家であり、その実務経験をもとにした研究である点で異彩を採っている。

その概説書の第一部では登録免許税・印紙税・抵当権税が、第二部では相続税が、第三部では司法手続の諸税（droit fiscal judiciaire）が、第四部では法人課税（taxes dues par les sociétés）が、それぞれ論じられている。その序論において、「民法研究は租税法研究に先行されるべきである。民法の考察は、租税徴収に服する契約の性質や射程を決めるのに不可欠である。……民法は租税法の基礎を提供する。民法の規範によって課税の可否・条件・金額などが定まり、請求可能性などの問題が解決される」と記されており、租税法と民事法を結合させる考え方を明確に読み取ることができる(37)。その意味で、ギルホ一族の研究には、ヴァールやジェニイの学説と方法論的に共通しているところがある。

これら、私法学における租税研究は、フランスの財政法学史ないし租税法学史のなかでは傍流にすぎず、その成果は公法学的な租税研究に次第に吸収されていくことになる。それにもかかわらず、この亜流の租税研究は第二次大戦後まで命脈を保ち、二〇世紀後半には新たな視点から再生されるに至るのである（四（三）[221]参照）。

（24）G. Baudry-Lacantinerie et A. Wahl, Traité théorique et pratique de droit civil, des successions, 3 vol., 1895.

（25）ここで、伝統的な註釈学派の法解釈を端的に示す例として、その代表的な論客であるドゥモロンブ（Ch. Demolombe）の記述を引用しておくことにしよう。いわく。「理論的にいえば、解釈とは法律の説明（explication）である。解釈することは、法律の真の正確な意味を発見すること（découvrir）、つまり解明すること（élucider）にほかならない。それは、修正や変更を施したり、新しさを求めることではないのであって、宣言（déclarer）し認識（reconnaître）することなのである。たしかに解釈は、多かれ少なかれ巧妙なものとなり、時にはよりよい解釈のために、立法者が有していなかった見解や意思を、彼らのものとみなすこともある。しかし、最終的には、解釈によって何かを発見したと言い張ってはならない。さもなければ、その解釈はもはや解釈とはいえなくなるであろう。」Ch. Demolombe, Cours de Code Napoleon, tome 1, 1860, n°115.

（26）Voisin, Req. rej., 21 novembre 1898, 21 novembre 1898, Gazette du Palais, 24 décembre 1898. この著者は、弁護士である。

（27）A. Wahl, Traité de droit fiscal, 3 vol., 1902-1906. なお、ヴァールの法人課税の概説書として、Wahl, Traité du régime fiscal des société et des valeurs mobilières, 1909, 2 vol.

（28）金子宏『租税法〔第一二版〕』（二〇〇七年・弘文堂）一〇二頁、水野忠恒『租税法〔第三版〕』（二〇〇七年・有斐閣）一二三頁などを参照。

（29）さらにヴァールは、一九世紀の公法学者が行政法の概説書のなかで、租税法令を含めて財政法令を論じていることを批判し、「財政法制」と区別された意味での租税法においては、法令の整理のみならず、《一般法理》の探求が必要であると述べている（idem, tome 1, p. 1）。

（30）Wahl, op. cit., tome 1, 1902, p. v et xix. なおヴァールは、直接税と間接税とのあいだで一般法理が共通していること、相互に歳入を補完しあっていること、登録税の徴収機関が所得税等の直接税の管轄をも有していることなどから、用語としても《租税（impôts）》と《負担金（taxes）》の概念を相対化させており、《直接税（taxe sur le revenu）》といった表現を意識的に用いている（ex. idem., p. 1 et 2)。

（31） Idem., p. xi, xvi et s.

（32） Wahl, op. cit., tome 1, n°67 et s ; tome 2, n°766. なお、（a）の文言解釈の原則につき、Wahl, Note sous C. Cass. civ., 16 mars 1898, Sirey 1899, 1, p. 49 et 50, n°4 et n°5. また、（e）の原理に関連して、合意の解釈方法に関する民法一一六一条が引用されている。

（33） 本文中の方法論が解釈論に反映された例として、租税債権の相殺に関する論点があげられる。参照、木村「行政上の債権の相殺（三・完）」千葉大学法学論集一四巻二号（一九九九年）六九頁以下。

（34） ヴァールは、民事法とあわせて租税法の研究を行っている点でもジェニイの研究業績と類似しており、ジェニイの問題意識を先取りしていたといえる。またジェニイは、トゥロタバの《租税法の自律性》に対する反論を論拠づけるために、ヴァールの著書を引用している。Fr. Gény, 《Le particularisme du droit fiscal》, RTDC 1931, p. 832, note 1 et 2. Cf. Gény, Méthode d'interprétation et sources en droit privé positif, 2 éd., 1919, tome 1, p. 301, note 1.

（35） Gény, Méthode..., op. cit., tome 1, n°12 et s., n°104 et s. ただしジェニイは、《租税法の自律性》に対する批判のなかで、公法の領域において条文から離れた解釈をすることを原則として否定しており、公法上の国の特権が認められるのは、明確な慣習があるときを除けば、明文で定められている場合に限られると述べている。Gény, op. cit., RTDC 1931, p. 806 et 807, n°6.

（36） Gény, op. cit., RTDC 1931, p. 832-833.

（37） L.-H. Guilhot, Manuel de droit fiscal, 3 éd., 1912 ; 6 éd., 1928, par Ch. et J. Guilhot, en particulier, p. ii et 1.

三　二〇世紀前半の公法学的な租税研究

二〇世紀に入ると、一九二四年二月六日デクレに基づき、一八八九年に導入された「財政法制」に代わって、総

[216]

合科目としての「財政論（finances publiques）」が登場する。一九世紀の租税研究は、経済学的研究と法学的研究、さらには実務的研究と大学での研究に分断されていたが、これらが公法学の一部としての「財政論」に吸収されることになったのである。この「財政論」は、財政を法的観点のみならず、政治的観点や経済的観点を交えて総合的に考察する科目であり、ジェズの主導のもとで、彼の方法論に対応する形で展開していく。それと同時に、租税法研究のあり方としても、一九世紀末に活性化した私法学的な租税研究に対して、強い批判が向けられるようになる。そこで以下では、ジェズの方法論を中心に、関連する議論状況を含めて概観しておこう。

〔217〕

(一)　ジェズの租税研究

ジェズは、「財政論」の講義録や概説書を数多く残しているが、それらのなかで財政の考察対象を、予算の定立、予算の執行、歳出、歳入（租税）、公債の五つに分けている。ここでは、財政研究のなかに租税研究が包含されており、これが今日に至るまで財政研究の標準的な体系となっている。(38)

またジェズは、財政研究の方法論として、法的観点・政治的観点・経済的観点から総合的に考察するべきことを主張し、それぞれの観点は独立した研究対象をなすとしている。租税研究に関しても、ジェズは三つの観点を明確に区分している。たとえば、租税に関する議会の同意の意義については、法的観点からすると、近代国家では財産権の侵害には法律の根拠が必要であるという原則が当てはめられたものである。また経済的観点からすると、租税が経済活動に影響を与えることから、議会の場で関連する諸利益や課税の当否について審議したうえで決定する必要があるという考え方に基づいている。さらに政治的観点からすると、租税の必要性や利点を納税者に理解させると租税徴収が容易になるから議決が求められる、という説明をしている。

そのうえでジェズは、《財政研究の自律性（autonomie de la science des finances）》を主張し、複合的な観点から財政を総合的かつ自律的に研究すべきであると説いた。その意味で、従来の経済学的な財政研究や私法学的な租税研究と一線を画したことになる。また、当時の法律学の方法論との比較でいえば、外国法や外国の財政制度を積極的に参照したことが特記すべき点である。

さらにジェズは、財政における政治的問題と技術的問題を区別しており、一九世紀の経済学者が財政の技術的要素を重視していたのと対照的に、財政全般について政治的問題が第一義的な地位を占めることを説いている。租税についても、課税対象等に関する基本的な決定は政治的判断に依存しており、政治家が国民の中庸な意見を代表することによって決せられるとしている(39)。その一方でジェズは、財政の基本原理は《予測（prévision）》・《公開（publicité）》・《討論（discussion）》の三つにあるとしたうえで、議会の役割を相対化している。彼によれば、国会の財政的機能は《決定（décision）》にあるのではなく、予算審議等を通じた《統制（contrôle）》にある。同時に、議会の決定の後ろ盾として、有識者による専門的機関の活用も主張している。こうした微妙なバランス感覚は、財政の効率性に向けた彼自身の問題意識に根ざしているといえる(40)。

なお、課税根拠論についてみると、ジェズの租税理論は、当時の実務的な問題状況を的確に捉えたものであった。すなわち彼は、租税に関する基本決定が政治的問題であるという認識のもとで、伝統的な交換的租税観から脱却し、わが国の義務説に相当する《連帯的租税観（théorie de l'impôt-solidalité）》の考え方を採用し、累進課税の導入を可能にする理論的素地を作ったのである(41)。

（二）　オーリウの租税論

二〇世紀前半の財政研究は、ジェズの独壇場となった観があるが、ジェズの実定法分析に理論的な基礎を与えた論者として、オーリウの存在を忘れるわけにはいかない。彼の理論は、極めて個性的な内容を有しているが、同時に、前後の学説の結節点としての意義をも有しており、学説史上も重要である。

オーリウは、行政主体の財産権に関して基本的には私人の財産権と同視しつつも、行政の特殊性を考慮して、国家の財産権を私法的作用とみなすドイツの国庫説（théorie du fisc）を批判しており、その論拠として公開性と協働という二つの要請をあげている。すなわち、公法的規律の及ぶ公管理においては、国庫説的な私管理の場合と異なり、官公庁契約が入札手続によって公開のもとでなされることに利点があるという(42)。この考え方は、行政における《公開（publicité）》の原理として一般化されると同時に、租税についても、租税情報の秘密主義が法令の違憲事由になると述べている(43)。また第二の理由として、国庫理論によると、租税が国庫みずからの利益のための手段とされてしまい、《納税者たる私人が公役務のための支出に協力する》という視点が欠落してしまう、という問題点があげられている(44)。これは、初期オーリウが、《行政管理（gestion administrative）》の概念のもとで、租税を含めた行政全般に《協働（collaboration）》の理念を取り入れていることに基づいている(45)。

他方でオーリウは、行政活動を企業活動に類比する《企業的行政観》(46)をもとに、租税行政の主体たる国家を企業に類比させた説明をしている。彼によれば、租税行政にも《企業的精神（esprit d'entreprise）》が必要である。過大な課税は、納税者の生産意欲を害するし、公役務のなかには、不道徳な結果をもたらし、人々の勤労意欲を阻害するものもある（ローマにおける穀物配給役務や公営カジノなど）。したがって、課税権の行使や公役務の創設には一定の限界があるのであり、行政と自由な市場とのあいだでの政治的・経済的な均衡が求められる、という(47)。

さらにオーリウは、租税は個々の納税者の同意に基づくものでなく、租税に関する議会の同意は、課税の適正さ等を担保するための政治的な《統制》にすぎないと述べている(48)。この考え方は、ジェズが予算論として、議会の役割は《決定》でなく《統制》にとどまると述べているところにつながっている。ここでオーリウは、個別の納税者との租税契約を排し、納税者総体との《協働》という理念を重視しているのであり、それゆえにこそ彼は、課税根拠論として交換的租税観を原則的に否定している。ただし、租税の非課税・減免に関しては交換的租税観の考え方を一部残存させ、減免措置等の正当化を試みたのであった(49)。

なお、この時代には、ジェズやオーリウの影響のもとで、私法学的な租税研究に対する方法論的な批判が明確に示されたことを指摘しておこう。その点で注目されるべきは、エックス・マルセイユ大学教授などを歴任したトゥロタバ（L. Trotabas）である。トゥロタバは、第二次大戦前に、ジェズの《財政研究の自律性》やオーリウの《行政法の自律性》の議論にならう形で、《租税法の自律性（autonomie du droit fiscal）》の理論を世に問い、ジェニイやヴァールらが私法原理と租税法原理を結合させていたのに対抗して、私法から租税法を独立させるべきであると主張した(50)。さらにトゥロタバは、第二次大戦の前後を通じて財政や租税に関する概説書を継続的に公刊し、経済的・政治的観点を取り入れながらも、基本的には法的分析に力を注いだ(51)。

(38) ジェズの財政研究につき、木村・前掲註（1）日仏法学二三号八三頁以下を参照。
(39) 本書第一章第一節**二**（一）（1）①[33]および②[34]を参照。
(40) 本書第一章第一節**二**（二）（1）②[42]を参照。
(41) ジェズの租税理論については、木村・財政法理論三二四頁以下をも参照。
(42) Hauriou, DA 11, p. 19. さらに本書第一章第一節**一**（一）[24]、木村・財政法理論一〇五頁以下をも参照。
(43) Hauriou, DC 2, p. 388. 木村・財政法理論二八八頁。
(44) Hauriou, GA, p. 70. さらに、木村・財政法理論一九〇頁以下をも参照。
(45) 本書第一章第一節**一**（二）⑤[29]を参照。
(46) 本書第一章第一節**一**（二）②[26]を参照。
(47) Hauriou, DP 2, p. 375. この記述は、社会主義の問題点に関する批判につながっている。これに対応する現代の記述として、たとえば水野・前掲註（28）租税法三頁。
（48）Hauriou, DA 3, p. 711. さらに参照、木村・財政法理論三三〇頁。
（49）オーリウの課税根拠論につき、木村・財政法理論三二九頁以下を参照。
（50）L. Trotabas,《Essai sur le droit fiscal》, RSLF 1928, p. 201 et s. ;《La nature juridique de contentieux fiscal en droit français》, Mél. Maurice Hauriou, 1929, p. 712 et s.
（51）L. Trotabas et J.-M. Cottret, Droit fiscal, 6 éd., 1990, p. 1-2.

四　二〇世紀後半以降の租税研究

ジェズらの理論的・教育的な貢献もあって、二〇世紀中葉になると、「財政論」は、憲法・行政法・国際法とともに、公法の四大科目のひとつとして位置づけられるようになる。その結果として、「財政論」の一分野としての租税法に確固たる地位が与えられるようになった。そうした講学上の基盤をもとに、二〇世紀後半に入ると、租税研究はきわめて多様な展開をみせるようになる。その状況は、①公法学における租税研究の独立化、②私法学的な租税研究の復活、③社会学的な租税研究、の三つに分けて描写することが許されよう。相互に重複する要素があることは否定しえないが、以下では、これらの三つの要素のそれぞれについて、関連する動向とともに概観することにしよう。

（一）　公法学における租税研究の独立

最近では、公法学に属する「財政論」の内部での専門分化として、「租税法」の独立が目立っている。特に、一九六八年一一月一二日法律（六八・九七八号）に基づく大学カリキュラムの再編以降、「租税法」が独立した講義科目として扱われるようになり、現在では、おもに学部低学年向けの講義科目として採用されている。ジェズの方法論を比較的忠実に継承しているのは、前述のトゥロタバのほか、パリ大学で長く「財政論」を講じたゴドメ（P.-M. Gaudemet）があげられるが[52]、両者の財政論概説書においても、次第に租税法が独立した巻を構成するようになる。

さらに最近では、租税法関係の発展科目として、租税手続法や租税法各論の講義・研究が発展をみている。このうち租税手続法については、「租税手続（procédure fiscale）」と題する講義が最も一般的である。その場合の租税手続法には、租税の確定・徴収の手続のほか、租税争訟手続も含まれるのが通例である[53]。なお、租税確定手続や税務調査などをまとめる形で、「租税統制（contrôle fiscal）」と題する概説書も刊行されているが、実質的には租税手続と重複する内容である[54]。他方、課税要件の各論的研究としては、「企業課税（fiscalité des sociétés）」が最もさかんであるが、「家族税制（fiscalité de la famille）」や「国際課税（fiscalité internationale）」なども独立して論じられている[55]。これらは、法学部の高学年向けの講義として提供されることが多い。また、実務家による概説書等の執筆が多いのも、この領域の特徴である。

このほか、憲法院が租税法令に対する憲法判断を積極的に示すようになってきたことから、憲法院の判例の分析を基礎としながら、「憲法的財政法（droit financier constitutionnel）」、ないしその一部として「憲法的租税法（droit fiscal constitutionnel）」と呼ばれる分野が構成されつつある[56]。もともと憲法院は、法律事項と命令事項の基準が遵守されているか否かを審査することから出発したが、現在では法令の違憲性を広範に審査しており、憲法学の関心も憲法判例に傾斜しつつあることから、いわゆる《憲法学における法学化の傾向》が生じているといわれる[57]。財政の領域でも、類似の傾向がみられるわけである。

（二）　社会学的な租税研究

二〇世紀後半に登場した新しい方法論として、財政ないし租税の社会学的研究をあげることができる。ジェズによって確立された伝統的な方法論は、法的観点と政治的観点を峻別するものであり、右の（1）の傾向は基本的にはジェズの方法論にならったうえで、法的観点からの財政研究のなかで租税研究を分化させるものである。これに対して、社会学的方法論を標榜する財政研究は、おもにラリュミエール（P. Lalumière）によって提唱されたもので、伝統的な法的観点と政治的観点等を包括する形での研究である。

すなわちラリュミエールは、財政の研究方法には法学的方法・経済学的方法・社会学的方法の三つがあるとして、法学的方法と経済的方法をとる代表的論者として、それぞれジェズとバレール（A. Barrère）[58]をあげ、みずからを社会学的方法論と性格づけている。財政上の決定過程においては、法・経済・政治の三つの要素が複合的に存在していると解したうえで、これらの視点を統合し、財政現象をひとつの社会現象として考察する必要があるという。彼のいう社会学的方法とは、「統治者が、国全体の行政的管理や、その経済的・社会的発展をもとにして、公的負担を社会集団に分配する決定と、その執行手段に関する研究」であり、研究の対象は決定と執行の手続に向けられ、財政に関する法規範や政治的動態、財政手法の経済的機能がすべて考察対象となる[59]。

ラリュミエールは、自己の方法論が政治的事実等を重視しているという意味で、ジェズの方法論と区別しているが、ジェズが法的観点のみならず政治的観点や経済的観点をも取り入れていたことは、先述のとおりである。その反面で、ジェズが三つの視点を独立させ、かつ法的視点に偏っていたこともまた確かである。こうした方法論の違いは相対的なものであり、個別の問題解決に直接的な意味をもつわけではないが、ジェズの学説を基軸として方法論の整理がなされているといえるであろう。同時に、政治学・社会学・経済学などの関連諸科目の狭間にあって、

「財政論」の自律性を確保する試みという側面もある。

こうしたラリュミエールの社会学的方法論は、その後、「財政社会学（sociologie financière）」や「税社会学（sociologie de l'impôt）」などと称される考察につながっている。財政社会学の概説書の例としては、デュクロ（J.-Cl. Ducros）のものが代表的である。デュクロは、社会学の方法論を積極的に取り入れながら、議会における財政上の決定方法、行政上の執行方法、納税者の積極的参加の可能性、租税回避における納税者心理などに関する諸問題を論じている。ただし、直接民主制的な納税者の参加については、詳細な国際比較がなされつつも、消極的な立場が示されている。(60) 他方、税社会学については、二〇世紀中庸に活躍したアルダン（G. Ardant）が著名である。アルダンは、その豊富な歴史的研究をもとにしつつも、全体として社会学的考察を重視しているので、ラリュミエールの系統に含めることができよう。(61) このほか、トゥルニエ（G. Tournié）による租税政策の歴史的研究も、同じく社会学的な財政研究に含めることができよう。(62)

（三）　私法学的な租税研究の復活

近時では、私法学的な租税研究がひとつの潮流をなしている。もともと「財政論」は公法学の一分野とされており、右の（一）および（二）はこの枠内での変容であるが、最近では「財政論」の一部としての租税研究とは別に、私法学の一部として租税法が研究・教育されている。歴史的にみれば、一九世紀末のヴァールやジェニイに始まる亜流の租税法学が、ジェズやトゥロタバらに始まる主流派の勢威にもかかわらず、部分的に復活したということができる。ながらく公法学の一分野であると考えられてきた租税法が《私法化（privatisation）》している、ともいわれる。

この流れに属する論者は、基本的な問題意識として、特に企業課税が商取引の戦略を決めうえで重要な要素になっていることに着目している。一九世紀末の私法学的租税研究と比較すると、ヴァールやジェニイの方法論は、法原理として私法と租税法の共通性を摘出しようとする試みであったのに対して、今日では、考察の対象として一体化する動きであり、私法原理を租税法原理に直接適用すること自体は強調されていないといえる。

かかる私法学的な租税研究者の例として、二〇世紀中庸に活躍したメグレ（J. Mégret）をあげることができよう。メグレは弁護士であると同時に私法学の研究者でもあり、パリ大学に民法・労働法の教授として着任したが、のちに農業法を中心に講じ、この分野の概説書を著している。あわせて彼は、農業に対する国家の介入（補助金・租税など）に関心をもち、かかる問題意識をもとに租税法の概説書を著している。(63) また現在では、トゥールーズ大学のセルロトン（P. Serlooton）が、商法を講ずる一方で、「商取引課税法（Droit fiscal des affaires）」の概説書を著しており、私法学的な租税研究の典型例といえる。(64) こうした傾向を反映して、大学の講義体系としても、博士論文準備課程（diplôme d'étude approfondie : DEA）の私法コースにおいて、「企業課税」などの選択科目が置かれるのが通例であり、公法コースの財政・租税関係の科目と並列されることも多い。

（四）　租税に関する研究・教育の担い手

租税法研究の担い手についていえば、近時の租税法研究（とりわけ課税要件の各論的研究）は、実務家の役割が大きくなっている。実際、大学の講義・演習においても、弁護士等の肩書きをもつ併任教授（professeurs associés）が担当する例が増えている。また、租税訴訟においては、弁護士が新たな解釈論を提示し、それが判例の形成に貢献しているという現象も見られる。さらに、このことが私法学的な租税研究の展開に寄与している。それに関連して、租税法教育の場としても、政治学院や国立行政学院（Ecole nationale d'administration : ENA）など、大学以外の教育機関の果たす役割がいっそう高まっているように見受けられる。バリラリ（後出）をはじめ、政治学院等で教鞭を執った実務家が、積極的に租税理論を展開していることも注目される。

なお、課税根拠論については、租税の領域では法令の整備が進められたことにより、この種の基礎理論が後退している観は否めない。一般には、ジェズの学説以降、連帯的租税観が主流となっているという見方がなされているが、その一方で、政策への誘導（incitation）の目的をもつ非課税・減免措置については、個々の納税者（多くの場合は企業）とのあいだで租税契約が締結されることが多く、交換的租税観が復活しているという評価もある[65]。後者については、オーリウ学説が応用された結果であるという理解も可能であろう。

(52) P.-M. Gaudemet, Finances publiques, 2 vol., Montchrestien, 1 éd., 1970 ; 3 éd., 1977, p. 19 ; 5 éd., 1989, revues par J. Molinier.

(53) ex. G. Tournié et al., Procédure fiscale, PUF, 1982 ; J. Grosclaude et Marchessou, Procédure fiscale, 3 éd., Dalloz, 2001.

(54) ex. Th. Lambert, Contrôle fiscal, droit et pratique, 2 éd., PUF, 1998.

(55) ex. J.-P. Fradin et J.-B. Geffroy, Traité de droit fiscal de l'entreprise, coll. Droit fondamental, l'Hachette, 2003 ; F. Douet, Précis de droit fiscal de la famille, 5 éd., Dalloz, 2006 ; B. Castagnède, Précis de fiscalité international, 2002.

(56) L. Philip, Droit fiscal constitutionnel, Economica, 1990.

(57) 参照、樋口陽一『権力・個人・憲法学』（一九八九年・学陽書房）一五二頁以下。

(58) Cf. A. Barrère, Economie et institutions financières, 2 vol., 2 éd., Dalloz, 1972.

(59) P. Lalumière, Les finances publiques, 1 éd., 1970 ; 6 éd., 1980 ; 8 éd., 1986.

(60) J.-Cl. Ducros, Sociologie financière, PUF, 1982, en particulier, p. 191 et s.

(61)　G. Ardant, Histoire de l'impôt, 2 vol., 1971 ; Théorie sociologique de l'impôt, 1965. Cf. Ardant, Problèmes financiers contemporains, 1948 ; Technique de l'Etat, de la productivité du secteur public, PUF, 1953. アルダンについては、第一章第一節二註（99）をも参照。税社会学の研究成果というべき著作として、このほか、J. Dubergé, La psychologie sociale de l'impôt dans la France d'aujourd'hui, PUF, 1962 ; M. Leroy, La sociologie de l'impôt, PUF, 2002.

近時のわが国でも、《税社会学》と呼ばれる研究方法が提唱されているが（たとえば、松沢智「税社会学の意義」税法学五一九号（一九九五年）一九頁以下、林仲宣『税社会学』（二〇〇三年・税務経理協会））、わが国の税社会学は、社会における租税の意義を注視するものの、概して判例などをもとにした法律学的な分析が多く、フランスの場合と違って社会学的なアプローチは必ずしも強調されていないようにみえる。

(62)　G. Tournié, Politique fiscale sous la Ve République, Privat, 1985.

(63)　J. Mégret, Précis de droit fiscal, Prétoire, 1950.

(64)　P. Serlooton, Droit fiscal des affaires, 5 éd., Dalloz, 2006. Cf. S. Passeron, La fiscalité des affaires, 2 éd., 1976 ; G. Tixier et P. Derodin, Droit privé de la fiscalité, Dalloz, 1989.

この点は、わが国において私法学と租税法学を融合させる試みがなされていることと軌を一にしている。たとえば、参照、中里実＝神田秀樹編著『ビジネス・タックス』（二〇〇五年・有斐閣）。

(65)　参照、木村・財政法理論三四九頁以下。

第二節　現代における租税ガバナンス論の展開

本節では、現代のフランスにおける租税研究の一潮流として、租税ガバナンス論を取り上げ、その議論の内容を紹介することにしたい。これはごく最近の動向ではあるが、前節四に述べた研究の一要素として位置づけることができるであろう。

一　租税ガバナンス論の概況

フランスにおいて《租税ガバナンス》という用語を明示的に掲げているのは、企業研究院（Institut de l'entreprise）の活動である。同研究所は、一九〇一年七月一日法律に基づいて一九七五年に創設された非営利団体（association）であり、国内外の主要な民間企業を構成員として運営されているが、学識経験者を含めた委員会を構成し、いくつかの作業グループに分かれて、さまざまな現代的な研究テーマを設定している。最近では、租税制度のほか、財政支出や労働法制などに関する検討結果が出されている。

租税制度に関して検討を行っているのは、租税制度改善委員会（commission de la modernisation de fiscalité）であり、租税行政に関しても実際的かつ理論的な提言をしている。パリ第一大学のブーヴィエ（M. Bouvier）をはじめとした、「財政論」の大学研究者や、弁護士等の実務家も参加している。二〇〇四年の後半には、租税ガバナンスというテーマのもとで、租税法令の定立およびその適用のあり方について検討を行っており、その結果をもとに、二〇〇五年二月には「租税ガバナンスの改革に向けた提言」と題する報告書を公表している（以下、本報告書という）[66]。みずからの成果を《フランス的な租税ガバナンス（gouvernance fiscale à la française）》と形容しており、その国際的な独自性も強調している。

本報告書では、租税ガバナンスに関する明確な定義は示されていないようにみえる。一応の説明としては、「ガバナンスの概念は、社会における権利の行使や、規範の策定、決定、それらの正当化、実行や統制の方法に包括的に関わるものであり、将来的にいえば経済的事項および社会的事項の両方に当てはまる」と記したうえで、「租税規範（norme fiscale）の創設や適用のプロセス（processus）」を重視している。具体的には、課税権力の行使に影響を与える規範・手続・状況はどのようなものか、租税法はどのように作り上げられるのか、租税規範の策定者の最初の動機は何か、彼らにはどのような制約が課されるのか、この規範創設のプロセスとしていかなる結果が生ずるか、租税規範はどのように適用されるのか、これらの規範は機能不全に陥っていないか、そうした機能不全はおもにいかなる場面で生じているか、などが考察される。さらに、結語においては、「新しい租税ガバナンスを推進することとは、公的活動の機能不全に対応するために、租税の規律に関する新しい原理と新しい態様を創出する必要性を認識することを意味する」と記している。基本的には、租税ガバナンスを《租税に関する規範が決定・適用される態様》として捉えていることになろう。(67)

そのうえで本報告書は、ガバナンスの観点から包括的な分析を行っている。そこには多種多様な内容が盛り込まれているが、以下では、本報告書の体系に則して、その要旨を示すことにしよう。(68)

(66) Institut de l'éntreprise, Propositions pour une réforme de la gouvernance fiscale : Rapport de la Commission Modernisation de la fiscalité, février 2005. その後、本報告書をまとめる形で、単行書が出版されている。G. Mestrallet, M. Taly et J. Samson, La réforme de la gouvernance fiscale, LGDJ, 2005. 本章の紹介は、基本的には後者に依拠している。

(67) 本報告書は本文の冒頭において、「最近では、ガバナンスの概念がしばしば用いられている」としたうえで、「ガバナンス（gouvernance）の概念は、ガバメント（gouvernement）の同義語として、一三世紀にフランス語に登場した。この用語は、我々の隣人である英国人によって借用されていたが、一九九〇年代初頭以降、特に世界銀行や国際通貨基金といった国際機関の影響によって、公の議論の場で再び用いられるようになった」と注記している。前段の説明は、明確な史料に基づくとは考えにくい。なぜなら、たとえば標準的な仏仏辞典であるPetit Robertにおいては、一三世紀に《gouverner》の派生語として、北部のアルトワ地方やフランドル地方において国王裁判権（bailliages）を意味する言葉として登場したという記載があるからである。他方、後段については、本報告書には明示的な引用はなされていないが、本書はじめに註（2）の諸文献を参照。

（68）以下の二および三では、できるかぎり正確に本報告書の文意を伝えるために、やや直訳に近い表現を用いながら、本報告書の内容を地の文で記述する。また、本報告書に引用された文献や判例は、原則として省略する。なお、傍点は原文の強調であるが、①・②・③……および（a）・（b）・（c）……の小見出しは、筆者（木村）が付したものである。

二　租税決定過程の諸問題

租税規範が定立される過程には、避けて通れない通過点がある。すなわち、ひとたび租税に関する改革が提案されると、協議（concertation）の対象とならなければならず、次いでシミュレーション（simulation）がなされる。予想しうる複数の選択肢のあいだでの裁断（arbitrage）は、執行府の権限である。そのうえで、国会の権限に基づいて、議決がなされる。その歩みはほとんど、ないしはまったくと言ってよいほど一本化されておらず、規範定立のプロセスは、行ったり来たりの繰り返しである。いずれにしても、準備および決定のすべての段階は、租税法の機能不全（fonctionnement défectueux）に関係している。

租税決定過程の迷路の奥には、行政機関と政治家という、二つの集団が存在している。そこで、租税決定手続は、①租税法律を提案する行政における過程と、②それに対する国会の対応に関する過程に大別され、後者には憲法院の関与が含められる。そこで以下では、これら二つの過程について順に論じていく。

[225]

（一）　行政的な決定過程における閉鎖性

現在のフランスでは、行政機関による租税法令の準備が、しばしば外部との接触を断って行われる。すなわち、租税上の決定に際しては、事後評価（évaluation ex-post）よりも事前評価（évaluation ex-ante）に重点が置かれているが、事前評価に際しては秘密主義が取られている。そこで、今後の改善の方途としては、法律制定にあたっての協議に意見交換（communication）と情報提供（information）をいっそう強化することが求められる。

行政的な決定過程は、三つの段階、すなわち、法律の前段階における協議、租税シミュレーション（simulation fiscale）、法律の執行命令（textes d'application）に関する協議、に区別される。そこで以下では、この三つの段階に分けて考察する。なお、フランスにおいて、行政的な決定過程において最も重要な役割を担うのは、財務省の租税法規局（Direction de la législation fiscale : DLF）である。同局は、租税総局（Direction générale des impôts : DGI）に属し、一八〇人程度の人員を擁している。その権能としては、各種の租税法令を策定することのみならず、通達等を通じて法令解釈上の諸問題の解決を図ることも含まれる。また同局は、国家租税評議会（Conseil national des impôts）などの国内機関に加わるほか、フランスを代表して、欧州共同体（ＥＵ）や経済協力開発機構（ＯＥＣＤ）などの国際機関の審議に参加している。そこで、この租税法規局の活動やその位置づけを考察することが、重要な課題となる。

[226]

①　租税法律の制定前の協議　　租税法律の前段階での協議は、相対的にみて不備な状態のままである。この種の協議は、フランスではほとんど形式化されておらず、しばしば非公式であって体系的ではない。諸外国のように、公式の協議機関・諮問機関は存在しないし、公式に要求される説明文書も乏しい。

フランスでは、合意の文化（culture du consensus）の脆弱さを反映して、こうした協議の方法は到底満足のゆくものではない。秘密主義の正当化のために、しばしば租税の特殊性が語られる。すなわち、租税の賦課徴収はレガリア的権利であり、伝統的にも国王の権限として秘密裡になされてきたというのである。租税政策に関して諮問手続がなされる例としては、事業税（taxe professionnelle）の将来に関するフーケ委員会（commission Fouquet）のように、任意の有識者委員会（commissions de sages）を創設して、決定の拠り所にする程度である。これは、たとえば英国において、公式的な諮問（consultation）が、法令によって体系的に整備されているのと対照的である。また、諮問等がなされる場合にも、諮問手続が非公式であること、諮問の時期が遅すぎること、諮問の期間が短すぎることが、しばしば決定手続の最適化を阻害する結果につながっている。さらに、諮問の結果として、最も力をもった利益同盟（coalitions d'intérêt）に有利な立場を提供することになる場合があり、こうした不平等な側面が問題となる。このため、諮問を通じて、法規範の適用によって生ずる深刻な問題を未然に防ぐことは、必ずしも期待できない状況にある。

② 租税法律策定に際しての事前評価　租税法律案は、シミュレーションおよび評価の対象とならなければならない。租税シミュレーションは、営業税（patente）を事業税に再編する改革に失敗して以来、義務的なものとなったが、特に租税負担の転嫁（transferts de charges）の大きさを正当に評価してこなかった。さらに、評価の対象が複数の行政機関にまたがっていることに伴う技術的な限界に加えて、特に財政的な観点や納税者間の租税転嫁に重点を置きすぎているという問題がある。

こうした問題点は、二つの好ましくない結果をもたらしている。まず第一に、決定権者（décideurs）たちは、《敗者（perdants）》になるリスクに対して責任をもつことができないために、身動きが取れなくなり、彼らをして、コストがかかる《敗者ゼロ》の選択を余儀なくさせている。アルル地方税改革委員会（l'Arlésienne de la réforme des impôts locaux）は、「我々は、シミュレーションなしの改革から、改革なしのシミュレーションへ向かっている」と述べて、危険な方向への転換について物語っている。第二に、フランスの行政文化は、租税措置の事前評価に関して、旧態依然たる態度を取っている。評価が財務省の諸機関によってなかば独占され、非公開とされることが多い。こうした環境は、インパクト調査（études d'impact）の研究の進展にとって好ましいものではない。[228]

③　租税法律の制定後の協議　　租税法律が制定されたあとの協議は、制定前の協議に比べれば、相対的に満足のゆくものである。租税法律の執行命令を起草するために、行政機関は、関連する事業者（professions intéressés）の代表たちと、比較的綿密に連絡を取り続ける。行政機関による情報戦術（compagne d'information）が展開されるわけであり、租税官庁も《複合的アクセス（multi-accès）》の実現を図る野望を抱いている。具体的には、解説用の冊子の配布、シンポジウム等の開催、テレビやラジオなどのメディアの活用である。かかる租税に関する意見交換や情報提供については、特に情報へのアクセスの改善に向けた関係省庁の努力によって、質的な進歩が見られる。しかしながら、そこでもまた、体系的もしくは定式化された意見聴取（consultation）がなされていないことから、付加価値税（taxe sur la valeur ajoutée : TVA）のインターネット手続（télétransmission）の実施時のように、機能不全が見られることがあった。また、情報提供等の相手方としては、個人よりも法人に重点が置かれており、後述の租税窓口の一本化が法人向けになされているのも、この反映といえる。このように、法律の執行に関する技術的な段階には、いくつかの問題点が指摘できる。[229]

④　今後の改善の方向性　　租税上の決定に先立つ段階で、協議の方式を定式化することが求められる。その基本原理としては、第一に、協議を体系化し、すべての租税法令の立案に際して協議がなされなければならない。第二に、協議を広範化・公開化し、関係者を幅広く協議に参加させるべきである。第三に、協議の手続として、計画が詳細に示され、必要な情報へのアクセスが保障されなければならない。第四に、協議の時間的条件として、最小

限の協議期間が確保されなければならない。さらに、租税措置の事前評価が透明な協議手続にとって必要不可欠な手段であることから、インパクト調査の体系化が図られなければならない。かかる評価制度は、公権力的な機関相互の合意に依拠せしめるよりは、法令上の制度とするのが好ましい。

(二) 政治的な決定過程における問題点

租税規範の策定に関する政治的過程は、租税法の整合性(cohérence)を確保する。政治過程の問題は、次の三つに分けられる。

① 執行府における租税制度の立案に関する問題点　執行権による租税制度の法制化は、しばしば反生産的(contre-productive)である。たしかに、すべての政治は《政策の駆け引き(un jeu de politique)》であり、また現実の政治状況は、決定のプロセスが最良とはいえないことを説明ないし正当化できる。さらに指摘されるべきは、租税措置が政治家やマスメディアの演出(présentation)のために利用される傾向にあることである。すなわち、まず第一に、大臣らは、予算の支出に課せられる諸制約を考慮に入れるために、みずからの関心の対象を、邪悪ながら魅力に富む租税支出(dépenses fiscales)へと移していった。第二に、租税上の活動は、緊急性や守秘性という旗印のもとでの洗礼を、あまりにも頻繁に受けている。しかしながら、租税上の秘密(secrets fiscaux)は、予算法律案(projet de loi de finances)の提出に際して《周知の秘密(secrets de polichinelle)》になっているという現実がある。実際、二〇〇五年予算法律案の審議に際して、社会保障負担(charges sociales)の軽減に関して、多かれ少なかれ組織的に情報が漏洩している。また、緊急を要するという圧力によって種々の租税措置が取られる一方で、重要な改革は遅々として進まない。第三に、政治的な体面への配慮は、租税の問題状況の複雑さと不安を増大させる。社会保障一般税(contribution sociale généralisée : CSG)は、こうした限界をよく表している。すなわち、所得

税（impôts sur le revenu des personnes physiques : IRPP）の算定にあたって、一方では社会保障一般税の税額を控除可能としたり、他方では控除不可能としたりする制度を共存させていることや、所得の性質によって異なった税率が適用されるという問題などがある。前者は、社会保障一般税が社会保障の分担金であるか租税であるかという法的論点に関係するが、いずれにしても結局は政治的な配慮によって決定されている。

② 租税法律の制定過程における国会審議の問題点　租税規範の制定過程に対する立法者の介入は、十分に満足の行くものではない。立法者の権限は、すべての段階において制限されており、その活動領域は、三方から遮られている。まず、国の機関のレベルでは、行政立法権（pouvoir réglementaire）、行政解釈（doctrine administrative）、および租税裁判官（juge de l'impôt）の介在によって、制限が加えられる。また、上からは、拡大しつつある国際的規範（règles internationales）、特にヨーロッパ共同体の規範によって、制約されている。さらに、下からは、地方課税権の確立によって制限をうけている。

立法者の発議権限は、技術的理由として租税事項（matière fiscale）の複雑さ、法的理由として修正的議会主義（parlementarisme rationalisé）に基づく諸制度、そして政治的理由として議会多数派の存在によって、それぞれ制限されている。たとえ議会が法案修正権（droit d'amendement）を行使しうることが保障されていても、国会審議における立法者の介入は限定されている。同様に、租税分野における修正案の増加は、かえって租税法律の意義を後退させている。これは、法案の準備の不十分さ、法的な不手際、租税に関する下位法令（micro-normativité fiscale）の重要性などによるものである。さらに、現代民主主義においては、議会の《統制的機能（fonction de contrôle）》が最優先されなければならないはずなのに、実際には国会は租税事項についてわずかな権限しか行使していない。もっとも、近時の予算改革を基礎づける二〇〇一年八月一日組織法律（二〇〇一・六九二号）は、強制的徴収（prélèvements obligatoires）に関する報告書が政府から国会に対して提出されること、当該報告書は徴収金の種別ごとに当該年度から翌々年度までの予測を含むこと、当該報告書が国会における審議の対象になること、を定めている（五二条）。また、同法律のもとで、国会の質問権や調査権が強化されている（五七条以下）。しかし、他の欧米諸国に比べれば、国会の役割が乏しいという現実がある。

他方、行政解釈は、租税制度に柔軟性を与え、納税者の便宜にも資するという意味で、必要不可欠な存在である。しかも、行政解釈を信頼した納税者に対しては一定の保護が与えられ、行政解釈の変更は将来に対してのみ効力を有することが、現行の租税手続法典（Livres des procédures fiscales）に明記されている（L八〇条A・B）。しかし、行政解釈が法令改正を先取りする内容であったり、法令に抵触する内容をもつ場合も少なくなく、内容的な不明確さや策定の遅延も指摘されている。したがって、行政解釈の濫用は、避けられなければならない。

また、地方課税権との関係では、地方団体は一九八一年以来、地方四税（事業税、住民税、建築地不動産税、非建築地不動産税）の税率を決定することができるようになったが、二〇〇三年三月二八日の憲法改正により、地方団体の財政自治権が強化され、地方議会の議決に基づいて法律の定める範囲で課税要件を決定することも可能になり、租税収入が歳入の主要部分となることが保障されるようになった。

このほか、租税裁判官は、租税事件を通じて規範定立権限を有しており、一般法理（principes généraux）の構築に貢献している。国際的規範としては、付加価値税をはじめとして多数の規律が存在しており、国内法的措置が取られている。

③　憲法院の意義　　さらに、憲法院の裁判官（juge constitutionnel）の介入によって、上院・下院における読会に続く、いわば法律の《第三読会（troisième lecture）》が開催される。憲法院の判例は、租税法律の策定方式や、行政機関による適用の条件を完全に枠付けることによって、立法者が租税法律の基本原則を尊重することを保障する。このようにして、一方では国会の権利と納税者の権利とのあいだで、他方では政府の特権と行政機関の特権と

のあいだで、微妙な均衡が確立される。

[233] ④　租税契約の確立に向けた租税法律の復権に向けて　租税法律は、他の租税権力、とりわけ行政との競合にさらされている。租税規範の策定における議会の関与は、改善の余地がある。そこで、租税契約（contrat fiscal）を確立するために、租税法律の復権が図られるべきであり、そのためには次のような改善の方向性が考えられる。

第一に、国会議員と他の主体とのあいだの接触を強化することが重要である。接触の相手方としては、行政機関、大学研究者、民間企業、納税者があげられる。第二に、租税規範に対する議会の《統制》という機能を再確認する必要があり、二〇〇一年八月一日組織法律を基礎にして国会の権限を拡大することが求められる。また、組織的観点からいうと、租税を監視する常設機関がないことは問題であり、両院の財政委員会（commissions des finances）はその創設を検討するべきである。財政委員会が主要な税目ごとに特別報告担当者（rapporteurs spéciaux）を指名することも、一方法である。第三に、二〇〇一年八月一日組織法律による予算改革を、租税制度の改善の好機として活用することが求められる。歳出と歳入を一体として改革に取り組み、財政的な論点と租税的な論点を相互に対照させるのが好ましい。このほか、租税法律の定める事項を確保するために、規範の階層性を尊重すること、租税法律や予算法律の専権事項を明確にすること、政府による租税法律の改正案に関してコンセイユ・デタ（Conseil d'Etat）などの独立機関の意見を求めること、立法諮問（référé législatif）の手続を復活させること、が考えられる。

三　租税法の機能不全

[234] 租税法律の制定プロセスにおいて指摘された機能不全は、その適用の段階において一連の機能不全を引き起こす原因となる。以下では、この機能不全に関する類型論（typologie）を提示したうえで、租税ガバナンスの改革のた

めの一連の処方箋を導き出すことにしよう。

（一）　租税法律の難解さ

租税法には《錬金術的な難解さ（hermétisme）》というべき現象があり、その適用を複雑にしている。概して租税法規は、遠回しで詰込み式の体裁をとっている。

実際の訴訟においては、租税法律の不明瞭さによって、納税者に対して次のような負担が生ずることが明らかになっている。すなわち、①ストック・オプション制度（régime des stocks-options）に見られるような、無益な複雑さを呈する租税法律。②気まぐれな命名や漠然とした定義。租税一般法典（Code général des impôts : CGI）において、分配された所得（revenu distribué）、分配された配当金（dividende distribué）、分配された収益（produit distribué）のように、状況に応じて名称が変わる《カメレオン配当金（dividende caméléon）》が典型例である（一〇八条以下、一五八条の二、二二三条参照）。場合によっては、定義が存在しないこともある。そのために裁判官は、他の法分野（民法、商法、労働法、会計基準など）から概念の定義を借用する必要がある。③特に地方税制度（fiscalité locale）の分野においてみられる、古色蒼然とした用語法。④そして全体として、租税関係書類（écriture fiscale）の分かりにくさ、といった問題点がある。このほか、租税上の用語が統一されていないことも問題である。たとえば、付加価値税は、明らかに《租税（impôt）》の性質をもつのに、《taxe》の名称が与えられている。また、租税法令の複雑さによって、法令を遵守するためのコストも無視しえないものになっている。

そこで、租税制度の簡素化の方向性として、第一に、ストック・オプションをはじめとして、複雑な条文を明確化すること、第二に、地方四税（quatre vieilles）の関係規定を中心に、ふるめかしい表現の条文を書き改めること、第三に、租税支出に関する規定の定期的な見直しをすること、第四に、管理コストのかかる税目を廃止すること、第五に、納税者の申告の負担を軽減すること、が考えられる。

さらに、フランスでは、諸外国に比して、租税に関する一般法理が確立していないという問題点がある。憲法上の規範（財政関係の組織法律を含む）は、もっぱら法律の審議・議決等の条件について定めており、言い換えると国会の役割に着目した規定が多い。憲法院は、一七八九年人権宣言を根拠にして、累進性の原則、防御権尊重の原則、遡及立法の制限などの一般法理を導いているが、法律レベルでは、技術的規範だけが掲げられている。租税上の一般法理が確立すれば、それが政治的な議論の基礎になりうるし、ひいては国民的な議論につながりうる。また、法律の判読可能性（intelligibilité）やアクセス可能性（accessibilité）は、憲法院判決において違憲理由とされる例はあるものの、実際には十分な適用をみていない。

[235]

(二)　租税の安定性の欠如

租税の安定性を害する要因としては、関係条文の多さや租税法規の改廃の頻繁さのほか、法令の遡及的適用もあげられ、これらに抗して法的安定性を高めるために、租税法の一般原理の確立が求められる。

①　量的な不安定性　法的な安定性（sécurité juridique）なしに、事業活動の自由は保障されない。ところが、租税の条文数の増加、その分量の増大、法令の頻繁な改正などによって、租税法律の不安定性（instabilité）は、正当化しがたいほどになっている。実際、二〇〇三年には、一六〇の新しい条文が創設され、二七九の条文が修正されている。

[236]

②　租税法令の遡及措置の問題点　租税法令の遡及的適用は、常に納税者のリスクにつながっている。これは、企業精神にとって侵害的である。特に、誘導措置を伴う租税契約を期限前に破棄することは、例外的な現象ではない。一九八二年から二〇〇四年までの予算法律において、三五〇の遡及的規定が盛り込まれ、その三分の一は納税

者に不利な内容となっている。また、裁判上違法とされた課税を立法によって追認（validation）したり、判決で不明確性等の疑義が生じた立法について解釈規定（dispositions d'interprétation）を設けて遡及的に適用することによっても、実質的にみて遡及効が認められるのと等しい結果となる。同様に、法令の公布から施行までに猶予期間を置かないことも問題である。実際に、これらの遡及的措置が頻繁に用いられている。

[237] そうした納税者のリスクを考慮して、憲法院の判例は遡及的適用について一定の限定を付している。すなわち、憲法院は、「いかなる憲法的価値をもつ原理や規範も、租税関係規定が遡及的性格を有することを妨げない」と述べつつも、その制約として、刑事罰の不遡及の原理を尊重すること、当該措置に十分な公益上の必要性が存するか、当該措置が憲法上の価値に結びついていること（単なる財政的な利益が存在するだけでは不十分であること）、適用対象を限定し、追認されるべき理由を詳細に示すこと、納税者の既得権を害しないこと、既判力を伴う判決を尊重しなければならないこと、という五つを掲げている。欧州人権裁判所でも、同様の制限が課せられている。今後は、こうした遡及効の制限が強化されることが予想される。

[238] ③　租税法の一般原理の定式化の必要性　　租税契約を強化するために、租税法の一般原理を確立する必要があり、そのためには通常の法律の上位規範を設定するのが有効である。具体的には、憲法改正によって遡及的適用の禁止原則が明確にされるべきであるし、誘導措置を期間途中で納税者の不利益に変更することが禁止されるという原則については、組織法律で明文化されるべきである。他方で、誘導措置を最長五年間とし、その間の変更を禁ずるといった政府方針を掲げることも一方法である。

（三）　租税制度の濫用と重複

納税者の租税に対する同意や信頼を弱める原因となってきた要素として、課税権力による租税制度の濫用と課税対象の重複がある。

①　租税制度の濫用　　租税制度の濫用は、三つの観点から観察できる。まず第一に、時間的な問題として、製薬業の取引量に対する課税のように、一時的な措置とされていたものが永続的な措置になった例がある。また、社会保障債務償還目的税（contribution au remboursement de la dette sociale : CRDS）のように、期限付きの租税が恒常化されたものもある。このほか、租税制度のなかには、例外的措置であるか否かを問わず、適用される例がなかったものもある。たとえば、スリゼ（J. Serisé）によって考案された徴収手続は、一九七四年一二月三〇日法律（七四・一一六九号）として採択され、《スリゼット（serisette）》と呼ばれているが、あまりにも複雑な手続であるために、実際上の適用をみていない。第二に、課税対象に関しては、自動車税（vignette auto）や《一パーセント宿泊税（1% logement）》などにみられるように、特定支出に対して特定収入を充当する制度が採用される例があるが、財政全体の観点からは好ましいものではなく、実際上も必要不可欠な制度であることは稀である。第三に、課税の目的に関しては、不適切な租税メカニズムが採用されたことによって、転用を招く例もみられる。たとえば、本来国際的な租税回避（évasion fiscale）に対する制裁として制定された租税一般法典二〇九条Bは、次第に完全な課税手段（instrument de taxation）になっている。

[239]

②　重複課税の問題点　　さらに、重複課税が問題となる。ひとつの課税客体（assiette）のうえに幾つもの租税を積み重ねることが、フランスの制度の特徴のひとつである。たとえば、資産（patrimoine）は四重の課税を受けている。すなわち、連帯富裕税（impôt de solidarité sur la fortune : ISF）は、すでに二つの不動産税が課されている不動産に課税されており、相続税や贈与税とあわせて、資産価値の増加と譲渡の双方の時点で課税がなされることになる。地方税制度もまた、課税の重複（cumul d'imposition）の原理のもとで設計されており、各レベルの地方公共団体がそれぞれ独自の税率を同一の課税客体に当てはめている。いわば、フランスの特産品として、《租税の

ミルフィーユ（mille-feuille fiscal）》があるわけである。

[240]
（四）行政遅延の原因となっている租税制度

①　租税手続の過重性　租税の申告、納付、および異議申立ては、納税者にとって迷宮（dédale）のようである。納税義務を遵守するためには、申告書類（formulaires déclaratifs）の作成という悪夢のうえに、納税者には戦闘員向けの道程（parcours du combattant）が過酷に課されている。これらの租税手続は、常軌を逸している。もっとも、近時、企業に対して《単一の課税窓口（interlocuteur fiscal）》を設けるという原則が掲げられたことは、良い方向に改善されつつあることを示している。これまで、窓口となる租税官庁は税目ごとに異なっていたが、財務省の組織改革に伴って整理される傾向にある。同時に、租税債権と過誤納付金との相殺も広く認められるようになっている。

[241]
②　紛争解決のための諸制度　フランスでは、租税裁判制度について二元主義（dualisme juridictionnel）が採用されている。課税に関しては、一般に直接税は行政裁判所の管轄に属するのに対して、付加価値税を除く間接税は司法裁判所の管轄とされており、しかも徴収手続については、両者とも原則として司法裁判所の管轄に属している。しかし、かかる二元主義は、比較法的にみても支持しえない。裁判管轄について、法律上の明文を欠く場合があることも問題である。また、租税訴訟の件数は、急激に増加しているが、紛争解決のために著しく長い時間を要することがある。欧州人権裁判所やコンセイユ・デタの判決のなかには、訴訟遅延が納税者の権利を侵害するとして、国の損害賠償責任を認めた例がある。その一方で、訴訟制度を補うものとして、租税調停者（médiateur fiscal）の制度が設けられた。これは、裁判によらない紛争解決方法が時宜を得た形で強化されたものとして、積極的に評価することができる。

[242]

から認識することができる。

（五）法令の過剰による問題

租税法令の過剰が、国の租税戦略の明瞭性（lisibilité）を欠く結果につながっている。これは、次の三つの観点から認識することができる。

①　量的な問題点　フランスには、あまりに多くの租税、条文、文言が存在している。まず租税の過剰についていえば、一年間の日数に近い数の租税が存在している。また条文の過剰については、租税一般法典と租税手続法典には、四〇〇〇近くの条文がある。法令の増加傾向は、疑う余地がない。例えば、一九八〇年の予算法律には二九の租税条項（articles fiscaux）があったのに対し、二〇〇四年には七五の条項が含まれている。租税公式法規集（bulletin officiel des impôts）は、全一四巻で構成され、二万五〇〇〇ページに及ぶ訓令（instructions）をまとめている。文言の過剰については、年ごとに増加する規範に、大量の追加条文（textes-fleuves）が付け加わる。ダロズ社（Dalloz）によって編纂された租税一般法典は、その伝統的な判形で、現在では二六五六ページにも上っている。財務省租税総局によって刊行された基礎資料（documentation de base）は、一九九九年には五九四八頁であったが、一九九〇年当時に比べて二一七〇頁も増えている。

[243]

②　租税支出の問題点　法令の過剰は、特に租税支出において著しい。租税法の例外として、あまりにも多くの非課税・減免措置が認められており、これによって公法人の歳入が縮減している。例えば二〇〇三年には、その税収（produit）が国家予算に割り当てられる租税のみについてみても、四一八の特例措置（dispositifs dérogatoires）を数えていたが、この数字は二〇〇五年の予算法律案では四五二に達した。これらの措置の半分だけでも、五〇〇億ユーロという歳入減を生んでいる。

また、租税徴収以外の事由で租税手法を利用するという租税介入主義（interventionnisme fiscal）に対しては、さまざまな問題点が指摘されている。すなわち、導入当初の正当化事由が存続していないにもかかわらず特例措置が永続化する傾向にあること、その効果について疑問がある場合が少なくないこと、条文の明瞭性に欠けること、租税制度の複雑化・不安定化を招くこと、租税措置の精密化によって過剰な管理コストを要すること、一部の納税者だけが納税義務を負っており、一種の連帯納税制度（corporatisation）に近い側面があること、などである。

こうした状況のもとで、二〇〇一年八月一日組織法律は、それぞれの予算プログラムについて租税支出の評価を義務づけており、これによって、財政支出と租税支出の双方について幅広い議論がなされることが期待される。

[244] ③ 今後の方向性　租税法の再生が、より合理的なガバナンスをもたらす。そのためには、《立法府による租税契約（contrat fiscal de législature）》の手法を用いることが適当である。たとえば、政府が五ヶ年の租税政策の基本方針について、国会とのあいだで合意を取り付けることが考えられる。これによって、租税法の安定化および予測可能性が最小限、確保され、個々の租税措置が整合性を欠く結果になることが避けられる。同時に、国内的な視点にとどまらず、欧州各国との比較において、一定期間の租税政策の当否を検証することが求められる。さらに、租税特例措置について単独の法律ないし法典を制定することが好ましい。

[245] （六）　租税制度の事後評価の不十分さ

① フランスにおける評価制度の遅れ　概して、租税に関する評価制度は拡充している。実際、租税制度の事後評価が、さまざまな機関によって行われている。例えば、各種の行政機関や監察機関、国家租税評議会、国会、経済分析評議会（Conseil d'analyse économique）などである。しかし、現在では評価が義務づけられておらず、評価制度が体系化されていないという問題点がある。

[246] ② 租税制度の事後評価の重要性　租税制度を評価することが、新しい租税ガバナンスの鍵となる。そこで、

三つの観点から改善が図られる必要がある。まず第一に、評価手続を体系化することである。あらゆる租税法令の改正において、評価を義務づけ、なおかつ定期的な検討に付するべきである。第二に、租税情報（données fiscales）へのアクセスを容易にする必要がある。租税情報へのアクセスに関する制約は、専門的観点からの評価（contre-expertise）を活性化することの妨げとなる。租税上の秘密の保護は、匿名化やサンプル収集を否定するものではない。個人情報は、情報と自由に関する国家評議会（Conseil national de l'information et des libertés : CNIL）によって制度的に保護される。第三に、独立した監察機関を設置するべきである。すでに国家租税評議会などが設置されているが、独立性のある評価と自由な公論（débats publics）を可能にするためには、私的団体のイニシアティブによる機関の創設が望ましい。

総じて、真の評価がなければ、租税制度の進化は難しい。租税行政の実施過程において生じたさまざまな異常さは、残念なことに巨額の隠れた経費をもたらす。個人的なレベルで問題視されることはあっても、集団のレベルで包括的な措置が取られることは稀である。

四　租税ガバナンスの改善の方向性

[247] 以上が、本報告書の本論の概要であるが、本報告書はそれに続く結語として、次のように述べている。

「本報告書において行った、租税上の決定とその適用に関する迷宮の旅は、明らかに穏当な確認にたどり着く。すなわち、フランスにおいて租税改革をすることは今なお可能なのか、という問いに対しては、みずからにその方途を与えることができさえすれば可能である、と答えることになろう。現在フランスが最も弱いと思われる三つの段階において、あとに掲げる七つの指導原理（principes directeurs）は、租税ガバナンスを刷新することを可能にするであろう。決定前の段階では協議を推進することによって、国会における議論の段階では租税法律の復権によって、そして決定後の段階では評価によって、それぞれ可能になるわけである。

租税制度はきわめて重要な問題であり、その解決は租税専門家だけに委ねられるべきではない。新しい租税ガバナンスを推進することは、公的活動の機能不全に対応するために、租税の規律に関する新しい原理と新しい態様を創出する必要性を認識することを意味する。このためには、決定の手続において市民社会の関与を認め、議会の反作用的権限（contre-pouvoirs）を拡張し、外部評価を強化することが求められる。ガバナンスの向上のためには、とりわけ事後評価を拡充する必要がある。

そのために本報告書は、さまざまな指標に基づいて租税措置の評価を行うこと（特に、設定された目標に対する実績評価を行うこと）を可能にするために、すべての租税制度改革の評価のみならず、租税措置の定期的な再評価をも義務化することを提言する。また、信頼できる外部監察（expertises externes）を発達させるために、租税情報へのアクセスを容易にすることも提唱する。

本報告書の目玉となる提言は、独立した租税制度監察機関（observatoire）の創設にある。その監視機関は、《決定者、メディア、市民に対して、租税に関する争点（enjeux fiscaux）、および政治経済的な目的のための租税的手法の使い方について、独立した監察結果を提供することにより、公の議論を活発化させること》を使命とする。その実際の活動としては、英国の租税研究院（Institute for Fiscal Studies）にならって、租税法制の改善の提言を公表することが目指されるべきである。本報告書で述べられるいくつかの勧告（recommandations）を受け入れることを通じて、この種の監視機関に向けられた野心的な行動計画（programme de travail）を策定することが可能になるだろう。」

そのうえで本報告書は、租税ガバナンスの変革に向けて、七つの指導理念を提示している。ここでも本報告書は、決定前の段階、国会審議の段階、決定後の段階の三つに分けたうえで、それぞれの改善の方向性について次のように記している。

「① 決定前の段階において、協議の手続を定式化すること。——（a）租税に関する協議の作業を定式化すること。詳細な計画を基礎にして、一般にアクセス可能な形で、最小限の考慮期間（少なくとも一ヶ月）を伴って、体系的で開かれた協議を伴うべきである。（b）租税措置に関する透明な事前評価の論理に従って、公表されるべきインパクト調査を体系的に実施すること。

② 租税契約を確立するために租税法律の復権を図ること。——（a）時の経過に伴って法律を変更しうる条件について、法的な枠組みを設定すること。（b）国会の財政委員会の構成員と租税制度の関係者（租税行政官庁や企業など）とのあいだで、より定期的な接触を図ること。

③ 決定後の段階において、新しい租税ガバナンスの鍵となる、評価の方法を刷新すること。——（a）たとえば向こう三年間についての、あらゆる租税法制の改革に対する評価を義務づけること。（b）租税に関して信頼できる外部監察を活性化させるために、租税情報へのアクセスを容易にすること。（c）経済政策のための税制措置の活用方法や税制上の問題点について、自律的な監察結果を提供しながら、公的な議論を活性化することを目的として、独立租税制度監視委員会（Observatoire indépendant de la fiscalité）を創設すること。同委員会は、評価作業を通じて、租税法制の改善に関する提言を行う。」

第三節　租税ガバナンス論の意義

本報告書は、既存の租税研究やその周辺的環境との関係で、さまざまな連続性を有していると思われる。そこで

[249]

以下では、本報告書が過去および現代の財政研究との関連でいかなる意義を有し、いかに位置づけられるかについて考察しておこう。叙述の順序としては、①現代的なガバナンス論との関係、②従来の財政研究との関係に大別し、あわせて③関連する研究成果を記すことにしたい。なお、以下に述べるところは、フランスでも自覚的に論じられているわけではなく、特に同国の租税研究史との関係が語られることは皆無であるので、あくまで筆者なりの整理であることを付言しておきたい。

一　現代における位置づけ

本報告書の扱う租税ガバナンス論は、現代的なガバナンス論の一種である。先にみたとおり、本報告書自身もガバナンス概念の流行に言及しており、それとの関連性を意識している。そこで、現代の議論状況との関係について、以下にいくつかの項目を掲げておくが、それぞれの項目相互に重複する要素があることは言うまでもなく、それらの連動がまさにガバナンスの概念を構成している。

(一)　現代におけるガバナンス論との連続性

前述のように、本報告書は基本的には、租税ガバナンスを《租税に関する規範が決定・適用される態様》として捉えている。フランスにおけるガバナンス概念の整理に依拠していえば、本報告書では《手続的ガバナンス》に重点が置かれているが、租税行政の効率性といった《道具的ガバナンス》の観点からの考察も含まれている(69)。もともと本報告書は、おもに民間企業のイニシアティブによって創設された機関が主体になっているという事情から、納税者たる企業を保護するという視点が顕著であり、また素材としても企業課税が中心となっている。そのような偏りはあるものの、後者の側面は最近の学説の重点の置き方にも合致しているし、前者の側面は今日の手続的なガバナンス論に沿うものである。

また、近時では、予算制度改革のための基本法律として二〇〇一年八月一日組織法律が制定されており、同組織法律では、企業管理の論理を取り入れたガバナンスの観点が含まれているといわれる。(70)二〇〇一年組織法律は二〇〇六年度からの施行に向けて準備作業が行われてきたところであり、本報告書の作成時期と重なり合っていることから、本報告書も予算改革の動きを踏まえて租税ガバナンス論を展開している。実際、本報告書は、租税ガバナンスの改善を同組織法律に基づく予算改革と連動させるべきであると主張しており、具体的には、次にみる国会の機能等に関する考え方に反映されている。

(二)　財政民主主義の実質化

本報告書は、租税における民主主義を実質化することを志向している。その方途として、まず第一に、協議の重視を掲げている。すなわち、本報告書は、租税上の決定と執行の両場面において、財政民主主義の実質化を図るべきであるという視点を提示している。すなわち、租税ガバナンスの眼目として、租税上の決定に際しての《協議》が求められ、関係団体等々のあいだでの《意見交換》と《情報提供》が重要であると述べている。また、法規範や租税戦略の《明瞭性》が重視され、租税情報への《アクセス可能性》が求められるとしており、さらにその前提として、租税情報の《公開》を推進する必要があるという。他方、二〇〇一年組織法律の制定に前後して、立法関係者や学説は《情報による財政統制》を重視し、国会や国民に対して財政情報が的確に提供されるべきことを論じているが、本報告書も同じ考え方に立脚しているといえる。

第二に、国会の機能のあり方について論及されている。すなわち本報告書は、政府と議会の関係についての本質的な問題を論じており、右の財政民主主義の理解を前提にして、財政に関する国会の基本的な役割が《統制》にあるとしている。また、組織的には、国会両院の財政委員会に期待しており、同委員会のなかに租税関係の専門部会を設置するのが好ましいと述べている。さらに、政府が国会に対して五ヶ年の租税政策の基本方針を提示することも求めている。これらに類する考え方は、二〇〇一年組織法律やそれをめぐる学説に見出しうる。

第三に、納税者との協働の重要性が説かれている。現代のガバナンス論には公私協働の側面が含まれているが、本報告書でも、課税対象としての企業の観点が明確に示され、課税主体である国と課税客体である企業等との交流が重視されている。とりわけ、右に掲げた意見交換や情報提供、それを基礎にした租税契約の実質化を通じて、租税制度を改善するという方途が示されている(71)。

(三) 関係する諸制度との関係

最近の法制度との関係では、次の三点が指摘できよう。まず第一に、政策評価との関係である。本報告書は、租税ガバナンスにおいては《評価》が鍵となる要素であるとして、特に租税上の決定に関する事後評価の重要性を指摘している。政策評価は、最近のフランスでも、行政管理全般において積極的に取り入れられており、二〇〇一年組織法律も予算制度と評価制度の手続的な結合を規定している(72)。本報告書は、こうした実務上の動きを睨みながら、租税の領域で評価の推進を求めている。また、評価に関連して、本報告書は租税手続にかかるコスト（徴税コストないし管理コスト）を重視しているが、これは財産主体としての国家の観念に基づく考え方であり、民間企業におけるガバナンスの関心と重なり合う要素であるといえる。

第二に、紛争解決制度との関係である。本報告書は、租税に関する紛争解決の手段として、訴訟制度のほかに訴訟外の制度をも重視している。まず訴訟制度については、行政裁判所と司法裁判所が並立する二元的裁判制度に対して否定的な評価を与えたうえで、訴訟手続の迅速化を図るべきであるという。また、訴訟制度を補う要素として、財務省の斡旋官を掲げている。近時のフランスでは、行政全般について、行政斡旋官などによる非訴訟的な紛争解決の諸制度が整備されており、本報告書もその流れを汲んでいるといえよう。(73)

第三に、法の簡素化をめぐる動きにも関連している。もともとフランスでは、常々法令の過剰が問題とされており、(74)近時では、《法の簡素化（simplification du droit）》を求める法律が制定されている（二〇〇四年七月二日法律二〇〇三・五九一号）。同法律は、政府に対する授権法律（loi d'habilitation）であり、ほんらい法律で定められる事項について、政令の一種であるオルドナンス（ordonnance）の形式で規律することを認めるものである。その一環として、従来、場当たり的に制定されてきた個別法令を集大成して、各分野に基本法典を作り上げるという、法典化（codification）の作業が推進されている。公法分野では、公的財産一般法典（Code général de la propriété des personnes publiques）が定められたほか、公私協働契約（contrat de partenariat public-privé）などに関するオルドナンスが制定されている。(75)本報告書も、租税法令の過剰性と複雑性を問題視しており、こうした法の簡素化の動きと問題意識を共有しているといえよう。

（69）本書はじめに**一**①[1]を参照。

（70）二〇〇一年八月一日組織法律については、本書第一章第二節**一**（二）[46]のほか、木村「フランスの二〇〇一年『財政憲法』改正について」自治研究七八巻九号（二〇〇二年）五七頁以下、同「フランスにおける予算会計改革の動向」季刊行政管理研究一〇六号（二〇〇四年）二〇頁以下などを参照。**二**④[233]に述べられている財政委員会の重要性につき、本書第一章第三節**二**（二）（1）[83]をも参照。

（71）本報告書の記述は、《納税者基本権》の観点から、歳出・歳入にわたって納税者の統制を確保しようとする、北野教授の《新財政法学》の方向性と共通するところが少なくない。その納税者基本権の立場によると、歳出と歳入が法的な意味で連続的に捉えられ、その具体的な帰結として、法定外の納税者訴訟などが導かれる（北野弘久『納税者基本権論の展開』（一九九二年・三省堂）一四一頁など）。しかし、現行法の理解としては、歳出の違法性が歳入の違法性を導くという意味での法的な連関は、否定されるのが自然である（木村・財政法理論三五九頁以下を参照）。むしろ財政民主主義の枠組みのもとで、歳出と歳入の事実上の連動を捉え、関係制度とあわせて財政を総合的かつ継続的に統制するという視点が重要であり、それが憲法八三条の理念（本書第一章第三節**二**（一）（1）[80]）にも合致すると思われる。もっとも、立法論的には、国の財政に関して納税者訴訟を創設することも考えられるところであるが、現状においては、効率性の観点から財政規範を確立し、会計検査院の機能などを拡充することが先決であり、また現実的であると思われる。以上につき、木村「予算会計改革に向けた法的論点の整理」会計検査研究二九号（二〇〇四年）六六—六七頁をも参照。類似の指摘を含むものとして、藤谷武史「財政活動の実体法的把握のための覚書（一）」国家学会雑誌一一九巻三・四号（二〇〇六年）一四五頁以下。

(72) 政策評価については、前註の拙稿のほか、木村「フランスにおける政策評価」季刊行政管理研究九五号（二〇〇一年）一三頁以下などを参照。

(73) 行政斡旋官については、木村「フランスにおける行政運営の改善の動向——行政斡旋官と電子行政化を中心に」季刊行政管理研究一〇四号（二〇〇三年）二七頁以下を参照。

(74) 法令の過剰化現象に対しては、著名な法理学者であるカルボニエによって、《柔軟な法（flexible droit）》の考え方をもとに批判が向けられている。Cf. J. Carbonnier, Flexible droit, 10 éd., 2001.

(75) 二〇〇四年の簡素化法については、木村「フランスにおけるＰＦＩ型行政の動向」季刊行政管理研究一一〇号（二〇〇五年）五六頁以下を参照。

[252]

二　歴史的な位置づけ

かかる租税ガバナンス論は、歴史的にみると、どのように位置づけられるであろうか。さきにたどった学説史との関係で、いくつかの視点を提示しておこう。総じて本報告書には、従来のさまざまな方法論を融合させつつ、租税を財政の一要素として総合的に考察するという観点がみられるが、そこには、財政に関する総合科目である「財政論」が確立しているという、フランス固有の事情が反映されていると考えられる。

(一)　体系的な観点

本報告書の体系は独特なものであるが、従来の財政研究との関係では、複数の学説との接点がみられる。まず第一に、本報告書の全体構成は、政治的過程の問題と法的問題に二分するものである。この点では、ジェズをはじめとした伝統的な財政理論と共通している。ただし、本報告書では、政治過程の問題に憲法院による違憲審査が含められていることが注目される。手続的には、法律が国会において議決された後、国会議員らによって憲法院に付託されるが、本報告書は憲法院が国会両院の審議に次ぐ《第三読解》の機能をもつとして、憲法院の違憲審査を国会による政治的統制の延長線上に位置づけているわけである。さらに本報告書は、憲法院が租税規範を創造する機能に期待しており、近時の憲法学的な租税研究の成果を取り入れている。

その一方で、本報告書の考察は、広い意味での租税政策論に属するといえようが、その重点は課税のプロセスに置かれており、立法過程と執行過程を含めた《租税過程論》と呼ぶことが可能である。政治過程を含めた決定過程に着目しているという意味では、ラリュミエールの方法論に近いという見方が可能であり、二〇世紀後半における社会学的な財政研究の発展形として性格づけられる。

同時に本報告書は、私法学的な租税研究の成果でもあり、二〇世紀後半に復活した研究方法が反映されたという側面がある。すなわち、私法的取引の主体としての企業の地位に着目し、企業活動の観点から既存の租税制度の問題点を考察するという方法を取っている。本報告書が企業弁護士等の関与のもとで作成されたことも、こうした性格を強める結果となっている。

[253]

（二）　伝統的学説との連続性

以上の体系的な観点とは別に、本報告書の内容に関して、伝統的な学説との接点を求めるとすれば、以下の諸点が指摘できよう。

①　本報告書は、租税法の《一般原理》が欠如していることを問題視している。この点は、一九世紀末のヴァール以来の学説が連綿として提起してきた問題であり、オーリウも租税に関する上位規範の重要性を説いていた。近時では、学説と実務が乖離する現象があるために、こうした一般法理の不十分さが今なお埋められていない。本報告書は、憲法訴訟や租税訴訟を通じてこの種の規範が確立されることを期待しており、これが国民的な討議の基礎になるとしている。

[254]

②　本報告書の指摘する《協議》の重要性は、ジェズによれば、財政の基本原理である《公開》と《討論》に対応する問題として整理されよう。また、納税者との《協働》に依拠した、オーリウの行政管理論も想起される。このように、協働的なガバナンスの思想は古典的学説に起源をもつというべきであろう。さらに、かかる協議の具体化・活性化のために、本報告書は、租税法令の制定過程における諮問機関の役割を重視しており、事後的な評価のためにも外部委員会の創設を提唱している。この点は、ジェズが外部の有識者委員会に期待していたことに通ずる

ところがある。なお、評価自体の重要性については、ジェズによれば、財政の基本原理としての《予測》に含められることになろうが、ジェズの所説においては事後の評価は必ずしも重視されていなかったという違いがある。この点は、ジェズの学説の時代的な限界というべきであろう。

③　本報告書は、協議の実質を確保するために、租税情報の《公開》を重視しており、租税上の秘密主義を相対
[255] 化する方向を示している。こうした公開性の要請は、オーリウの租税論においてつとに主張されていたところである。

[256] ④　本報告書が租税行政の効率性を重視しているのは、租税行政の主体たる国家と私企業とのあいだの近似性を認めることに由来している。これは、近時のガバナンス論の一般的な傾向に即したものであるが、租税に関して想起されるのは、オーリウが租税行政に企業的な側面を摘示していたことであり、かかる企業的国家観が現代において再生されたという見方ができるであろう。

[257] ⑤　方法論的にいえば、本報告書は、フランス法の問題点を探るために外国法をさかんに参照している。比較法的な考察は、フランスの伝統的な法学研究では軽視されていたが、財政研究に関しては、ジェズ以来、他の法領域に先駆けて外国法研究が採用されてきたという経緯がある。もとより本報告書は、欧州共同体の規律や国際課税といった実際的な問題意識に根ざしていることは確かであるが、フランスにおける財政研究の歩みが反映されているという評価も可能であろう。

[258] ⑥　伝統的学説との接点で重要な要素として、租税契約がある。本報告書では、複数の意味で租税契約の概念が用いられ、その実質化を図ることが重視されており、この点でも従来の学説との関連性が認められる。ここで、フランスの租税研究史をいまいちど顧みると、租税契約の概念には二つの意義がある。すなわち、伝統的な学説においては、交換的租税観のもとで、納税者の総体と国庫とのあいだに理念的な租税契約が存在すると考えられてきた。

他方、一九七〇年代以降は、租税の非課税・減免等の対象となる個々の納税者と国庫とのあいだで、具体的な租税契約が締結される例が生じている。本報告書も、この二つの用法を区別して、租税契約の概念を用いている。さらに本報告書では、複数年度にわたる租税政策に関する契約を、国会と政府のあいだで取り交わすことも提唱されている。近時では、予算管理等のために行政機関相互で契約的な手法が用いられることがあり[76]、この種の同一行政主体内部での契約的手法を活用することが主張されているわけである。一般に、ガバナンス論においては契約の重要性が指摘されるところであり[77]、その意味でも、本報告書は現代的なガバナンス論と接点を有している。

(76) たとえば、租税行政における成果契約（contrat de performance）につき、木村・前掲註（70）自治研究七八巻九号一五四頁を参照。

(77) ガバナンスにおける契約の重要性につき、前註の拙稿や本書第一章第二節二（三）（1）[65]などのほか、木村「国有財産の管理委託に関する一考察」千葉大学法学論集二〇巻四号（二〇〇五年）七〇頁以下。

[259]

三　関連する研究成果

本報告書と公表時期は前後するが、財務監察官などを歴任したバリラリ（A. Barilari）は、二〇〇〇年に『租税の同意』と題する単行書を著している[78]。内容的には本報告書と類似の方向性が示されており、彼自身が学界等で幅広く活動していることを考慮しても、本報告書に少なからぬ影響を与えていると考えられる。もっとも、バリラリは租税ガバナンスという用語を直接的に用いているわけではないが、二〇〇五年には『新しい財政的ガバナンス』と題する共著のモノグラフィを公刊しており[79]、二つの著作をあわせて現代のガバナンス論の一角をなしている[80]。そこで最後に、前者についてごく簡単に触れておくことにしよう。

バリラリは、租税に関する歴史的分析から出発するが、時系列的にみると、《公課（tribut）としての租税》から《公的な貢献（contribution）という意味での租税》への変容がみられるという。その前提として、納税者の負担と金銭的利益の相関関係が重視されることになったという経緯を述べている（第一章から第五章）。さらに現代の状況として、租税政策に対する反発から脱税が増加しているという現象のほか、欧米諸国における納税者の反乱（révoltes fiscales）も紹介している（第六章から第一二章）。そのうえで著者は、納税者との協調を図り、《租税契約》の理念を再生させるべきであると主張する。そして、納税者の同意を高めるためには、政治的・憲法的な規範を定立すること、租税行政の技術的な改善を図ること、租税に関する意見交流について新たな手法を模索すること、などが求められるという（第一三章から第一五章）。

かかる自説を展開するにあたって、バリラリは本報告書と同様に、租税法律を実質化すべきであると主張する。同時に、行政全般の改善を通じて歳出の削減を図ることが求められるとしており、歳出改革と租税改革の一体化を唱えている。そのために、国会での審議を充実させ、会計検査院が国会を補助する機能を重視すべきであると説き、また、租税法令の解釈に際して国会の関与を肯定する立場から立法諮問の制度化を論ずるとともに、違法行為に対する《立法による追認》を肯定する立場を示している。あわせて、会計検査院の補助のもとで国会の財政統制がなされるべきであるという考え方も提示されている。(81) さらに、本報告書と同じく、納税情報の公開に積極的な立場を明らかにしている。

総じて、バリラリの著書においては、租税の同意という基本的テーマについて、ジェズが示した租税法律主義の多面的意義が現代的に再構成されているという評価が可能であり、内容的には本報告書と同一の方向性が示されていることになろう。(82)

以上をもって、《租税ガバナンス》という問題設定のもとで展開されているフランスの議論の動向について、簡単な紹介をひとまず終える。筆者の見方を繰り返すならば、かかる租税ガバナンス論は、現代的なガバナンス論との関連から捉えられる必要があるとともに、同国に固有な歴史的文脈のなかに位置づけるのが適当であろう。

その一方で、近時のわが国においても、租税の簡素化や効率性などに関して興味ぶかい議論が存在しており、また納税者保護の観点からの問題提起を含めると、本章で紹介した租税ガバナンス論と実質的に重なり合う要素は少なくない(83)。また、フランスにおいても、本章で紹介した文献以外で、租税ガバナンス論に影響を与えていると思われる論考は数多く存在する。これらの日仏の文献紹介を含めて、フランスにおける租税ガバナンス論の特殊性と普遍性を本格的に考察することは、別の機会に譲ることにしたい。

＊

さて、本章では、租税行政を例に取って、現代のガバナンス論と古典的学説の関係を考察したことになるが、次章では、港湾行政を素材にして、古典と現代の架橋を試みることにしよう。

(78)　A. Barilari, Le consentement de l'impôt, Presses de Sciences Po, 2000. 同書には、予算会計改革に関する二〇〇一年組織法律の制定にあたって中心的な役割を果たしたファビウス（L. Fabius）が、「新たな租税契約に向けて（Pour un nouveau contrat fiscal）」と題する序文を付している。

(79)　A. Barilari et M. Bouvier, La nouvelle gouvernance financière de l'Etat, LGDJ, 2004, p. 95. 同書では、租税契約の語に代えて「財政に関する新しい社会契約」という表現が用いられ、それが国家改革の基礎になると述べられている（ibid., p. 10）。

（80）　バリラリの著書として、このほか、Barilari, La modernisation de l'administration, LGDJ, 1994 ; L'Etat de droit, LGDJ, 2000.

（81）　Barilari, Le consentement de l'impôt, op. cit., p. 105. さらに、本書第一章第三節Ⅰ（一）（1）[72]をも参照。

（82）　このほか、中小企業税制を中心に、租税法例の制定・適用をめぐる国家の《租税戦略（stratégie fiscale）》について論じたものとして次の研究書があり、租税法令の合理性の観点のほか、租税法令の適用にあたっての会計士等の活動主体の役割にも触れられている。実質的には、本報告書の記述と共通する要素が少なくない。R. Chotin, Le fisc, la petite entreprise et l'espert comptable : jeux d'acteurs et stratégies judicieuses, LGDJ, 1994.

（83）　租税における効率性や簡素化に触れる日本の文献として、金子・前掲註（28）租税法八九頁、水野・前掲註（28）租税法一二六頁のほか、田中二郎『租税法〔第三版〕』（一九九〇年・有斐閣）九一頁、貝塚啓明『財政学〔第三版〕』（二〇〇五年・東大出版会）二一七頁以下。

　法令上は、昭和六三（一九八八）年の税制改革法（法律一〇七号）三条において、租税の「公正」と「中立」とともに「簡素」の原理が示されて以降、税制の簡素化が目指されているが、これに前後した論考として、水野忠恒「税制簡素化の方向」ジュリスト七一五号（一九八〇年）九二頁以下、増井良啓「簡素は税制改革の目標か」国家学会雑誌一〇七巻五・六号（一九九四年）五四八頁以下などがある。

　判例においても、効率性に言及される例が増えているように思われるが、とりわけ相続税等の財産税の評価基準に関して、効率性の要請に触れる判決が目につく。その例としては、不動産取得税に関する最判昭和五一・三・二六集民一一七号三〇九頁、相続税に関する東京地判平成一三・二・一五税務訴訟資料二五〇号八八三六頁などをあげることができる。これに対して、固定資産税に関する最判平成一五・六・二六民集五七巻六号七二三頁は、効率性に特に言及していない。このうち、前掲東京地判平成一三・二・一五は、法制度の説明ではなく、実定法を超えた解釈原理ないし《法の一般原則》として効率性を掲げているようにもみえる。他の諸判例を含めて、詳しくは、木村「行政の効率性について――実定法分析を中心とした覚書き」千葉大学法学論集二一巻四号（二〇〇七年）一五五頁以下を参照。

第四章　オーリウがみたフランスの港湾制度
——個別の行政分野における古典と現代

［細目次］

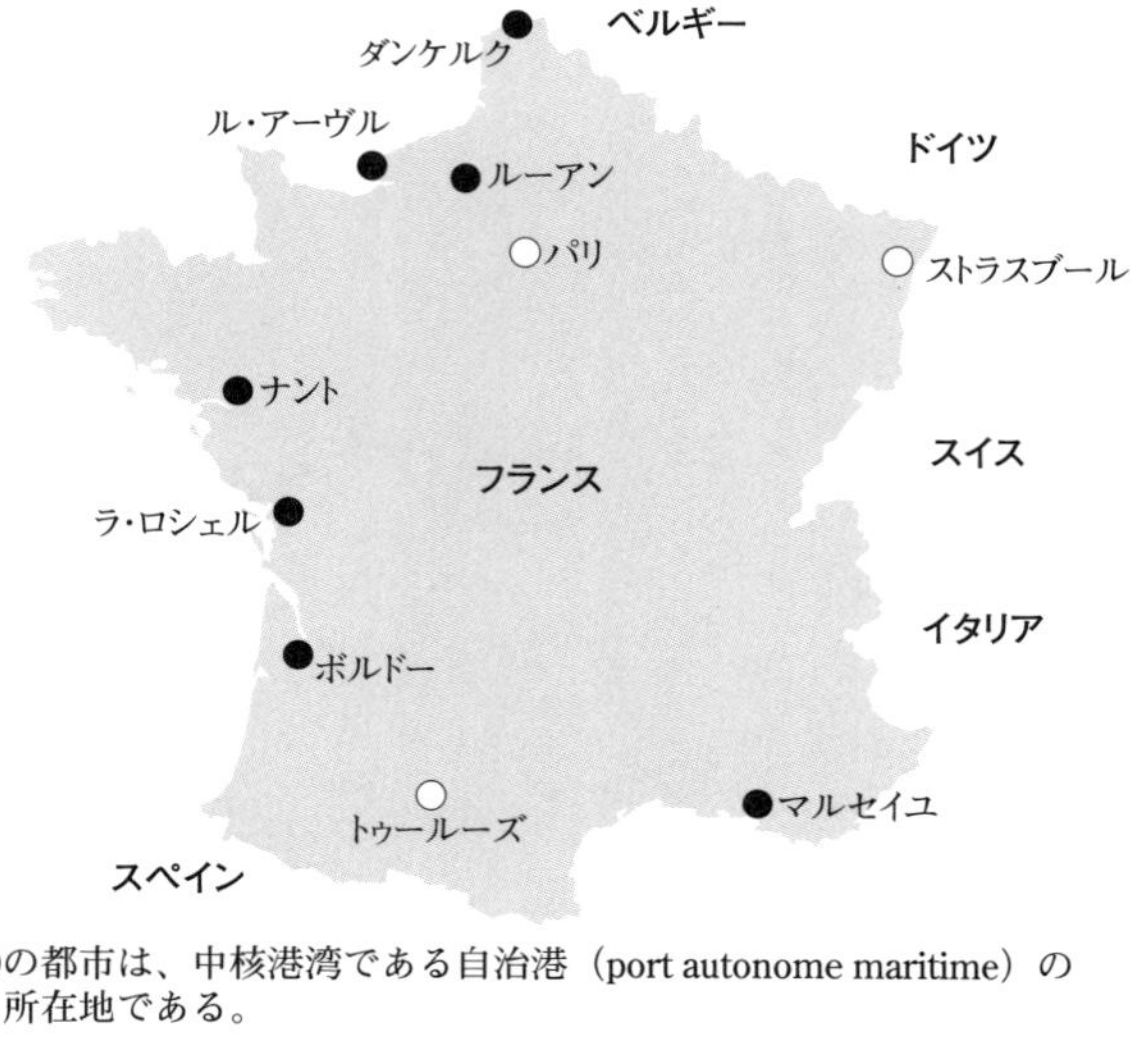

●の都市は、中核港湾である自治港（port autonome maritime）の所在地である。

序説　問題状況の概観

本章では、前章までの考察をうけて、個別の行政分野においてオーリウらの古典的学説が有する意義を考察する。もとより本書では、すべての行政分野について考察することはできないので、以下ではその題材として、港湾法ないし港湾行政を取り上げることにしたい。

ところが、そのような問題設定は、オーリウ学説ないしフランス港湾法のいずれかを多少なりとも知る読者にしてみれば、おそらくは奇妙に映るであろう。そのような反応を想定しながら、はじめに二つのコメントをしておこう。まず第一に、オーリウは、生涯を通じて主に行政法を論じながらも、港湾行政については多くを語っているわけではない。しかし彼は、公法の一要素として港湾関係法があることは明確に意識しており、しかも現代の港湾管理を先取りするような考え方を潜在させている。もともと港湾法は、今日まで公法学の考察の対象とされることが少なかった領域であり、筆者はその公法学的な研究の必要性を感じているが、オーリウはそのような問題意識を早くから抱いていたとさえいえるのである。(1)

第二に、地理的な条件についていえば、オーリウが研究の拠点としていたのは、フランス南西部の内陸都市トゥールーズであり、彼は長らくトゥールーズ大学法学部教授の地位にあった。現在、港湾法の教育がさかんな大学は、主として港湾を擁する地方都市に位置していることを考えると、(2)オーリウが港町から離れて活動していたことは、フランスの港湾法研究の発展にとって不幸な結果をもたらしたように思われてならない。ちなみに、今日のトゥールーズでは航空機産業が発展しているが、港湾と同じく交通手段に関わる産業であるという意味では、歴史の皮肉というべきであろうか。

他方、ガバナンスの観点からすると、もともと港湾は、公私協働の先駆的存在であり、しかも早くから現代的な効率性が求められてきた。すなわち、港湾運営には、港内の秩序維持などの警察的権限の行使のほか、埠頭の設置・管理のように民間企業もなしうる管理的行為が含まれている（実際、地方公共団体などの港湾管理者が提供する公共埠頭のほかに、鉄鋼や石油関連の民間企業が独自に設置・管理する専用埠頭も存在している）。さらに埠頭用地とその周辺では、荷役事業や倉庫業などが営まれており、これらは背後の流通市場と結合している。このように、港湾とその周辺は、公的事業と私的事業が複合的に存在している領域である(3)。しかも、もともと港湾管理には、埠頭整備等の事業を通じて収益を確保するという経営的な要素が存在しており、とりわけ近年では、港湾の国際競争力を高めるという社会的要請があるために、港湾管理の効率性が強く求められている。これらの意味で、港湾管理はガバナンス論の格好の素材となるのである(4)。

そこで、本章ではオーリウ学説と港湾法について検討するが、内容的には、紙幅の都合上、分権的行政の意義との関係で、港湾管理の基本原理に関する問題を中心に論ずることにしたい。もとよりオーリウ学説の港湾法における意義を論ずることは、彼の学説の本質に関わる難問であるが、本章の記述は、オーリウ学説を個別の行政分野において活用するための序論的な考察であり、その応用可能性が示されれば、さしあたっての目的は達せられることになろう(5)。

（1）　筆者は、すでに一連の港湾法研究において、オーリウらのフランスの学説が日本の港湾法の解釈論・立法論において有する意義を析出している。木村「国有財産の管理委託に関する一考察——港湾管理を素材としたガバナンス研究」千葉大学法学論集二〇巻四号（二〇〇六年）七〇頁以下、同「港湾の公物法上の位置づけについて」千葉大学法学論集二〇巻二号（二〇〇五年）二三三頁以下、およびそれらに引用した拙稿をも参照。

なお、本章では、港湾の専門家を念頭においた叙述をするわけではないので、フランスの港湾制度に関する第一次資料は原則として引用しない。詳しくは、右の拙稿に掲げられた仏語文献を参照ねがいたい。

（2）参照、木村「フランスの大学における港湾法教育」港湾二〇〇五年四月号五二頁以下。

（3）公私協働の観点からみて港湾が先駆的意義をもつことにつき、木村「フランスにおける公物制度の機能的分析」千葉大学法学論集二〇巻一号（二〇〇五年）一五七—一五八頁。

（4）港湾管理に関しては、わが国でもふるくから、民間企業に類似した《経営》の概念が用いられていたことにつき、木村・前掲註（1）千葉論集二〇巻四号一三八—一四〇頁を参照。かかる経営の概念がガバナンスの一要素を構成しているのであるが（本書はじめに註（39）参照）、さらに、世界各国の港湾整備に関わっている世界銀行の報告書が、ガバナンスの概念を先駆的に用いたことは（同じく註（2））、港湾とガバナンス論の密接な関係を示唆している。

（5）オーリウと同時代のジェズの学説については、筆者はその港湾法学に対する意義を、別に論じたことがある（木村・前掲註（3）千葉論集二〇巻一号一五四頁以下）。本章では、ジェズの港湾法への貢献は、オーリウとの関係で最小限の指摘をするにとどめる。

総じて、ジェズもまた、オーリウと同じように港湾に関して多くを述べていないし、港湾法の重要な要素となる公物法についても、概説書のなかでの記述は相対的に少ないが、港湾との関係で公物を論じた判例評釈が、その後の学説の展開にとって重要な役割を果たしている。Cf. Jèze, note sous C.E. 5 mai 1944, Compagnie maritime de l'Afrique orientale, RDP 1944, p. 241, concl. B. Chénot. なお、財政概説書の補助金論のなかで、海運業者に対する補助金がもつ歴史的意義に触れる記述として、Jèze, CESF 1912, p. 503.

第一節　フランスの港湾制度の概要

[262] はじめに、現在のフランスにおける基本的な港湾制度について、以下の説明の便宜のために、最初にごく簡単にまとめておくことにしたい(6)。わが国では、港湾というと、海洋に面した港である海港（ports maritimes）だけが連想されがちであるが、フランスを含めたヨーロッパの大陸諸国では、河川交通が発展しており、河川上の港湾である河港（ports fluviaux）が多数存在している(7)。

一　海港の諸制度

まず海港については、港湾の規模や重要度に応じて、自治港（ports autonomes）・重要港（ports d'intérêt national）(8)・地方港（ports décentralisés）に区別されている。これらはいずれも、港湾法典（Code des ports maritimes）によって規律されている。

[263] ①　自治港は、最も重要な港湾七つ（ボルドー、ル・アーヴル、ダンケルク、マルセイユ、ルーアン、ナント＝サンナザール、および海外領土のグアドルプ）のそれぞれについて、独立の法人格を有する港湾機関が専属的に管理するものである。沿革的には、一九六五年六月二九日法律に基づいて、次の②に掲げる重要港の管理形態から、これら七港湾の管理を切り離したものである。その港湾管理機関は、自治港公団と呼ぶべき独立の法人である(9)。なお、二〇〇六年一月には、ラ・ロシェルが新たに自治港に指定されている。

②　重要港は、自治港に次いで重要な港湾であり、フランス本土で一七港が指定されている。その管理の形態と

しては、ほんらい国などの行政主体が有する管理権限を、公役務特許（concession de service public）の手法によって、特許事業者に委ねる方式が用いられている。重要港では、伝統的に各都市の商工会議所（chambres de commerce et d'industrie）が原則的な港湾管理者となっている。

③　地方港は、地方公共団体が管理するプレジャー港や漁港（商港以外）であり、今日では原則として市町村が管理者となっている。

あえて日本の制度との対応関係を図式化して述べるならば、フランスの自治港が日本の特定重要港湾（二三港）、同じく重要港がわが国の重要港湾（一二八港）にそれぞれ相当することになろうが、そう考えると、フランスでは日本よりも港湾の数が相当に限定されていることになる。

（6）　フランスの港湾制度の詳細については、空港や道路との比較を含めて、木村「フランスにおける運輸行政の動向——地方分権改革と財政的統制を中心に」千葉大学法学論集二一巻一号（二〇〇六年）一一五頁以下などを参照。

（7）　一般に河川交通は、ヨーロッパのように地形が平坦で、なおかつ年間を通じて降水量が安定し、河況係数の小さい地域で発展するものであり、わが国のように山がちな地形で、降水量の季節変動の大きい国では、船舶輸送にとって河川の利用価値は乏しい（参照、仁科淳司『やさしい気候学』（二〇〇三年・古今書院）九六頁）。もっとも、日本でも、近世までは河川が重要な交通手段であったが、船舶が大型化した明治期以降、内陸交通は鉄道などの新しい輸送手段に代わられるようになった（参照、松浦茂樹『国土づくりの礎』（一九九七年・鹿島出版会）一二二頁以下）。

したがって、フランスにおける河港の存在自体は、今日のわが国の運輸行政にとっては直接的には参考に値しないであろう。しかし、同国における改革の流れをみると、河港が海港に先行しており、なおかつフランスの河港では日本の海港制度に近い仕組みが早くから採用されてきたので、わが国の港湾の諸問題を考えるうえでは、フランスの河港制度が重要な材料を提供すると思われる（参照、木村・前掲註（6）千葉論集二一巻一号一四〇頁以下）。またオーリウも河港管理について触れているので、以下で最小限の説明をすることにしたい。

さらに、河港自治港の制度が、海港を含めた自治港制度の先駆的存在であったことにつき、木村「ストラスブール港の誕生史からの示唆——国と港湾の関係の現代フランス的モデル」港湾二〇〇三年三月号五二頁以下。

（8）　重要港は直訳すると《国家的重要性を有する港湾》であるが、その特許付与権は、二〇〇四年八月一三日法律（二〇〇四・八〇九号）によって、国から州に移譲され、法令上は《重要港》の名称も消滅している。ところが、実務上は従来の名称が便宜的に使われることがあるので、本書でも旧来の用語法を用いる。

（9）　国と自治港公団の関係については、重要港の場合と同様に、法令に基づいて前者から後者に対し特許権を付与する関係であると考えられている。

二　河港の諸制度

他方、河港は、自治港公団によって管理されるものと、それ以外の河港に大別される。いずれも基本的には、海港の場合とほぼ同様の制度が採用されている。

①　河港のうち輸送上重要なものについては、国の権限のもとに置かれている。実際には、パリ港とストラスブール港が重要河港に指定され、独立した法人である河川自治港公団が創設されている。これは、海港の場合の自治港とほぼ同様の仕組みである。

②　パリ港とストラスブール港以外の河港については、原則的な権限を有するのは州であり、州が河港の開設を決定し、港湾管理者に対して港湾管理の特許権を付与する。海港における重要港と同様に、所在都市の商工会議所が特許事業者となっている場合が多い。

③　以上にみたのは河港の管理であるが、河川航路については、フランス内航路公団（Voies navigables de France : VNF）によって管理されている。

[265]

第二節　港湾に関するオーリウの学説

ここでわれわれの視点を、現代からオーリウの時代に移すことにしよう。以下では、港湾に関わるオーリウの学説を、分権の意義、公施設法人および自治港公団のあり方、公私協働の意義に分けて概観する。

一　複数の意味での分権

オーリウは、行政全般について、《分権（décentralisation）》には複数の形態があるとしている。すなわち、地方公共団体に権限を委譲するという意味での《地方分権（décentralisation territoriale）》のほかに、行政事務ごとの分権というべき《役務分権（décentralisation par service）》があるとしている。後者は、とりわけ公施設法人（établissements publics）を創設することによって、国の行政事務を分掌させる方法である。わが国でいわれるところの分権よりも広い意味で、実質的な分権が語られていることに注意を要する(10)。

ここにいう公施設法人は、日本でいえば特殊法人や独立行政法人、ないしは地方公社に相当する存在であり、国などの行政事務の一部を分掌する独立した法人である。創設主体によって、国の公施設法人と地方の公施設法人に大別される。今日のフランスの主要港湾を管理する自治港公団や商工会議所は、いずれも国の公施設法人としての性格が与えられている。河港を管理する河港自治公団や、河川航路を管理するフランス内航路公団も同様である。

オーリウは、研究生活の初期にあたる一八九五年に、地方分権よりも役務分権を重視するべきであるという立場を明らかにしている。以下に、その主要部分を訳出しておこう。

「課題となるのは、下級行政に政治的権力を与えずに、行政事務を分権化することである。われわれは既に十分な政治的分権を得ているのであり、こんにち求められているのは行政事務の分権である。もし大都市の市長に多様な役務を管理する権限を与え、市町村議会に課税権を認めるとすれば、選挙の状況によって中央政府から独立した施策を実施することになるだろうが、これは役務に次ぐ役務の創設という安易な傾向を生ぜしめるだろう。……社会党の指導者は、郡（cantons）に権限を委譲することを提唱しているが、私は懐疑的である。

これに対して、公施設法人による分権化は、公施設法人に対する行政的後見や政治的専制を除去すると同時に、地方債務の著しい増加を押さえることになるだろう。これは、立法や権限の大きな改革を伴わないで実現できる。現に、公的扶助や高等教育において既に採用されている。このような役務分権の利点は、次の二点にある。まず第一に、市町村（communes）や県（départements）の結合が、現実の利益に応じて自由かつ柔軟になされることである。これは、行政区画が機械的に仕切られていることと対照的である。第二に、公共団体間の結合によってなされる活動は、公施設法人としての活動であるから、政治的性質を持たない。これは市町村組合（syndicats de communes）の現実をみれば明らかだろう。しかも、公施設法人は、国の適切な監督のもとに置くことができるのである。[11]」

ここでオーリウは港湾には直接触れていないが、後述のように、上記の考え方が自治港公団の創設に対する好意的な評価につながっている。ちなみに、彼の影響をうけた同時代の行政法学者ベルテルミ（H. Berthélemy）は、類似の認識のもとで、地方では選挙対策として、ル・アーヴル港やボルドー港をはじめとした五大港湾以外の中小港湾に対する投資が増大して財政支出が分散し、国内港湾の総体的な能力が低下していることを嘆いている。[12]

このように、分権の手段としての公施設法人を位置づけ、役務による分権を図るというオーリウの考え方は、その後の著作においても維持されている。すなわち、集権には民主性や経済性・効率性等の観点から利点はあるが、問題解決に時間がかかるなどの弊害もあることから、集権との均衡を図るように一定の分権が求められるという。そこで、国の行政事務を公施設法人に委譲する傾向は宿命的なものであると述べ、かかる役務分権の例として、一九一二年二月二七日法律によって創設された内航管理機構（Office de la navigation intérieure）をあげている。[13] この内航管理機構は、本土全体の内航河川の維持管理を行う機関であり、今日のフランス内航路公団の前身である。

そのうえで、晩年のオーリウは、役務による分権化を充実させるために、公施設法人に対する法的規律を弾力化するべきであると主張する。この点を次にみることにしよう。

（10） ガバナンスの観点からすると、こうした広義の《分権》とあわせて、同一の行政主体内部における事務の《分散（déconcentration）》が重要であり、両者の組み合わせが課題とされるべきである（本書第一章第三節二（二）（1）③[85]のほか、木村・前掲註（1）千葉論集二〇巻四号一〇五―一〇六頁を参照）。

（11） M. Hauriou,《La décentralisation par les établissements publics》, RPP 1895, tome 4, p. 56 et s. 初期オーリウの分権論については、さらに木村・財政法理論八二頁以下をも参照。

（12） H. Berthélemy, Traité de droit administratif, 10 éd., 1923, p. 706.

（13） Hauirou, DA 9, p. 174-175.

[266]

二　公施設法人に対する規律の弾力化

伝統的な行政法学説は、公施設法人について《事業特定の原則（principe de spécialité）》ないし《役務の単一性（unité de service）の原則》を掲げ、それぞれの公施設法人の活動を特定の範囲に限定することを求めてきた。これに対してオーリウは、公施設法人の事業対象を柔軟に設定できるようにするために、事業特定原則を疑問視し、《役務の技術的性格（caractère technique du service）の原理》に置き換えるべきであると主張する。晩年の行政法概説書において、いわく。

「これまで、それぞれの公施設法人は、単一の公役務を担うものとされ、それが行政上の特定性を意味するとされてきた。たとえば、病院は患者の治療を行うだけであり、慈善福祉機構（bureaux de bienfaisance）は貧窮者の公的扶助を行うにすぎないといった形である。このような役務の単位性によって、公施設法人は他の行政主体（県や市町村など）と区別できるとされてきた。つまり、県や市町村は、複合的な役務を担っているという点で、公施設法人とは異なるというのである。

ところが近時では、複合的な公役務を担う、新しい類型の公施設法人が出現している。いくつかの例をあげよう。まず第一に、一八九〇年三月二二日法律に基づく法改正により、市町村組合は、病院・療養所・慈善事業など、市町村にまたがるさまざまな役務を担うようになった。第二に、一八九八年四月九日法律によって再編成された商工会議所がある。第三に、一九一〇年四月一三日法律に基づく療養院、そして第四に、一九一二年一月五日法律に基づく自治港公団がある。このほか、慈善福祉施設に小学校が併設される例も出現している……。私は、公施設法人は分権の手段であると考えており、それは、公施設法人においては決定権（pouvoir de décision）と技術的能力

(compétence technique) が近接するという意味においてである。それゆえに、公施設法人には、技術的性格という要素が不可避的に結合している。……以上のことから結論的にいえば、公施設法人に確固たる基礎を提供するのは、役務の技術的性格の原理のみである(14)［傍点木村］。」

ここで、事業特定原則を緩和させた例として、港湾の管理主体である商工会議所と自治港公団があげられていることが注目される。このうち商工会議所については、一八九八年四月九日法律によって包括的な権能が与えられるようになり(15)、オーリウもこれに着眼しているわけである。そのなかには、国の委託に基づく公役務の管理が含められており、今日に至るまで重要港湾や地方空港が原則として商工会議所によって管理・運営されている。同時に、この法律によって、商工会議所の事業に対する国の後見的監督（tutelle）も制度化されるようになり、行政の担い手としての商工会議所の位置づけが明確にされるようになった。

その一方で、自治港公団については、オーリウは多くを述べていないが、以下で自治港制度の沿革をたどったうえで、右の引用文の意義を考察することにしよう。

（14） Hauriou, DA 10, p. 303-304, note.

（15） とりわけ、一八九八年四月九日法律一一条、一四条、一五条を参照。現在では、商法典L七一一条の一以下において規定されている。

三　自治港制度に対する評価

フランスでは、伝統的に商工会議所が主要港湾を管理していたが、一九二〇年代以降、中核的機能をもつ港湾が自治港に再編され、そこに国の機関が中央集権的に介入・支援していく仕組みが整備されていく。自治港を最初に根拠づけたのは、一九一二年一月五日法律であるが、同法律はあまりにも複雑な規定であったことから実際の適用はなく、一九二〇年六月一二日法律によって置き換えられ、この一九二〇年法律に基づいて一九二四年にル・アーヴル港とボルドー港が初めて自治港に指定されることになる。さらに第二次大戦後になると、港湾の国際競争力を高めるために国の財政的支援を強化するべく、一九六五年六月二九日法律が制定され、自治港制度の整備・拡充が図られた。すなわち、同法律に基づいて、マルセイユ、ナント＝サンナザール、ダンケルク、ルーアンを加えた六つの港湾が新たに自治港に指定され、これらは今日の港湾制度の骨格をなしている。

この自治港の制度についてオーリウは、一九一二年法律の制定直後に改訂された行政法概説書のなかで、公土木事業（travaux publics）のひとつとして概略的な説明をしているにとどまるのであるが、「長らく待ち焦がれられていた法律」と形容していることが目をひく。[16] 彼にとって自治港公団の制度は、役務分権を具体化し、事業特定原則を緩和したものであり、公施設法人の理想的なモデルとして捉えられているわけである。

すなわち自治港公団は、狭義の港湾管理のほかに、港湾関連用地の開発などを広く担うこととされており、これが伝統的な事業特定原則を緩和した例として評価されている。また、公施設法人において《決定権と技術的能力の近接》が図られるというのは、しばしば自治港の創設の利点としても語られているところである。[17] つまり、従来からの重要港の管理においては、特許権者である国と特許事業者である商工会議所とのあいだで決定権限が分断され、迅速な決定がなしえないという問題点が指摘されていたところであり、自治港公団の創設によって、港湾のインフラ整備と関連事業が同一の事業主体によって一元的に行われるようになったのである（現行港湾法典L一一一条の二参照）。いずれにしても、当時の大多数の行政法学者と異なり、オーリウがいち早く自治港制度を概説書に取り込んでいることは、強調されてしかるべきであろう。

(16) Hauriou, DA 8, p. 826.

(17) 参照、木村・前掲註(1)千葉論集二〇巻四号一〇五頁、一一八頁。

四 港湾における公私協働

ここで、オーリウが行政法の一般原理として、《公私協働(collaboration entre public et privé)》の理念を採用していることが想起されるべきであろう。(18) オーリウによれば、行政管理(gestion administrative)とは、一般に「公役務の執行のために行政と私人のあいだで確立された協働・協力、つまり特殊な結合」と定義される。具体的には、民間企業に対する補助金交付などを通じて、公益を拡充することが求められる。特にフランスでは、補助事業の先駆的存在は、社会福祉事業と海運事業であったとされる。またオーリウによれば、公施設法人には、わが国でいう土地改良事業を行う地権者組合(association syndicale de propriétaires fonciers)などが含まれ、かかる経済的事業を公的な事業として吸収することを通じて、行政が担うべき《共同の利益(bien commun)》を拡大するという意義をもっていたのである。(19)

オーリウにおける公私協働の考え方は、分権論の一環としても位置づけられている。すなわち、初期の役務分権の考え方は、商工会議所などを通じて行政に民間事業者が関与することを含意していたが、晩年には分権論を《公益の管理(administration d'intérêt public)》の理論に発展させ、広く公益事業者を行政の補助者として位置づけるようになる。そこでは、公施設法人のみならず、私企業による公益的事業も分権の一種として位置づけられ、《公益事業者による分権》の考え方が示される。(20) そして、行政主体と民間の公益事業者との《協働》の重要性を指摘しながら、この種の団体の創設・活動等の自由(自律的管理)を認める反面で、行政主体による監督の必要性を強調し、両者の《均衡》が図られるべきであるという。[21]

さらにオーリウは、商工会議所が港湾管理者となる場合を含めて、公役務の特許における行政（当時の港湾の場合は国）と特許事業者（同じく商工会議所）との関係が、「家庭における夫婦的な関係に近い」と述べている。[22] そのうえで、公役務特許の具体的な分析としても、港湾事業に関する判例を数多く取り上げている。[23] また、港湾においては、港湾運送事業者などの民間事業者の公益的な活動が求められるという問題意識が、同時代の公法学者ジェズとのあいだで共有され、港湾に関わる民間企業の貢献によって公役務の良好な運営を図るという考え方が示されている。そのうえで彼らは、港湾施設を含めた公物（domaine public）に関しては、伝統的な学説に抗して、《秩序維持》のみならず《公益最大化》が求められるという原理を承認し、公物の有効な利用が追求されるべきことを明らかにした。[24] 港湾の公私協働的な側面について付言すると、オーリウが好意的に評価したフランスの自治港公団は、商工会議所による港湾管理の伝統を引き継いで、商工会議所のメンバーを理事会の構成員としているほか、労働組合を含めた利益代表的な性格を有している。[25]

以上に述べたことに鑑みると、当時の公法学では港湾がほとんど関心の対象とならなかったにもかかわらず、財政や公物、あるいは公私協働に関心を持つオーリウやジェズが港湾に注目していたことには、一種の必然性があるというべきであろう。

（18）　オーリウの公私協働論につき、木村・財政法理論一九〇頁、二五九頁以下のほか、本書序論第二節二[13]、第一章第一節一（二）⑤[29]以下をも参照。
（19）　参照、木村・財政法理論一二二頁以下。
（20）　Hauriou, DP 1, p. 493 et s.; DA 9, p. 402 et s.

(21) オーリウは、サンディカリスム（syndicalisme）として、組合による公益管理行政の可能性を論じ、その一方で組合に対する監督の必要性を説いている（DP 2, p. 750, et 756 et s.）。また、私的団体を公施設法人に変容させるには、行政的強制が必要であるとする（DC 1, p. 127, note 2）。さらに、本書第一章第三節二（二）（2）[87]をも参照。

(22) Hauriou, JA 3, p. 437.

(23) Hauriou, DA 12, p. 1016, note 2 et p. 1038-1040. Cf. DA 6, p. 357.

(24) ジェズの公物理論につき、木村・前掲註（3）千葉論集二〇巻一号一五四頁以下。オーリウの公物理論につき、港湾における収益最大化の考え方を含めて、Hauriou, DA 9, p. 790-791 ; DA 12, p. 864. さらに、本書第一章第一節一（二）④[28]をも参照。

(25) 参照、木村「フランスにおける港湾管理の改善——その先駆的存在としてのルアーヴル港」港湾二〇〇三年八月号五一頁。

第三節　現代における港湾管理との連続性

[269]

以上にみたオーリウの考え方は、現代の港湾管理に対して、いかなる意義を有するであろうか。ひとことでいえば、分権の意義を柔軟に解し、公私協働的な側面をも認めることを通じて、機能的な港湾運営を可能にする素地を提示しているといえる。つまりオーリウによると、港湾管理の技術性によって独立した港湾管理主体（自治港公団など）の創設が正当化され、なおかつこうした組織編制によって、政治的な影響に直接さらされることなく、行政区画を超えた広域的な港湾管理が可能になる。さらに、自治港公団等の公施設法人に対する規律を弾力化することなどを通じて、公私協働の理念を具体化しつつ、効率的な行政運営がなされうる。現代的に言い換えると、港湾管理に民間的な管理手法を導入したり、港湾間の連携を図ったりすることが可能になるわけである。

実際の法制度に即していえば、公施設法人には、国が創設するものと地方公共団体が創設するものがあるが、オーリウは前者を優先させており、フランスの自治港公団もその形態を取るようになった。この点は、英米や日本との相違点である。また、自治港公団のなかには、ナント＝サンナザール自治港をはじめとして、複数の自治体にまたがって港湾を管理する例もあり、オーリウの示唆するように、わが国でいえば一部事務組合に相当する機能を有している。さらに、特に大規模港湾が集中する北部フランス地方では、自治港を通じて港湾間の連携もなされている。わが国でも二〇〇四（平成一六）年に改定された『港湾の開発、利用及び保全並びに開発保全航路の開発に関する基本方針』において、広域的な港湾管理や港湾間の連携の重要性がいっそう明確に示されるようになったところであり、日仏両国に共通した実務的な課題が見出せる。

とりわけ、わが国では、第二次大戦直後の港湾法の制定によって、きわめて急激に分権化が進められたという事情がある。すなわち、港湾管理者はすべて地方公共団体（本来的には、地方公共団体が設立する港務局）とされ、国が港湾施設を直接管理することが全面的に排除されたのである。(26) こうした分権化の弊害として、港湾相互の連携・協調が不十分になったことが指摘されている。これに対してフランスでは、国の公施設法人である自治港公団が中核港湾を管理しているので、日本よりも国の機関を通じた政策的連携が容易になっているが、それでも会計検査院などから、港湾相互の連携の不十分さが厳しく批判されている。(27) このように、オーリウの提起した問題は、古今東西を通じて普遍的に存在しているのである。

次に、オーリウが問題にしていた公施設法人の《事業特定の原則》は、一九九〇年代になって緩和され、自治港公団が子会社を設立することなどが認められた。この結果、自治港公団が子会社を一種のＰＦＩ事業者として、コンテナターミナルを一体的に管理させることが可能になると同時に、複数の自治港公団が共同して子会社を創設し、連携して事業運営を行うことなどの道が開かれた。(28) また、最近のフランスでは、重要港についても港湾管理の自由化が模索されており、二〇〇六年の法改正により、公的資本によって創設される私法上の会社が、商工会議所に代わって港湾管理を行う制度が形作られつつある。(29)わが国でも、同じく二〇〇六年に「外貿埠頭公団の解散及び業務の承継に関する法律」が改正され、埠頭公社に対する規制の緩和がなされているが、これもフランスの改革と同一の方向性をもつといえる。本書の観点から指摘すべきは、この種の問題について、オーリウが公益事業者に対する《自由と規律の均衡》という観点から既に問題提起をしていたことであり、これらはもっぱら最近の傾向と捉えるよりは、歴史的に共有されてきた問題のひとつとして位置づけるのが適当であろう。

もともと港湾には、フランスのみならず日本においても、公私協働的な作用が不可欠であり、港湾管理者のほかに多数の民間事業者が公益的な事業を行っており、特に今日では、大規模ターミナルオペレーターなどの民間事業者の活動が必要不可欠となっている。また、港湾行政の関心も、埠頭などの港湾施設のみならず、背後の物流空間にまで広く及んでいるのが現実である。その意味で、港湾管理には今後いっそう公私協働的な発想が求められるのであり、オーリウの港湾に対する関心にも、そうした観点が含まれていたわけである。

さらに公物管理との関係でも、オーリウらの考え方に沿う形で、近時、公物の有効活用のため法改正が続いている。すなわち、一九九四年の国有財産法の改正によって、公物の不融通性を緩和して、公物に対する物権の設定が可能になったが、そこでは港湾施設への民間企業の投資が主に念頭におかれていた。さらに二〇〇四年以降、自治港公団のような公施設法人の庁舎を公物から除外するなど、公物の範囲を縮小し、その規律を弾力化する法改正がなされている。(30)これらは、ＰＦＩ的な制度を含めた公私協働的な仕組みを柔軟に導入するための受け皿でもあり、公物における収益ないし便益を拡大させる手段となっている。

このようにオーリウは、広域的な港湾管理や民間企業との協働などを通じて、柔軟な港湾運営を図ることを示唆しており、極めて現代的な考え方を提示したといえる。ところがオーリウ以降、フランスの公法学者が港湾について論ずることは皆無となり、彼の問題意識が承継されることはなかった。このことは現代からみると悔やまれるところであるが、この偉大なる先人の遺産を発掘し活用していくことは、筆者の継続的な課題のひとつである。ひとまず以上の小論において、オーリウの意図するところが断片的にでも明らかにされたことを祈りたい。

（26）　わが国の港湾制度について、一般には第二次大戦前後の断絶が強調されているが、筆者は戦前との連続性を認めるべき側面もあると考えている（木村・前掲註（1）千葉論集二〇巻四号七五―七六頁註（32）などを参照）。

なお、平成一七（二〇〇五）年の法改正により、国有港湾施設について、一定の要件のもとで、国土交通大臣が民間事業者等に直接貸し付けることが認められるようになった（港湾法五五条）。この制度は、地方公共団体（および港務局）を港湾管理者とし、港湾管理者にすべての国有港湾施設を管理委託するという原則（同法五四条一項）の例外として位置づけられる。その評価につき、木村・前掲註（1）千葉論集二〇巻四号八八頁を参照。

（27）　参照、木村「フランスにおける政策評価――港湾事業の評価を中心にして」季刊行政管理研究九五号（二〇〇一年）二三頁。その後の会計検査院の報告書につき、本書第一章第二節二註（144）および註（155）、木村・学界展望・国家学会雑誌一二一巻一・二号（二〇〇八年）一七五頁以下を参照。

（28）　参照、木村「フランスにおけるＰＦＩ的な港湾管理――自治港の埠頭管理協定」港湾二〇〇五年六月号四六頁以下。Cf. C. E. avis du 7 juillet 1994, RFDA 1994, p. 1146. より一般的には、本書第一章第二節二（三）（4）[68]を参照。

（29）　参照、木村「フランスにおける港湾・空港の管理形態の変容」港湾二〇〇六年八月号三二頁以下。

（30）　フランスの国有財産制度の改革につき、第一章第二節一（二）[47]のほか、木村「国公有財産制度・公物制度に関するフランスの動向」千葉大学法学論集二一巻三号（二〇〇六年）一頁以下を参照。一九九四年の国有財産法典の改正が港湾管理において有する意義につき、R. Rézenthel,《Vers une meilleure protection contre précarité de l'occupation du domaine public》, AJDA 2001, p. 1025 et s.

あとがき

本書は、モーリス・オーリウをはじめとした古典的学説を読み解く作業を通じて、行政法・財政法の基礎理論、ひいては公法総論ないしガバナンス論を展開したものである。ガバナンスに関しては、とりわけ行政学や経済学の分野ですぐれた書物があいついで公表されているが、本書は法律学的な分析、より正確には公法学的な分析を中心にしており、他の先行領域での問題提起に対する一法学徒からの回答という趣旨を含んでいる。もっとも、筆者としては、ガバナンスという看板よりも、むしろ《古典と現代の接合》に力点を置いている。つまり、ガバナンスという概念を用いるかどうかはともかくとして、この種の今日的な問題の解決にあたって、オーリウをはじめとした古典的学説が重要な視座を提示しており、それを現代に活用することが有益であると考えている。もとより、その成否は読者の判断に委ねるほかないが、ガバナンスという現代的な語感からすれば逆説的な方法論が、本書の特色といえるであろう。

筆者自身の位置づけとしては、筆者の前著『財政法理論とその環境』(二〇〇四年・有斐閣)の続編としての意味をもつが、同著の刊行に前後して、筆者は関連したテーマについて雑文を書き散らした感があるので、本書によって筆者の考え方が多少なりとも一貫性をもって理解されることを期待している。筆者の個人的な意図としては、それが本書を公刊する最大の目的である。

内容的には、そうした拙稿の一部である、別掲の初出論文が本書のもとになっており、一冊にまとめるにあたって最小限の調整を施している。そのため、引用する文献や情報は必ずしも最新のものではないし、漏れがあることも予想される。もともと本書で扱う問題は複数の分野にまたがっており、それぞれの分野で新しい研究成果が次々と出されているなかで、古典から現代に至るまでの日仏の文献を網羅することは不可能に近いという事情もあるが、本書の基本的なモチーフは古典の再続にあるので、現代における議論状況の流動性を加味してお読みいただければ、本書の目的は達せられるであろう。しかも、本書の対象のひとつである財政法の分野では、境界学問（discipline de carrefour）としての性格が災いしてか、一般に文献の引用が十分でないことが少なからずあるので、相対的にみれば、本書はこの領域において有益な参考文献を補充する意義を有すると思われる。

分野的には、財政に関連した憲法学や行政法上の論点とともに、公物管理、行政契約、行政組織、公私協働をはじめとして、公法上の諸問題を横断的かつ具体的に取り上げることを試みており、本書のこうしたアプローチが、公法学全般に対するささやかな貢献になることを祈念している。

本書の読者としては、前著と異なり、法学研究者以外の方々をも広く想定している。そこで、一般の読者に理解していただけるよう、原論文に具体例を追加するなど、多少なりとも工夫したつもりである。抽象論になじめない方は、第二章（特に序説と補論）あるいは第四章から読みはじめていただくのも、一方法であろう。他方、第一章は、ほんらい一体的に読まれることを念頭において書かれたものであるが、読者の関心に応じて、古典的学説の分析（第一節）と現代的な問題（第二節以下）に分けて読むことも可能である。また、通し番号を付して、できるだけ詳しいクロス・レファレンスの表記をしたので、ひとつの論点から出発して関連する箇所を参照いただく形でも、古典と現代を行き来しながら読みすすめることができると思われる。

また、行財政の実務に携わる読者に向けて、実務的な論点も可能なかぎり盛り込んだが、個別の問題については十分な記述をなしえなかった恨みがあるので、それぞれの箇所で引用した拙稿のほか、できれば前著をもあわせて参照いただければ幸いである。最近では、法科大学院の理念を表現するために、《理論と実務の架橋》という言葉がしばしば用いられるが、本書はさらに欲張って、《古典との架橋》まで試みているので、内容的な不十分さを承知のうえで見切り発車しているところもある。

こうした諸事情との関係で、学術的な評価をされる法学研究者を念頭において、ここでいくつかの念押し的な記述をすることをお許しいただきたい。まず、筆者のオーリウ研究は、本書をもって完結したわけではない。前著の脱稿時と同様に、ひとりの偉大な理論家の足跡をたどることの難しさを、いま再び思い知らされている。また、筆者の公法研究のなかで、比較的早期から手がけた財政法上の諸問題については、自説が固まりつつあるものが多いが、他の領域の論点については、問題の所在を示すにとどめた箇所もある。総じて、大風呂敷な問題設定をした割には、記述の偏りや濃淡がありすぎる、という評価をうける可能性があるが、これらの穴埋めは今後の継続的な課題としていくほかない。

特に本書の租税法関係の記述は、近年の租税法学の目覚しい展開からすると、やや中途半端な印象を与えるかもしれない。これは他の研究分野との関係でも同様であるが、やや視点を変えた立場からの試論ないし問題提起としてお受け取りいただきたい。また、誤解や認識の甘さがあれば、それぞれの分野の方々からご批判を賜りたいと考えている。こうした不完全さは、日本の現状に照らしていえば、境界学問たる財政法学の萌芽期に身をおいた研究者の宿命ともいえるであろうし、恥ずかしくも、それが筆者なりの《学際交流》ではないかと思われるのである。

たいていの研究書では、数多くの指導者・関係者の名前をあげて謝辞を述べるという体裁が取られるが、筆者は前著のはしがきにおいて、その内容が「基礎研究の中間総括」にとどまるという理由から、その「発展可能性」に免じて、お世話になった方々のお名前を割愛させていただいた。本書を上梓するにあたっても、いまだ中間段階という意識を払拭できていないので、学恩に報いた証となるような記述をすることに躊躇いを感じている。

ただ、前著に続いて筆者の指導者をひとりだけあげるならば、それは、筆者の在外研究（一九九七年九月から二年間）の申し出を受け入れられた、ストラスブール大学のロベール・エルツゾグ（Robert Hertzog）教授である。同教授は、筆者のオーリウ研究に対して大いなる理解を示しつつも、筆者がそれまでにやってきた研究の安易さを厳しく指摘し、フランス流の研究方法や表現方法の手解きをしてくださった。結果的に、同教授の予想をはるかに超えてオーリウ研究にのめりこんでしまったことについては、みずからの研究の緩慢さとともに、苦笑するほかない。

出版の関係では、前著の刊行後にいち早く、そのかすかな「発展可能性」に着目して本書の刊行をすすめられた、勁草書房の徳田慎一郎氏に対して、厚く御礼申し上げる。また、その遅々とした「発展」の作業を暖かく見守り、雑誌『自治研究』に初出論文等を辛抱づよく連載してくださった、第一法規㈱の木村文男編集長に対しても、ここに感謝の気持ちを記したい。

二〇〇七年一一月

木村琢麿

初出一覧

はじめに　書き下ろし
序論第一節　書き下ろし
序論第二節　①「モーリス・オーリウと渋沢栄一の生きた時代」渋沢栄一記念財団編・青淵2005年3月号、②「渋沢栄一における公私協働的な思想（1）〜（2）——モーリス・オーリウとの接点」青淵2005年10月号、2005年11月号
第一章　「現代行政における経済性の意義（1）〜（5）——法的観点からのパブリック・ガバナンス論に向けた基礎的考察」自治研究82巻8号、82巻11号、83巻2号、83巻8号、83巻9号（2006−2007年）
第一章補論　「現代行政における財政統制の変容——日仏比較を基礎にして」韓国法制研究院『21世紀財政法の課題と展望』（2005年）
第二章　「行政の民間委託の可能性について——オーリウ学説と租税行政を素材にした覚書き」千葉大学法学論集二二巻一号（2007年）
第三章　「租税におけるガバナンス論の展開——フランス租税法学の歴史と現状」千葉大学法学論集21巻2号（2006年）
第四章　「モーリス・オーリウが見たフランスの港湾制度」港湾2006年10月号

索　引

あ　行

か　行

た　行

な　行

は　行

ま　行

や 行

ら 行

著者略歴

1991年東京大学法学部卒業。東京大学法学部助手を経て、現在、千葉大学大学院専門法務研究科（法科大学院）教授。専攻は行政法・財政法。『財政法理論の展開とその環境』（2004年・有斐閣）、『ブリッジブック行政法』（共著、2007年・信山社）、「国有財産の管理委託に関する一考察」千葉大学法学論集20巻4号（2006年）、「成果主義的な行財政制度の構築に向けた試論(1)〜(5・完)」自治研究79巻9号、同11号、80巻9号、同12号、81巻1号（2003〜2005年）、「予算・会計改革に向けた法的論点の整理」会計検査研究29号（2004年）、「フランス財政法学の誕生と現状」日仏法学23号（2004年）、「財政統制の現代的変容（上・下）」自治研究79巻2号、同3号（2003年）、「公会計における支出方法の一考察」千葉大学法学論集17巻2号（2002年）、「フランスにおける政策評価」季刊行政管理研究95号（2001年）、「財政法上の委任の法理」塩野宏先生古稀記念『行政法の発展と変革・下巻』（2001年・有斐閣）、「事実上の公務員の法理」千葉大学法学論集15巻1号（2000年）ほか。

ガバナンスの法理論

行政・財政をめぐる古典と現代の接合

2008年7月25日　第1版第1刷発行

著者　木《き》村《むら》琢《たく》麿《まろ》

発行者　井村寿人

発行所　株式会社　勁《けい》草《そう》書房

112-0005　東京都文京区水道2-1-1　振替　00150-2-175253
（編集）電話　03-3815-5277／FAX　03-3814-6968
（営業）電話　03-3814-6861／FAX　03-3814-6854
日本フィニッシュ・青木製本

ISBN978-4-326-40248-9　Printed in Japan